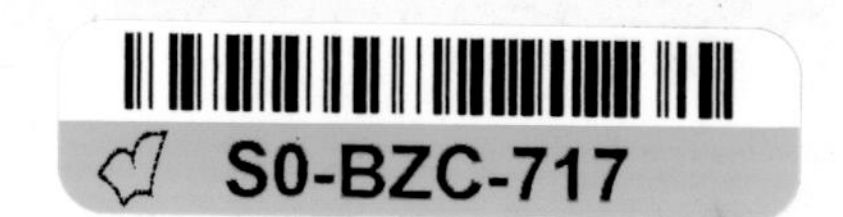

¡Anda! Curso elemental

Preguntas para conversar

Español Elemental I

Capítulo #A: Para empezar
1. ¿Cómo estás?
2. ¿Cómo te llamas?
2. ¿De dónde eres?
4. ¿Cúando es tu cumpleaños?
5. ¿Cuál es tu mes favorito? ¿Por qué?

Capítulo #1: ¿Quiénes somos?
1. ¿Cuántos hermanos tienes?
2. ¿Cómo es tu personalidad?
3. ¿Cuántos primos tienes?
4. ¿Cómo eres tú físicamente?
5. ¿Cómo es la personalidad de tu major amigo/a?

Capítulo #2: La vida universitaria
1. ¿Qué clases tomas este semestre?
2. ¿Qué hay en tu sala de clases?
3. ¿Cómo se llama tu compañero de cuarto?
4. ¿Cuál es tu deporte favorito?
5. ¿Trabajas mucho en tu clase de español?

Capítulo #3: La casa
1. Describe, ¿cómo es tu casa?
2. ¿Qué muebles hay en tu cuarto?
3. ¿Qué hay en tu cocina?
4. ¿Qué cuarto prefieres? ¿Por qué?
5. ¿Quién vive contigo?

Capítulo #4: Nuestra comunidad
1. ¿Prefieres ir al teatro o al museo?
2. ¿Hay una plaza en tu comunidad?
3. ¿Te gusta ir al cine con tus amigos?
4. ¿Cuál es el mejor restaurante en tu ciudad?
5. ¿Adónde vas a ir el fin de semana?

Capítulo #5: La música y el cine
1. ¿Qué tipo de música te gusta?
2. ¿Conoces a algún músico o pianista? ¿A quién?
3. ¿Sabes tocar un instrumento? ¿Cuál?
4. ¿Cuál es tu cantante favorito?
5. ¿Cuándo vas a ir a un concierto?

Pronunciación #1:

Spanish Vowels

The vowels, *a, e, i, o, u,* are nearly always pronounced the same way. Their pronunciation is crisp and shorter than in English. For example:

a like the "a" in *father* but shorter
e like the "e" in *hey* but shorter
i like the "ee" in *meet* but shorter
o like the "o" in *zone* but shorter
u like the "u" in *rule* but shorter

Ejercicio #1: Las palabras
Practice pronouncing the following words and focus on the vowels.

1. la primavera
2. la amiga
3. el esposo
4. el primo
5. inteligente
6. usted
7. uno
8. Estados Unidos
9. el otoño
10. trabajadora

Ejercicio #2: Las oraciones
Pronounce the following sentences, paying special attention to the vowels.

1. La esposa de mi padre es mi madre.
2. El hijo de mi tío es mi primo.
3. La madre de mi madre es mi abuela.
4. La hermana de mi mamá es mi tía.
5. El hijo de mi madre es mi hermano.
6. El hermano de mi padre es mi tío.
7. El padre de mi madre es mi abuelo.
8. La hija de mi tío es mi prima.
9. La hija de mi mamá es mi hermana.
10. El esposo de mi tía es mi tío.

Ejercicio #3: Los dichos y refranes (*sayings*)
Now pronounce the following sayings, focusing on the vowels.

1. ¡A, E, I, O, U, el burro eres tú!
2. Al mal tiempo buena cara.
3. Amigo en la adversidad es un amigo de verdad.
4. Barriga llena, corazón contento.
5. Cada loco con su tema.
6. Con amigos así no hacen falta enemigos.
7. Después de la tormenta viene la calma.
8. El amor lo perdona todo.
9. El dinero llama al dinero.
10. El perfume bueno viene en potes pequeños.

Ejercicio #4: Lectura
Read out loud the following passage paying special attention to the vowels.

La quinceañera

La quinceañera es una celebración que marca la transición de niña a mujer de las muchachas de quince años. Es una fiesta popular tanto en las comunidades hispanohablantes de los Estados Unidos como en muchos (*many*) países hispanos. En muchas partes, la fiesta de la quinceañera es grande y elegante. Los padres de la muchacha invitan a muchos amigos y familiares. Hay (*there is*) música, baile (*dancing*) y comida (*food*). En otras partes, las jóvenes marcan este paso importante con una misa (*mass*) y una pequeña fiesta familiar. No hay una fiesta similar para los muchachos.

Pronunciación #2:
Word stress and *Accent marks*

In Spanish, written accents are used to distinguish word meaning, or when a word is "breaking" a pronunciation rule. Here are the basic rules of Spanish pronunciation and accentuation.

1. Words ending in a vowel, or in the consonants n or s are stressed on the *next-to-last syllable*. Listen to and then pronounce the following words.

medicina, derecho, grande, tienen, abuelos, nosotros, arte

2. Words ending in consonants other than n or s are stressed on the *last syllable*. Listen to and then pronounce the following words.

tener, usted, Rafael, ciudad, Gabriel, feliz, llegar

3. All words "breaking" rules #1 and #2 above need a written accent on the stressed syllable. Listen to and then pronounce the following words.

televisión, biología, informática, fácil, Ramón, música

FIJATE: Accent marks appear only over vowels.

4. Written accents are used on all *interrogative* and *exclamatory* words. Listen to and then pronounce the following words.

¿Cómo?, ¿Qué?, ¿Cuándo?, ¿Quién?, ¿Cuántos?, ¿Dónde?, ¡Qué bueno!

5. Written accents are also used to *differentiate meaning* of certain one-syllable words that are written and pronounced alike. Listen to and then pronounce the following words.

él (*he*) — **el (*the*)**
mí (*me*) — **mi (*my*)**
sí (*yes*) — **si (*if*)**
tú (*you*) — **tu (*your*)**

Ejercicio #1: Las palabras
Practice pronouncing the following words, focusing on the stress.

1. abuelos
2. medicina
3. ¿Dónde?
4. música
5. tener
6. arte
7. usted
8. derecho
9. nosotros
10. biología

Ejercicio #2: Las oraciones
Practice pronouncing the following sentences and pay special attention to the stress.

1. Eva estudia mucho para sus clases. Le gusta mucho escribir. Lleva una "A" en la clase de periodismo. Ella está muy contenta.
2. A mis amigas no les gusta (*they do not like*) la clase de biología. Su examen final es hoy y no están preparadas (*ready*). Ellas están preocupadas.
3. Carlos es un atleta de los Juegos Olímpicos; él corre 10 millas (*miles*) en el estadio todos los días. Cuando termina de correr, él está cansado.
4. Joaquín y Álex están en la oficina del Doctor Soto. Ellos tienen fiebre (*fever*). Ellos están enfermos.
5. ¡El esposo de Josefa tiene una novia! Josefa está enojada.

Ejercicio #3: Los dichos y refranes
Now pronounce the following sayings and focus on the stress.

1. Ahí si hay mucha tela de donde cortar.
2. Dime con quién andas y te diré quién eres.
3. El que busca encuentra.
4. El pez muere por la boca.
5. El que juega por necesidad pierde por obligación.
6. El último que ríe, ríe mejor.
7. En la unión está la fuerza.
8. El ladrón juzga por su condición.
9. La práctica hace al maestro.
10. De cualquier maya sale un ratón.

Ejercicio #4: Lectura
Read out loud the following passage paying special attention to the stress.

El fútbol

El fútbol es uno de los deportes más populares del mundo. Cada cuatro años, se celebra el campeonato (*championship*) internacional más importante de este deporte, la Copa Mundial. Los equipos nacionales están formados con sus mejores jugadores para participar en este campeonato que tiene lugar (*takes place*) cada vez (*each time*) en un país diferente. Uno de los equipos más fuertes es el de Brasil con 5 victorias. El jugador más famoso de Brasil y posiblemente de todo el mundo es Pelé. Otros jugadores brasileños importantes a nivel internacional son Ronaldiño y Kaká.

Pronunciación #3:
The letters *h*, *j*, and *g*

1. The Spanish **h** is always silent and never pronounced.

   hombre   **h**ola   **h**ay   **h**ora

2. The letter **j** is pronounced similar to the English ***h*** in ***hot***.

   gara**j**e   **j**ardín   **j**ueves   ba**j**a

3. The letter **g** is pronounced similar to the English ***g*** in *goal*, except when followed by ***e*** or ***i***.

   garaje   **g**lobo   **g**uitarra   **g**ordo

4. When **g** is followed by ***e*** or ***i,*** it is pronounced similar to the English ***h*** in ***h**appy*.

   generalmente   **g**itano   a**g**encia   a**g**itado

Ejercicio #1: Las palabras
Pronounce the following words, paying special attention to the letters **h**, **j**, and **g**.

1. **h**ay
2. **j**ardín
3. **g**ara**j**e
4. **h**ospital
5. pon**g**o
6. ba**j**a
7. **g**eneroso
8. a**h**ora
9. **g**uardar
10. **h**oy

Ejercicio #2: Las oraciones
Pronounce the following sentences, paying special attention to the letters **h**, **j**, and **g**.

1. El lavaplatos es un aparato que necesita **j**abón (*soap*).
2. El **g**ara**j**e es el lu**g**ar donde estacionamos (*park*) el auto.
3. El refri**g**erador mantiene el **h**ielo para las bebidas.
4. El **j**ardín es donde tomamos sol cuando **h**ace calor como **h**oy.
5. El dormitorio es el lu**g**ar donde tenemos la cama con almo**h**adas.

Ejercicio #3: Los dichos y refranes
Now pronounce the following sayings and focus on the letters **h**, **j**, and **g**.

1. A la larga, lo más dulce amarga.
2. A otro perro con ese hueso.
3. El hábito no hace el monje.
4. El hombre es como el oso, mientras más feo más hermoso.
5. El ladrón juzga por su condición.
6. Está más jalao que el timbre de la guagua.
7. Grano a grano la gallina llena el buche.
8. Hay que coger al toro por los cuernos.
9. Hay que hacer de tripas corazones.
10. Haz bien sin mirar a quién.

Ejercicio #4: Lectura
Read out loud the following passage paying attention to the letters **h**, **j**, and **g**.

Se vende

Se vende un apartamento lujoso en el centro de Santiago de Compostela. Está en el tercer piso de un edificio contemporáneo al lado de la Plaza del Obradoiro, la más famosa de Galicia. Este fabuloso apartamento tiene alfombras de pared a pared, dos dormitorios grandes, dos baños modernos con bidet y una cocina pequeña con estufa, microondas y refrigerador. Hay un balcón pequeño a la izquierda de la sala. Al lado del dormitorio principal hay una oficina y un baño privado. El apartamento tiene acceso a un gimnasio para hacer ejercicio. En el techo hay un jardín fantástico con muchas plantas y flores bonitas. Para más información llamar al teléfono 43-77-51 y preguntar por el señor Garrido.

Pronunciación #4:
The letters *c* and *z*

1. Before the vowels **a, o,** and **u**, and when followed by a consonant, the Spanish **c** is pronounced like the *c* in the English word *car*.

2. Before the vowels **e** and **i**, the Spanish **c** is pronounced like the *s* in the English word *seal*.

3. The Spanish **z** is pronounced like the *s* in the English word *seal*.

Ejercicio #1: Las palabras
Practice pronouncing the following words, focusing on the letters **c** and **z**.

1. almacén
2. banco
3. club
4. cuidado
5. cibercafé
6. cajero
7. lápiz
8. plaza
9. zapato
10. celeste

Ejercicio #2: Las oraciones
Pronounce the following sentences, paying special attention to the letters **c** and **z**.

1. El Museo de Arte Moderno es muy conocido y está en el centro de San Salvador cerca de la plaza central. El museo es moderno y grande.
2. Somos guatemaltecos, de un área rural de Guatemala. Ahora estamos en el centro de la ciudad y vamos de compras porque necesitamos zandalias nuevas.
3. Soy de Tegucigalpa, la capital de Honduras.

Ejercicio #3: Trabalenguas y dichos
Pronounce the following twisters (*trabalenguas*) and sayings, focusing on the letters **c** and **z**.

1. El cerdo del centro corre con cuidado hacia Zaragoza con una cerveza.
2. Cuando cuentes cuentos, cuenta cuantos cuentos cuentas, porque si no cuentas cuantos cuentos cuentas, nunca sabrás cuantos cuentos cuentas.
3. Zagalón zapatero zapateador zapatea fuerte con zapatos zapatudos lanza zapatazo al hacer zapatetas.

4. La gallina Cienzicienta que en el cenicero está déjala que se encenice que ella sola se desencenizará.
5. Treinta y tres tramos de troncos trozaron tres tristes trozadores de troncos y triplicaron su trabajo, triplicando su trabajo de trozar troncos y troncos.
6. Al mejor cazador se le va la liebre.
7. Arbol que crece "doblao" jamás su tronco endereza.
8. Cada cual arrima la sardina a su braza.
9. Donde hubo fuego cenizas quedan.
10. El pudor de la doncella la hace aparecer mas bella.

Ejercicio #4: Lectura

Read out loud the following passage paying attention on the letters **c** and **z**.

El Hotel Tiziano

Si usted quiere estar feliz en una selva tropical, ver animales exóticos en su ambiente natural y conocer las ruinas mayas más grandes de Centroamérica, nuestro hotel es el lugar ideal para usted.

El Hotel Tiziano tiene dormitorios grandes y cómodos con baños privados y servicio del Internet. Todos los dormitorios tienen balcones de donde usted puede ver las fabulosas ruinas de Tikal.

Tenemos dos restaurantes magníficos a su servicio. En nuestro restaurante de cuatro estrellas, El Quetzal, servimos comidas típicas del área. Si usted prefiere comer en un lugar informal, le recomendamos nuestro café El Jardín que se especializa en pizza y sándwiches. En el hotel, hay a su disposición una piscina (*swimming pool*) termal, servicio de masaje y gimnasio moderno que nunca cierra.

Si usted quiere pasar unas vacaciones ideales en un paraíso tropical, llámenos al (011)-502-863-2190.

Pronunciación #5: *Dipthongs* and *Linking*

In Spanish, **a, e,** and **o** are what are known as *strong vowels*. The **i** and **u** are known as *weak vowels*. A **diphthong** is the combination of a strong and a weak vowel, or two weak vowels. Diphthongs are pronounced as a single syllable.

concierto empresaria grabaciones pianista

When pronouncing words in Spanish, *linking* occurs. Linking is what makes spoken Spanish appear to flow and be seamless. What follows is a summary of how words are linked.

1. A **consonant** at the *end* of one word is linked to a **vowel** at the *beginning* of the next word.
   el artista un aficionado ellos ensayan

2. A **vowel** at the *end* of one word is linked to a **vowel** at the *beginning* of the next word.
   su (h)abilidad tu orquesta nuestra ópera ella ensaya

FIJATE: Remember that the letter **h** in Spanish is silent and not pronounced.

3. **Identical consonants** (or consonant sounds) at the *end* of one word and at the *beginning* of the next word are linked.
   sus sabores con negro sabor rítmico voz suave

4. **Identical vowels** (or vowel sounds) at the *end* of one word and the **beginning** of the next word.
   la artista música apasionada la (h)abilidad la alfombra

Ejercicio #1: Las palabras
Practice pronouncing the following words, focusing on the diphthongs and linking.

1. concierto
2. empresaria
3. grabaciones
4. pianista
5. el artista
6. un aficionado
7. ellos ensayan
8. tu orquesta
9. su habilidad
10. nuestra ópera
11. ella ensaya
12. sus sabores
13. con negro
14. sabor rítmico
15. voz suave
16. la artista
17. música apasionada
18. la habilidad

Ejercicio #2: Las oraciones

Pronounce the following sentences, paying attention to the diphthongs and linking.

1. La orquesta ensaya para del concierto.
2. Ese músico toca con una habilidad impresionante.
3. Marcela quiere tocar en la orquesta con una amiga. Tienen que ensayar.
4. Lola quiere ser baterista por eso ella ensaya en las mañanas.
5. En el concierto se puede ver la pasión de los aficionados.

Ejercicio #3: Los dichos y refranes

Pronounce the following saying, focusing on diphthongs and linking.

1. Aquellos que tienen amigos son ricos.
2. La cuestión no es llegar, sino quedarse.
3. La caridad empieza por casa.
4. Hay que estirar el pie hasta donde llegue la sábana.
5. A otro perro con ese hueso.
6. Esos son otros veinte pesos.
7. Está como la reina mora que a veces canta y a veces llora.
8. Escoba nueva barre bien.
9. En la vida todo tiene remedio, menos la muerte.
10. En guerra avisada no muere gente.

Ejercicio #4: Lectura

Read out loud the following passage, focusing on diphthongs and linking.

Costa Rica

Costa Rica es un país democrático en Centroamérica que cuenta con la mayor estabilidad política en la región. Los costarricenses mantienen que la estabilidad política se basa en una educación accesible para todos. Por eso, el gobierno dedica muchos recursos a la educación de los jóvenes. La Universidad de Costa Rica está en San Pedro, muy cerca de la capital. En esta universidad los estudiantes reciben educación muy buena y económica. Incluso, pueden comprar un almuerzo completo en la cafetería por un dólar. Estudiantes vienen a Costa Rica de otros países para aprender español y la universidad ofrece muchas oportunidades para ellos. Los que vienen a estudiar español viven en casas con familias costarricenses y pasan cuatro semanas en cursos intensivos.

GUIDE TO *¡ANDA! CURSO ELEMENTAL* ICONS

	Vocabulary Zoom Tool	Indicates that students can find the vocabulary digital zoom tool in ***¡Anda!* online** to zoom in on images and listen to the pronunciation of vocabulary words.
	Vocabulary Tutorial	Indicates that vocabulary tutorials are available in ***¡Anda!* online**.
	También se dice…	Clicking on this icon from the eText will send students to the *También se dice…* lists in Appendix 3, where they can find alternative vocabulary words from those presented in the vocabulary chunk.
	Pronunciación	Indicates that prounciation practice can be found in ***¡Anda!* online**.
	Readiness Check in *¡Anda!* online	This icon, located in the first grammar section of each chapter, reminds students to take the Readiness Check in ***¡Anda!* online** to test their understanding of the English grammar related to the Spanish grammar concepts in the chapter.
	Grammar Tutorial	Indicates that grammar tutorials are available in ***¡Anda!* online**.
	¡Explícalo tú!	Indicates that answers to the *¡Explícalo tú!* questions are available for students to review in Appendix 1.
	Preparación y práctica	Indicates that *Preparación y práctica* activities for each vocabulary and grammar chunk can be found in ***¡Anda!* online**.
	eText Activity	This icon indicates that an electronic version of this activity is available in ***¡Anda!* online**.
	Text Audio Program	This icon indicates that recorded material to accompany ***¡Anda! Curso elemental*** is available in ***¡Anda!* online** or on the Companion Website (www.pearsonhighered.com/anda).
	Pair Activity	This icon indicates that the activity is designed to be done by students working in pairs.
	Group Activity	This icon indicates that the activity is designed to be done by students working in small groups or as a whole class.
	Recycling	Indicates that the concept is being recycled from another section of the program.
	Video	This icon indicates that a video episode is available for the *Club cultura* video series in ***¡Anda!* online**.
Media Share	**MediaShare**	Indicates that the activity can be completed using MediaShare either in ***¡Anda!* online** or with the MediaShare app.

DEDICATION

To John, Jack, and Kate
—Glynis

To David, the love of my life
—Audrey

PEARSON ALWAYS LEARNING

Glynis S. Cowell • Audrey L. Heining-Boynton
With Jean LeLoup

¡Anda! Curso elemental
Volume 1

Custom Edition for University of Arkansas – Fayetteville

Taken from:
¡Anda! Curso elemental, Third Edition
by Glynis S. Cowell and Audrey L. Heining-Boynton, with Jean LeLoup

Cover Art: Courtesy of Atly/Shutterstock.

Taken/Excerpts from:

¡Anda! Curso elemental, Third Edition
by Glynis S. Cowell and Audrey L. Heining-Boynton, with Jean LeLoup

Boston, Massachusetts 02116

Pearson Custom Edition.

Pearson Education, Inc., 330 Hudson Street, New York, New York 10013
A Pearson Education Company
www.pearsoned.com

Printed in the United States of America

11 17

000200010272047430

ES

ISBN 10: 1-323-45491-8
ISBN 13: 978-1-323-45491-6

BRIEF CONTENTS

SCOPE & SEQUENCE FIRST

(The numbers that precede the grammar and vocabulary sections indicate their numerical sequence within the chapter.)	A **Para empezar**	1 **¿Quiénes somos?**	2 **La vida universitaria**
VOCABULARIO	1 Saludos, presentaciones y despedidas, p. 4 2 Expresiones útiles para la clase, p. 8 4 Los cognados, p. 10 7 Los adjetivos de nacionalidad, p. 14 8 Los números 0–30, p. 16 9 La hora, p. 18 10 Los días, los meses y las estaciones, p. 21 11 El tiempo, p. 23	1 La familia, p. 32 6 Gente, p. 41 9 Los números 31–100, p. 50	1 Las materias y las especialidades, p. 66 2 La sala de clase, p. 69 5 Los números 100–1.000, p. 78 6 En la universidad, p. 80 8 Las emociones y los estados, p. 86 10 Los deportes y los pasatiempos, p. 89
GRAMÁTICA	3 El alfabeto, p. 9 5 Los pronombres personales, p. 11 6 El verbo **ser**, p. 13 12 **Gustar**, p. 25	2 El verbo **tener**, p. 35 3 Sustantivos singulares y plurales, p. 36 4 El masculino y el femenino, p. 37 5 Los artículos definidos e indefinidos, p. 38 7 Los adjetivos posesivos, p. 42 8 Los adjetivos descriptivos, p. 44	3 Presente indicativo de verbos regulares, p. 71 4 La formación de preguntas y las palabras interrogativas, p. 75 7 El verbo **estar**, p. 83 9 El verbo **gustar**, p. 87
PRONUNCIACIÓN		Vowels, p. 33	Word stress and accent marks, p. 67
NOTA CULTURAL	Cómo se saluda la gente, p. 7 ¿**Tú** o **usted**?, p. 12 Los hispanos, p. 16 El mundo hispano, p. 17	Los apellidos en el mundo hispano, p. 34 El español, lengua diversa, p. 49	Las universidades hispanas, p. 68 Los deportes en el mundo hispano, p. 91
ESCUCHA		Presentaciones, p. 52 **Estrategia:** Determining the topic and listening for words you know	Una conversación, p. 93 **Estrategia:** Listening for the gist
¡CONVERSEMOS!		Communicating about people you know, p. 53	Communicating about university life, p. 94
ESCRIBE		Un poema, p. 54 **Estrategia:** Organizing ideas / Preparing to write	Una descripción, p. 94 **Estrategia:** Creating sentences
VISTAZO CULTURAL		**LOS ESTADOS UNIDOS**, p. 56 **Club cultura:** *La vida de los hispanos*	**MÉXICO**, p. 96 **Club cultura:** *La vida universitaria*
LECTURA		*El perfil de Adriana*, p. 58 **Estrategia:** Recognizing cognates	*Una carta de la universidad*, p. 98 **Estrategia:** Skimming

SEMESTER

NEW TO *¡ANDA! CURSO ELEMENTAL*, THIRD EDITION

Students and instructors will benefit from a wealth of new content and features in this edition. Detailed, contextualized descriptions are provided in the features walk-through that follows.

- **Revised** *Scope and Sequence* creates a better balance between the first and second half of the text and across the full *¡Anda!* program.
- **Chapter openers have been redesigned** to highlight the warm-up activities and facilitate class discussion through three captioned photos, a cultural introduction to the chapter, and a *¿Sabías qué?* fun fact.
- **Learning Outcomes** in the chapter openers focus students on what they will be able to do successfully by the end of each chapter. These are also tied to the *¿Cómo andas?* self-checks at the end of each *Comunicación* section.
- A *vocabulary digital zoom tool* in ***¡Anda!* online** allows students to zoom in on images and listen to the pronunciation of vocabulary words as they learn outside of class, helping them to quickly assimilate meanings and improve their pronunciation.
- *Preparación y práctica* activities for each vocabulary and grammar chunk in ***¡Anda!* online** will give your students a quick comprehension check before they come to class for communicative practice. An icon and directions in the text alert students when they should complete these activities.
- **A new cultural video program, *Club cultura*,** integrated with the revised *Vistazo cultural* section (formerly *Cultura*), brings the Spanish-speaking world to life through vibrant video episodes shot on location in 22 Spanish-speaking countries, including the United States. New activities written especially for ***¡Anda!* online** are language-controlled and offer a process approach to help students understand and gain insight into the countries they are studying. Pop-up eText activities offer in-class discussion questions about the integrated *Club cultura* videos for each country.

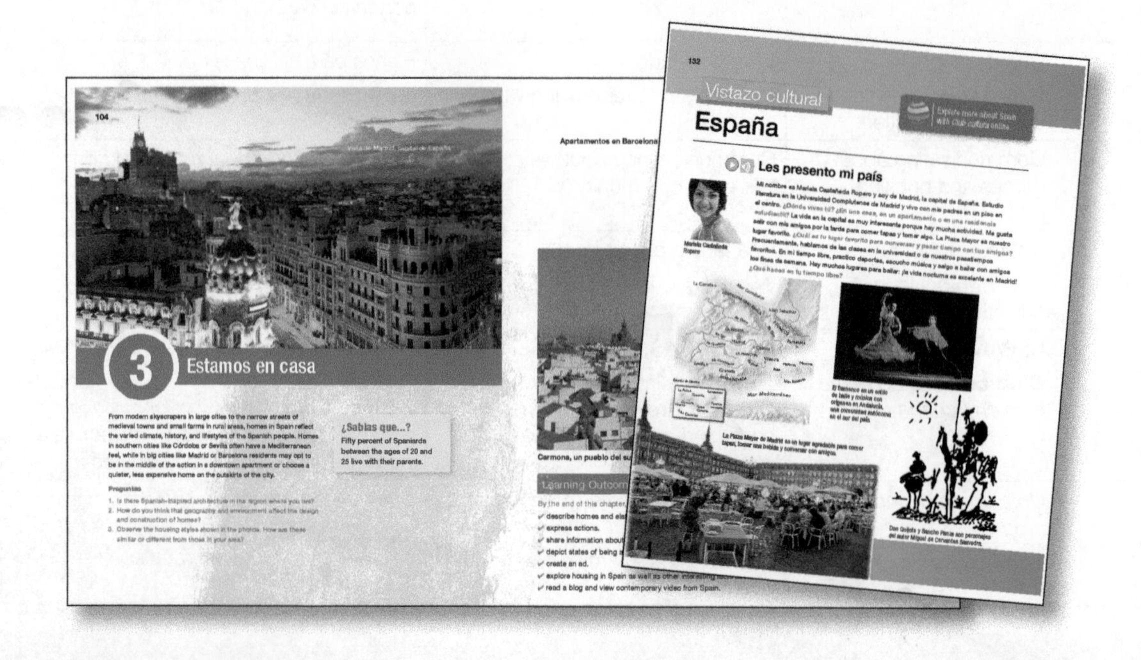

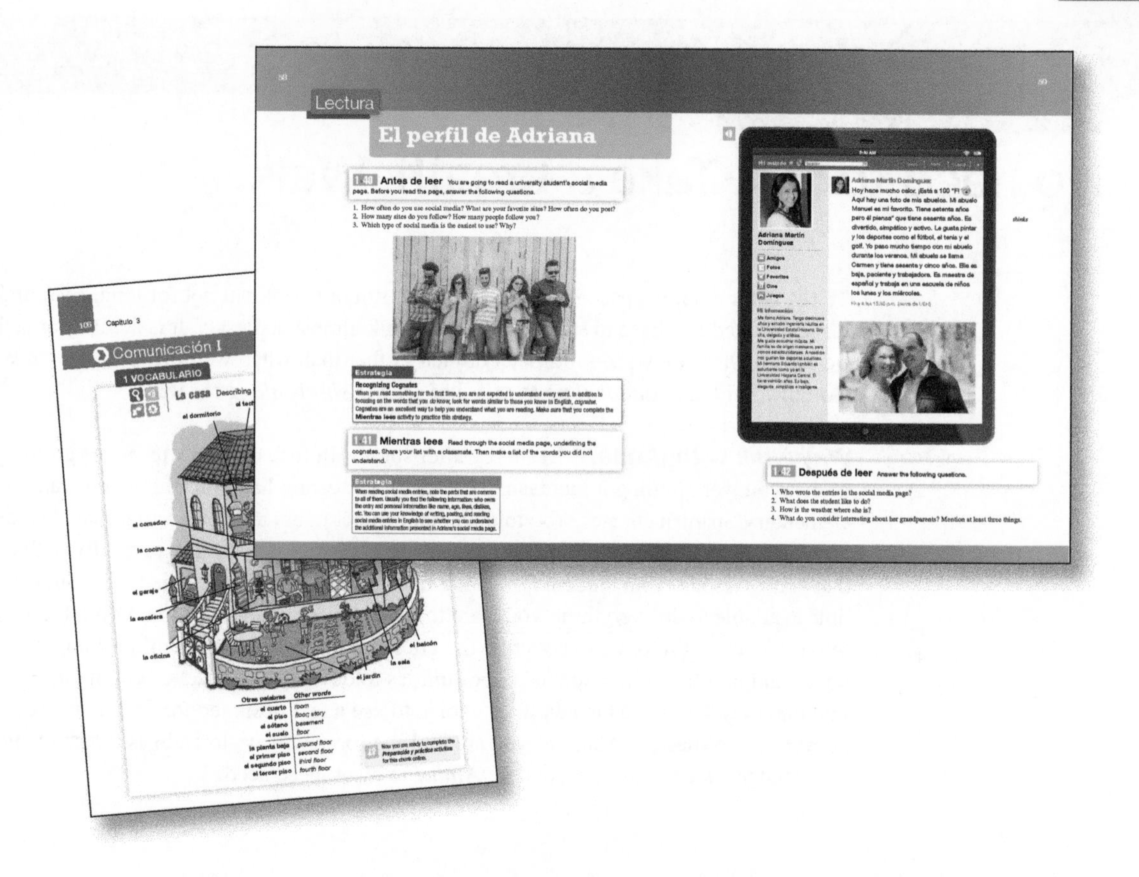

- **A brand-new section,** ***Lectura,*** introduces students to reading through various styles that are familiar to them, like social media and blogs. Students work with authentic text selections in *Capítulos 10* and *11*. At the end of each *Lectura* section, new *MediaShare* presentation activities give students the opportunity to practice the presentational mode of communication in the digital environment. The integrated video-capture functionality allows learners and instructors to record and upload video directly from a webcam, smartphone, or tablet using the *MediaShare* app.
- **Two additional audio-based** activities in each chapter offer further listening comprehension practice for students.
- **Digital tools in** ***¡Anda!*** **online** to increase out-of-class communication opportunities include *LiveChat*, a pair/group video recording tool, *MediaShare*, a video sharing site, and *WeSpeke*, a website that allows students to connect virtually with native speakers.
- Grammar tutorials and vocabulary flashcards are now **mobile** and ready for study on the go with new apps for smartphones.
- An icon in the vocabulary presentations links to the *También se dice...* Appendix from the eText for additional personalization of vocabulary.
- Many new teacher annotations (*Lectura*, *Club cultura*, Expansion, Suggestion, Note, and Planning Ahead) have been added to provide additional guidance and options for instructors and to aid in lesson planning and implementation for the new sections of the program.
- The *Student Activities Manual,* fully revised for ***¡Anda!*** **online,** is now optimized for the best digital experience. New activity types—including *LiveChat*, drag-and-drop, and more—help students engage in homework to improve preparedness for class.
- The *Testing Program* had been revised to better reflect the goals of the ***¡Anda!*** program. Clearer direction lines and new activities allow instructors to personalize assessments for their courses.

PREFACE

No need to run. Take a breath. Walk.

The natural human pace is walking. We can run or sprint, but not for long. Eventually, we are exhausted and have to stop. But we can walk almost endlessly. It is actually amazing how far we can go when we walk—ultimately much farther than when we run. *So take a walk… a walk with* **¡Anda!**… *and have* ***ample time to talk*** *and* ***see the sights*** *along the way.*

Why walk with ¡Anda!? In survey after survey, in focus group after focus group, you told us that you were finding it increasingly difficult to accomplish everything you wanted in your elementary Spanish courses. You told us that contact hours are decreasing, that class sizes are increasing, and that more and more courses are being taught partially or totally online. You told us that your lives and your students' lives are busier than ever. You said that there simply isn't enough time available to do everything you want to do. Some of you told us that you felt compelled to rush through your text in order to cover all the grammar and vocabulary, omitting important cultural topics and limiting your students' opportunities to develop and practice communication skills. Others said that they had made the awkward choice to use a text designed for first-year Spanish over three or even four semesters. Many of you are looking for new ways to address the challenges you and your students are facing. We created ***¡Anda!*** to meet these needs.

The ¡Anda! Story

The entire ***¡Anda!*** program was designed to increase the opportunity for student and instructor success by giving them **more of what they need… and less of what they don't! *¡Anda!*** is designed to be **ready to go!** Its innovations center around four key areas:

1. **Realistic goals with a realistic approach**
2. **Increasing student talk time inside and outside the classroom**
3. **Focus on student motivation**
4. **Tools to promote success**

REALISTIC GOALS WITH A REALISTIC APPROACH

Realistic goals are the *first step* in achieving success!

A realistic assessment of the basic language sequence

¡Anda! is the first college-level Spanish program created as a seamless sequence of materials to be completed in two academic years. The ***¡Anda!*** program is divided into two halves, ***¡Anda! Curso elemental*** and ***¡Anda! Curso intermedio***, each of which can be completed in one academic year.

Each volume's scope and sequence has been carefully designed, based on advice and feedback from hundreds of instructors and users at a wide variety of institutions. Each volume introduces a realistic number of new vocabulary words, and the traditional basic language grammar sequence has been spread over two volumes so that students have adequate time throughout each course to focus on communication, culture, and skills development, and to master the vocabulary and grammar concepts to which they are introduced.

Each volume of *¡Anda!*, for both ***Curso elemental*** and ***Curso intermedio***, has been structured to optimize learning through thoughtful presentation, preparation, recycling, and review within the context of a multi-term sequence of courses. The ten regular chapters are complemented by *two preliminary* chapters and *two recycling* chapters.

- *Capítulo A Para empezar* is designed with **ample vocabulary** to get students up and running and to give them a **sense of accomplishment** quickly. Many students will already be familiar with some of this vocabulary. It also has students reflect on the question "Why study Spanish?"
- *Capítulo B Para repasar* is a **review** of *Capítulo A* through *Capítulo 5* and allows those who join the class midyear, or those who need a refresher, to get up to speed at the beginning of the second half of the book.
- *Capítulos 1–5* and *7–11* are **regular** chapters.
- *Capítulos 6* and *12* are **recycling** chapters. No new material is presented. Designed for in-class use, these chapters recycle and recombine previously presented vocabulary, grammar, and culture, giving students more time to practice communication without the burden of learning new grammar or vocabulary. Rubrics are provided in these chapters to assess student performance. They provide clear expectations for students as they review.

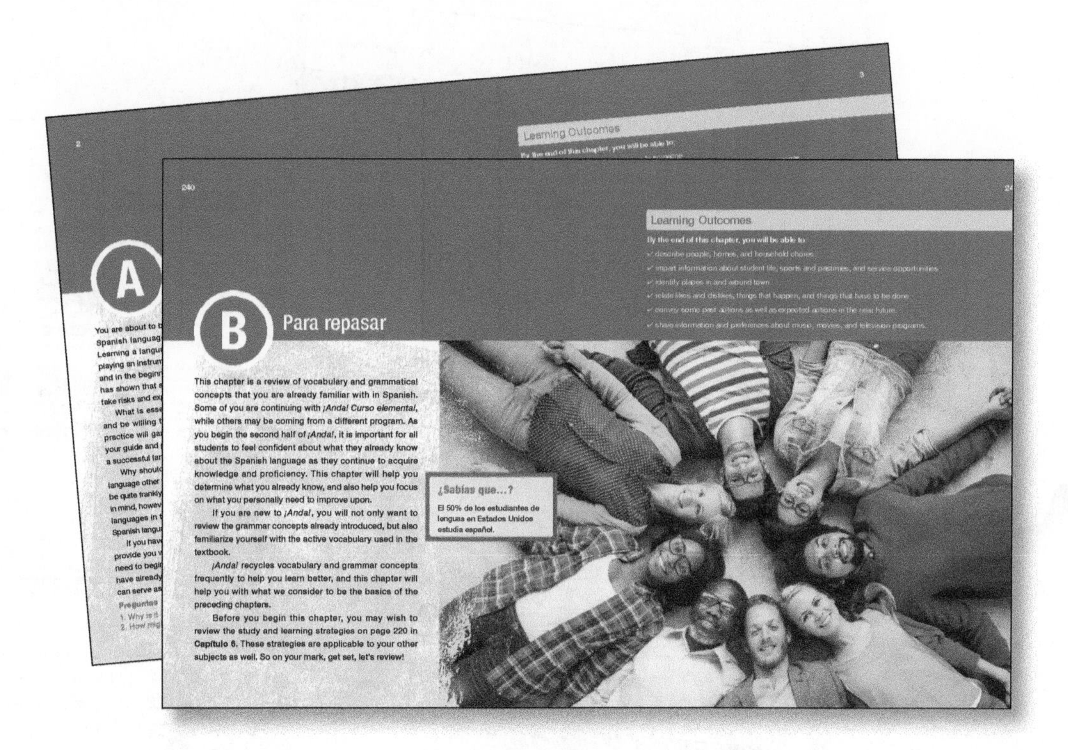
240

Learning Outcomes

By the end of this chapter, you will be able to:

✓ describe people, homes, and household chores.
✓ impart information about student life, sports and pastimes, and service opportunities.
✓ identify places in and around town.
✓ relate likes and dislikes, things that happen, and things that have to be done.
✓ convey some past actions as well as expected actions in the near future.
✓ share information and preferences about music, movies, and television programs.

B Para repasar

This chapter is a review of vocabulary and grammatical concepts that you are already familiar with in Spanish. Some of you are continuing with *¡Anda! Curso elemental*, while others may be coming from a different program. As you begin the second half of *¡Anda!*, it is important for all students to feel confident about what they already know about the Spanish language as they continue to acquire knowledge and proficiency. This chapter will help you determine what you already know, and also help you focus on what you personally need to improve upon.

If you are new to *¡Anda!*, you will not only want to review the grammar concepts already introduced, but also familiarize yourself with the active vocabulary used in the textbook.

¡Anda! recycles vocabulary and grammar concepts frequently to help you learn better, and this chapter will help you with what we consider to be the basics of the preceding chapters.

Before you begin this chapter, you may wish to review the study and learning strategies on page 220 in **Capítulo 6**. These strategies are applicable to your other subjects as well. So on your mark, get set, let's review!

¿Sabías que...?

El 50% de los estudiantes de lenguas en Estados Unidos estudia español.

A realistic approach for the achievement of realistic goals

- **Vocabulary and grammar presented in manageable chunks:** Vocabulary and grammar are presented in manageable amounts, or small **chunks**. Practice activities follow each presentation so that students get immediate practice on a manageable amount of material. Additionally, vocabulary and grammar explanations are interspersed, each introduced at the point of need.
- **Realistic vocabulary load:** ***Not more or less than is needed!*** Vocabulary has been selected for its relevance and support with the overall vocabulary load of approximately 100 words per chapter.
- **A nuanced approach to grammar:** Grammar explanations are **written in clear and concise English**, and include many supporting examples in Spanish followed by practice activities. Explanations vary between an inductive and a deductive approach. The inductive presentations provide students with examples of a grammar concept. Students then must formulate the rule(s) through the use of guiding questions. The inductive presentations are accompanied by an *¡Explícalo tú!* heading and an icon that directs them to Appendix 1 where answers to the questions in the presentations may be found. Research has shown that the inductive method enables students to **better remember and internalize the rules**. For those grammar concepts that are more difficult for students to learn, the more direct deductive approach is used.

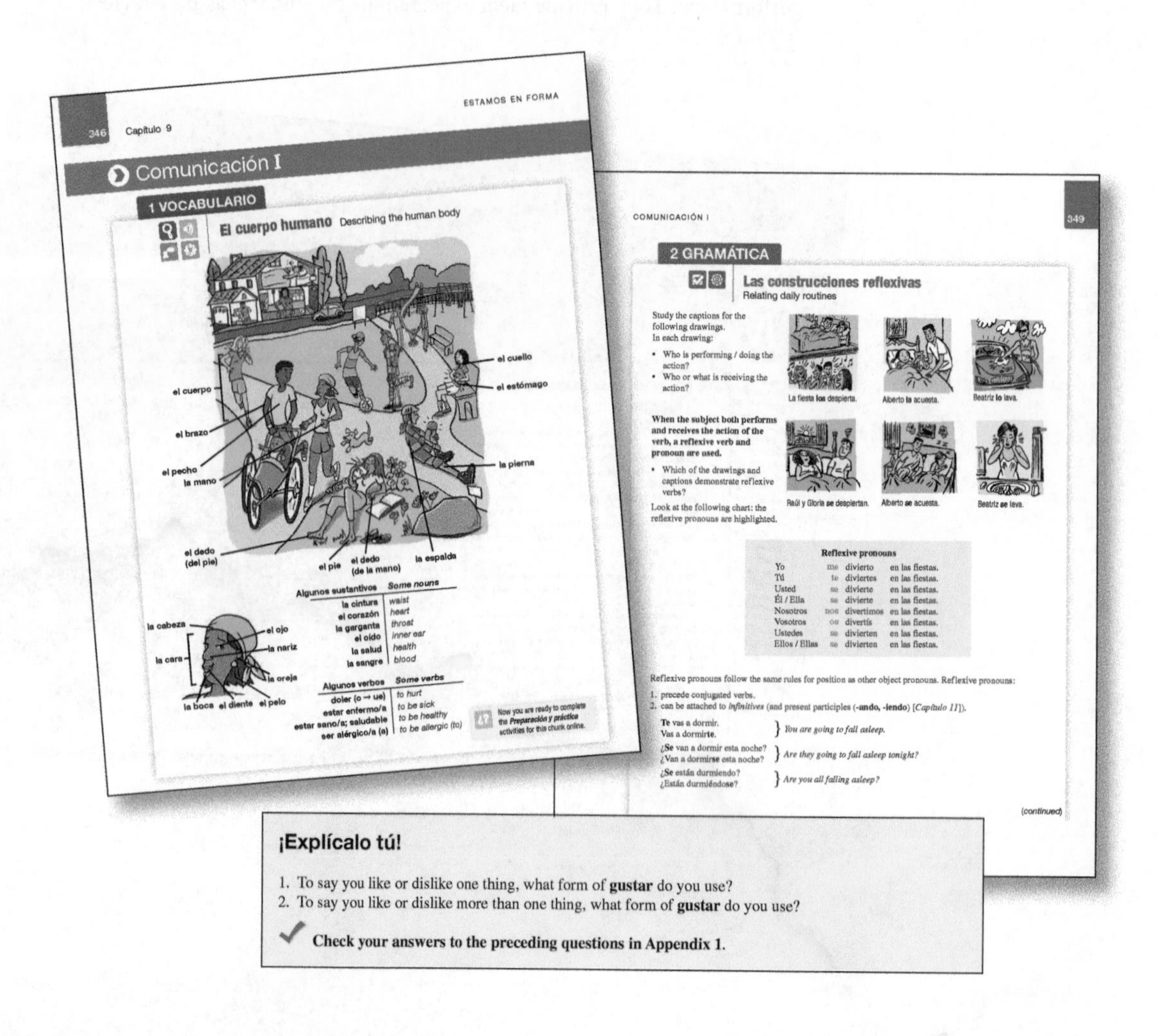
346 Capítulo 9 ESTAMOS EN FORMA

Comunicación I

1 VOCABULARIO

El cuerpo humano Describing the human body

Algunos sustantivos	Some nouns
la cintura	*waist*
el corazón	*heart*
la garganta	*throat*
el oído	*inner ear*
la salud	*health*
la sangre	*blood*

Algunos verbos	Some verbs
doler (o → ue)	*to hurt*
estar enfermo/a	*to be sick*
estar sano/a; saludable	*to be healthy*
ser alérgico/a (a)	*to be allergic (to)*

Now you are ready to complete the *Preparación y práctica* activities for this chunk online.

COMUNICACIÓN I 349

2 GRAMÁTICA

Las construcciones reflexivas
Relating daily routines

Study the captions for the following drawings.
In each drawing:

- Who is performing / doing the action?
- Who or what is receiving the action?

La fiesta **los** despierta. Alberto **la** acuesta. Beatriz **lo** lava.

When the subject both performs and receives the action of the verb, a reflexive verb and pronoun are used.

- Which of the drawings and captions demonstrate reflexive verbs?

Raúl y Gloria **se** despiertan. Alberto **se** acuesta. Beatriz **se** lava.

Look at the following chart: the reflexive pronouns are highlighted.

Reflexive pronouns

Yo	me	divierto	en las fiestas.
Tú	te	diviertes	en las fiestas.
Usted	se	divierte	en las fiestas.
Él / Ella	se	divierte	en las fiestas.
Nosotros	nos	divertimos	en las fiestas.
Vosotros	os	divertís	en las fiestas.
Ustedes	se	divierten	en las fiestas.
Ellos / Ellas	se	divierten	en las fiestas.

Reflexive pronouns follow the same rules for position as other object pronouns. Reflexive pronouns:

1. precede conjugated verbs.
2. can be attached to *infinitives* (and present participles (**-ando, -iendo**) [*Capítulo 11*]).

Te vas a dormir. / Vas a dormir**te**. } *You are going to fall asleep.*
¿**Se** van a dormir esta noche? / ¿Van a dormir**se** esta noche? } *Are they going to fall asleep tonight?*
¿**Se** están durmiendo? / ¿Están durmiéndo**se**? } *Are you all falling asleep?*

(continued)

¡Explícalo tú!

1. To say you like or dislike one thing, what form of **gustar** do you use?
2. To say you like or dislike more than one thing, what form of **gustar** do you use?

✓ **Check your answers to the preceding questions in Appendix 1.**

INCREASING STUDENT TALK TIME

Promoting student communication inside and outside of class!

With so many real-life barriers to promoting oral proficiency—more students in each class, fewer contact hours, new course models like hybrid and fully online, students busier than ever—how can you make more time for speaking in the classroom? The ***¡Anda!*** program offers practical solutions that work. It gives students *more time to talk inside and outside the classroom* so that the opportunities for achieving oral proficiency increase dramatically.

Now you are ready to complete the ***Preparación y práctica*** activities for this chunk online.

- **NEW** to this edition, online ***Preparación y práctica*** activities give students the practice they need before coming to class to actively participate in pair and group work. Virtually all of the in-class practice is comprised of pair and group activities, thereby ensuring students spend their class time speaking. However, note that there is a realistic approach to the activity sequence; not all activities are open-ended (more demanding), but rather practice begins with the **online *Preparación y práctica*** comprehension activities, followed in class by more **mechanical** exercises. Practice then progresses through more **meaningful, structured** activities in which the student is guided but has some flexibility in determining the appropriate response, and ends with **communicative** activities in which students are manipulating language to create personalized responses. With ***¡Anda!***, the goal is for students to speak 20–30 minutes per class period.
- **NEW!** A wealth of online tools that provide students with options for **out-of-class communicative practice** include ***LiveChat***, a pair/group video recording tool, ***MediaShare***, a video sharing site, and ***WeSpeke***, the website that allows students to connect virtually with native speakers.
  - **NEW *LiveChat*** activities in ***¡Anda!* online** give students the opportunity to speak with other students online using chapter vocabulary, grammar, and cultural knowledge. The *LiveChat* tool offers synchronous audio and video recording capability, so instructors can **easily facilitate oral practice outside the classroom**. The *LiveChat* tool transmits the video and audio recording to the grade book where instructors can then review, comment or leave feedback, and assign a grade.
  - **NEW *MediaShare*** activities at the end of each *Lectura* section give students valuable practice in the presentational mode of communication. *MediaShare* **increases out-of-class talk time** by allowing language learners to create and post videos of assignments, role-plays, group projects, and more in a variety of formats including video, Word, PowerPoint, and Excel. Structured much like a social networking site, *MediaShare* helps promote a sense of community among learners. Instructors can create and post assignments—or copy and use preloaded assignments—and then evaluate and comment on learners' submissions online. Instructors also have the option of allowing peer review of submissions. Integrated video-capture functionality allows learners and instructors to record video directly from a webcam, smartphone, or tablet using the *MediaShare* app and easily upload their assignment.

- In collaboration with *WeSpeke*, **NEW** chapter-specific activities enable students to **practice new language "live" with native speakers** of their choosing from around the world. Learners select native speaking partners and complete activities that put newly acquired language to use in the "real" world, which increases curiosity, cross-cultural communication, engagement, and motivation.

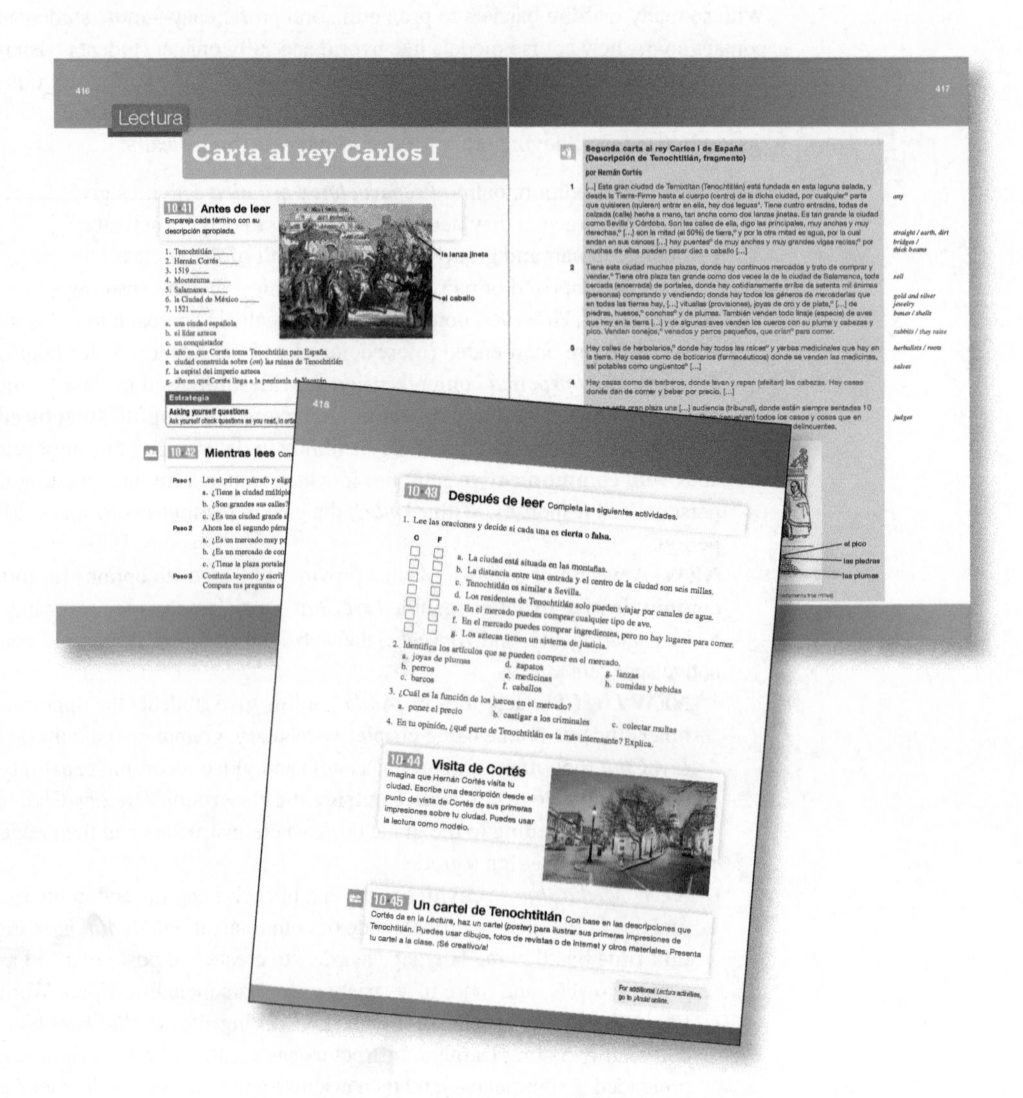

416

Lectura

Carta al rey Carlos I

10-41 Antes de leer Empareja cada término con su descripción apropiada.

1. Tenochtitlán ____
2. Hernán Cortés ____
3. 1519 ____
4. Moctezuma ____
5. Salamanca ____
6. la Ciudad de México ____
7. 1521 ____

a. una ciudad española
b. el líder azteca
c. un conquistador
d. año en que Cortés toma Tenochtitlán para España
e. ciudad construida sobre (*on*) las ruinas de Tenochtitlán
f. la capital del imperio azteca
g. año en que Cortés llega a la península de Yucatán

Estrategia

Asking yourself questions
Ask yourself check questions as you read, in orde

10-42 Mientras lees Com

Paso 1 Lee el primer párrafo y elig
a. ¿Tiene la ciudad múltiple
b. ¿Son grandes sus calles?
c. ¿Es una ciudad grande s

Paso 2 Ahora lee el segundo párra
a. ¿Es un mercado muy p
b. ¿Es un mercado de com
c. ¿Tiene la plaza portale

Paso 3 Continúa leyendo y escrib
Compara tus preguntas c

417

Segunda carta al rey Carlos I de España (Descripción de Tenochtitlán, fragmento)

por Hernán Cortés

1 [...] Esta gran ciudad de Temixtitan (Tenochtitlán) está fundada en esta laguna salada, y desde la Tierra-Firme hasta el cuerpo (centro) de la dicha ciudad, por cualquier° parte que quisieren (quieren) entrar en ella, hay dos leguas*. Tiene cuatro entradas, todas de calzada (calle) hecha a mano, tan ancha como dos lanzas jinetas. Es tan grande la ciudad como Sevilla y Córdoba. Son las calles de ella, digo las principales, muy anchas y muy derechas,° [...] son la mitad (el 50%) de tierra,° y por la otra mitad es agua, por la cual andan en sus canoas [...] hay puentes° de muy anchas y muy grandes vigas recias;° por muchas de ellas pueden pasar diez a caballo [...]

2 Tiene esta ciudad muchas plazas, donde hay continuos mercados y trato de comprar y vender.° Tiene otra plaza tan grande como dos veces la de la ciudad de Salamanca, toda cercada (encerrada) de portales, donde hay cotidianamente arriba de setenta mil ánimas (personas) comprando y vendiendo; donde hay todos los géneros de mercaderías que en todas las tierras hay, [...] vituallas (provisiones), joyas de oro y de plata,° [...] de piedras, huesos,° conchas° y de plumas. También venden todo linaje (especie) de aves que hay en la tierra [...] y de algunas aves venden los cueros con su pluma y cabezas y pico. Venden conejos,° venados y perros pequeños, que crían° para comer.

3 Hay calles de herbolarios,° donde hay todas las raíces° y yerbas medicinales que hay en la tierra. Hay casas como de boticarios (farmacéuticos) donde se venden las medicinas, así potables como ungüentos° [...]

4 Hay casas como de barberos, donde lavan y rapan (afeitan) las cabezas. Hay casas donde dan de comer y beber por precio. [...]

any — *straight / earth, dirt* — *bridges / thick beams* — *sell* — *gold and silver jewelry* — *bones / shells* — *rabbits / they raise* — *herbalists / roots* — *salves* — *judges*

418

10-43 Después de leer Completa las siguientes actividades.

1. Lee las oraciones y decide si cada una es **cierta** o **falsa.**

C	F	
☐	☐	a. La ciudad está situada en las montañas.
☐	☐	b. La distancia entre una entrada y el centro de la ciudad son seis millas.
☐	☐	c. Tenochtitlán es similar a Sevilla.
☐	☐	d. Los residentes de Tenochtitlán solo pueden viajar por canales de agua.
☐	☐	e. En el mercado puedes comprar cualquier tipo de ave.
☐	☐	f. En el mercado puedes comprar ingredientes, pero no hay lugares para comer.
☐	☐	g. Los aztecas tienen un sistema de justicia.

2. Identifica los artículos que se pueden comprar en el mercado.
   a. joyas de plumas
   b. perros
   c. barcos
   d. zapatos
   e. medicinas
   f. caballos
   g. lanzas
   h. comidas y bebidas
3. ¿Cuál es la función de los jueces en el mercado?
   a. poner el precio
   b. castigar a los criminales
   c. colectar multas
4. En tu opinión, ¿qué parte de Tenochtitlán es la más interesante? Explica.

10-44 Visita de Cortés
Imagina que Hernán Cortés visita tu ciudad. Escribe una descripción desde el punto de vista de Cortés de sus primeras impresiones sobre tu ciudad. Puedes usar la lectura como modelo.

10-45 Un cartel de Tenochtitlán Con base en las descripciones que Cortés da en la *Lectura*, haz un cartel (*poster*) para ilustrar sus primeras impresiones de Tenochtitlán. Puedes usar dibujos, fotos de revistas o de internet y otros materiales. Presenta tu cartel a la clase. ¡Sé creativo/a!

For additional *Lectura* activities, go to *¡Anda!* online.

FOCUS ON STUDENT MOTIVATION

Students will *stride with enthusiasm* if they are engaged with the content and are not intimidated!

The many innovative features of ***¡Anda!*** that have made it such a successful program continue in the third edition to help instructors generate and sustain interest on the part of their students, whether they be of traditional college age or adult learners:

- **Jump-start chapters: *¡Anda!*** has two preliminary chapters, one at the beginning of each term. A preliminary chapter at the beginning is designed to get students speaking quickly and experience the magic of communication in a new language right away. The purpose of the second preliminary chapter, for the beginning of the second term, is to help students remember what they learned in the first term or to help those students who placed into second term by giving them a catch-up or review.
- **A refined approach to vocabulary:** A reasonable, basic vocabulary load was selected and tested for relevance and support throughout the development of ***¡Anda!*** Furthermore, **additional words and phrases** are offered so that **students can personalize their responses** and acquire the vocabulary that is most meaningful to them. An icon in the vocabulary presentations allows students to link to the *También se dice…* lists in Appendix 3 from the eText for additional personalization of vocabulary.
- **No assumptions** are made concerning previous experience with Spanish or with language learning in general. Readiness Checks in ***¡Anda!* online** check for student understanding of English grammar concepts to ensure that they understand the basic concepts of language learning. Based on their performance on the Readiness Check diagnostic quiz, English Grammar Tutorials help to fill in the gaps in their grammar knowledge. In the chapters themselves, Student Notes provide additional explanations and guidance in the learning process. Throughout the program, explicit and transparent recycling reminds students where they can review vocabulary and previous grammar topics. The focus is on motivating students by ensuring that they have the tools that they need to succeed.

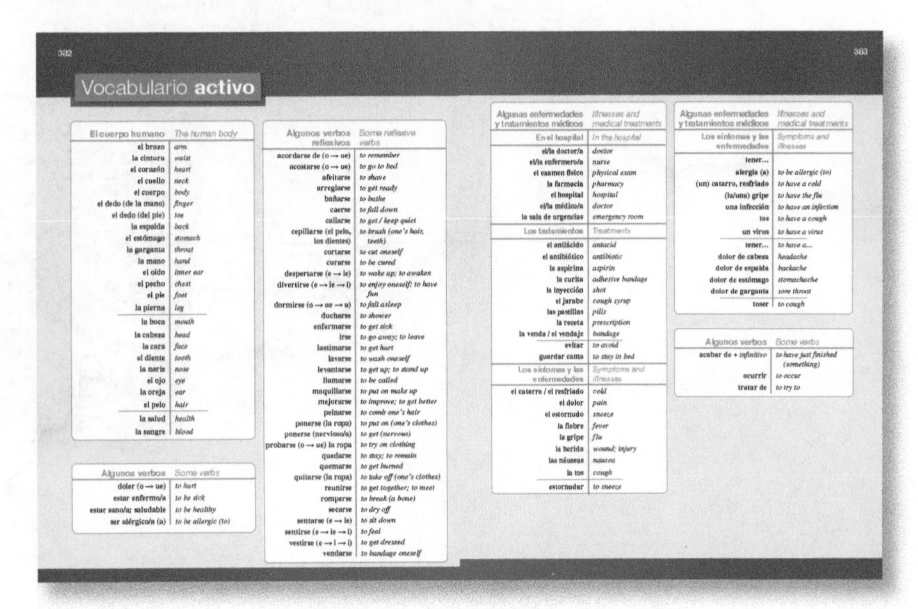

382

Vocabulario **activo**

El cuerpo humano	*The human body*
el brazo	*arm*
la cintura	*waist*
el corazón	*heart*
el cuello	*neck*
el cuerpo	*body*
el dedo (de la mano)	*finger*
el dedo (del pie)	*toe*
la espalda	*back*
el estómago	*stomach*
la garganta	*throat*
la mano	*hand*
el oído	*inner ear*
el pecho	*chest*
el pie	*foot*
la pierna	*leg*
la boca	*mouth*
la cabeza	*head*
la cara	*face*
el diente	*tooth*
la nariz	*nose*
el ojo	*eye*
la oreja	*ear*
el pelo	*hair*
la salud	*health*
la sangre	*blood*

Algunos verbos	*Some verbs*
doler (o → ue)	*to hurt*
estar enfermo/a	*to be sick*
estar sano/a; saludable	*to be healthy*
ser alérgico/a (a)	*to be allergic (to)*

Algunos verbos reflexivos	*Some reflexive verbs*
acordarse de (o → ue)	*to remember*
acostarse (o → ue)	*to go to bed*
afeitarse	*to shave*
arreglarse	*to get ready*
bañarse	*to bathe*
caerse	*to fall down*
callarse	*to get / keep quiet*
cepillarse (el pelo, los dientes)	*to brush (one's hair, teeth)*
cortarse	*to cut oneself*
curarse	*to be cured*
despertarse (e → ie)	*to wake up; to awaken*
divertirse (e → ie → i)	*to enjoy oneself; to have fun*
dormirse (o → ue → u)	*to fall asleep*
ducharse	*to shower*
enfermarse	*to get sick*
irse	*to go away; to leave*
lastimarse	*to get hurt*
lavarse	*to wash oneself*
levantarse	*to get up; to stand up*
llamarse	*to be called*
maquillarse	*to put on make up*
mejorarse	*to improve; to get better*
peinarse	*to comb one's hair*
ponerse (la ropa)	*to put on (one's clothes)*
ponerse (nervioso/a)	*to get (nervous)*
probarse (o → ue) la ropa	*to try on clothing*
quedarse	*to stay; to remain*
quemarse	*to get burned*
quitarse (la ropa)	*to take off (one's clothes)*
reunirse	*to get together; to meet*
romperse	*to break (a bone)*
secarse	*to dry off*
sentarse (e → ie)	*to sit down*
sentirse (e → ie → i)	*to feel*
vestirse (e → i → i)	*to get dressed*
vendarse	*to bandage oneself*

Algunas enfermedades y tratamientos médicos	*Illnesses and medical treatments*
En el hospital	*In the hospital*
el/la doctor/a	*doctor*
el/la enfermero/a	*nurse*
el examen físico	*physical exam*
la farmacia	*pharmacy*
el hospital	*hospital*
el/la médico/a	*doctor*
la sala de urgencias	*emergency room*
Los tratamientos	*Treatments*
el antiácido	*antacid*
el antibiótico	*antibiotic*
la aspirina	*aspirin*
la curita	*adhesive bandage*
la inyección	*shot*
el jarabe	*cough syrup*
las pastillas	*pills*
la receta	*prescription*
la venda / el vendaje	*bandage*
evitar	*to avoid*
guardar cama	*to stay in bed*
Los síntomas y las enfermedades	*Symptoms and illnesses*
el catarro / el resfriado	*cold*
el dolor	*pain*
el estornudo	*sneeze*
la fiebre	*fever*
la gripe	*flu*
la herida	*wound; injury*
las náuseas	*nausea*
la tos	*cough*
estornudar	*to sneeze*

383

Algunas enfermedades y tratamientos médicos	*Illnesses and medical treatments*
Los síntomas y las enfermedades	*Symptoms and illnesses*
tener…	
alergia (a)	*to be allergic (to)*
(un) catarro, resfriado	*to have a cold*
(la/una) gripe	*to have the flu*
una infección	*to have an infection*
tos	*to have a cough*
un virus	*to have a virus*
tener…	*to have a…*
dolor de cabeza	*headache*
dolor de espalda	*backache*
dolor de estómago	*stomachache*
dolor de garganta	*sore throat*
toser	*to cough*

Algunos verbos	*Some verbs*
acabar de + *infinitivo*	*to have just finished (something)*
ocurrir	*to occur*
tratar de	*to try to*

- **NEW! Relatable readings and activities** help students put activities that they do in their own lives, like updating social media pages, writing e-mails, reading blogs, and more, into practice in Spanish. Authentic texts in *Capítulos 10* and *11* introduce students to the richness of the Spanish language and serve as a portal to authentic culture while preparing students further literature study in ***¡Anda! Curso intermedio***.
- **NEW!** In the ***Club cultura*** video program in the *Vistazo cultural* section, six native speaker hosts **introduce students to contemporary cultural customs and daily life**—traditions, geography, history, and festivals—among other engaging aspects of Hispanic culture. Students are immersed in the nuances of culture and the Spanish language while being exposed to topics that are dynamic and exciting. New activities written especially for ***¡Anda!* online** are language-controlled and offer a process approach to help students understand and gain insight into the countries they are studying.
- Both **"high" and "popular" culture** are woven throughout the chapters to enable students to learn to recognize and appreciate cultural diversity as they explore behaviors and values of the Spanish-speaking world.

376

Vistazo cultural

Explore more about Bolivia with *Club cultura* online.

Bolivia

Les presento mi país

Fíjate

The abbreviation *m.s.n.m* means *metros sobre el nivel del mar*, or meters above sea level.

Mi nombre es Jorge Gustavo Salazar y soy de Sucre, una de las dos capitales de mi país y la sede (*headquarters*) constitucional de Bolivia. La Paz, la capital administrativa, es la capital más alta del mundo, a unos 3.650 m.s.n.m. en los Andes. ¿A qué altura está tu ciudad? En Bolivia más del cincuenta por ciento de la población es indígena, como los aymara que viven en la zona del altiplano cerca del lago Titicaca. Desde tiempos remotos, los pueblos indígenas usaron las plantas y los rituales para tratar enfermedades, y el uso de la medicina tradicional es común en Bolivia hoy día. Por ejemplo, algunos bolivianos mastican (*chew*) las hojas de coca (*coca leaves*) para aliviar el hambre, el cansancio y el mal de altura (*altitude sickness*) ¿Es popular la medicina tradicional donde vives tú?

Jorge Gustavo Salazar

Una mujer aymara con ropa tradicional

375

Vistazo cultural

Explore more about Peru with *Club cultura* online

Perú

Les presento mi país

Mi nombre es Diana Ávila Peralta y soy de Ayacucho, Perú. Hay muchas ruinas de la civilización incaica en mi país, como las de Machu Picchu y Cuzco, la antigua capital del imperio inca. Cuando era más joven, visité Cuzco con mi familia y la arquitectura e historia de esta ciudad me inspiraron mucho. Ahora estudio historia en la Universidad Nacional Mayor de San Marcos en Lima y quiero ser profesora para compartir mi pasión con otras personas. ¿Qué profesión quieres tener en el futuro? Perú es un país de extremos geográficos: tenemos la costa, las montañas impresionantes de los Andes, cañones profundos, la selva y el nacimiento (*source*) del río Amazonas con flora y fauna magníficas. ¡Puedes hacer mucho ejercicio caminando por estas zonas! ¿Qué haces tú para mantenerte en forma?

Diana Ávila Peralta

En Cuzco se puede apreciar la arquitectura inca y colonial.

Loros en la selva amazónica

Miraflores, en las afueras de Lima, Perú

Nota cultural

Las farmacias en el mundo hispanohablante

En Latinoamérica, las farmacias son, por la mayor parte, dispensarios de medicina únicamente. El farmacéutico (*pharmacist*) muchas veces ofrece consejos sobre los medicamentos (medicinas). Es fácil conseguir muchos tipos de medicina sin receta en las farmacias. Por ejemplo, puedes ir a la farmacia, describir los síntomas que tienes (como tos y fiebre) y pedir que te den unos antibióticos. Todo ello sin consultar al médico. Muchos países tienen *farmacias de turno* o *de guardia* que atienden al público las veinticuatro horas del día.

En algunos países (como Argentina, Chile y Perú) hay un nuevo tipo de farmacia al estilo estadounidense, que vende de todo. Estas farmacias pertenecen a grandes cadenas (Farmacity en Argentina, Farmacias Ahumada [FASA] en Chile, Inka Farma en Perú) que atraen a los consumidores con una gran variedad de productos, aparte de los medicamentos.

Preguntas

1. ¿Qué es una "farmacia de turno" o "farmacia de guardia"? ¿Existe este sistema en los Estados Unidos?
2. ¿Qué diferencias hay entre las farmacias hispanas tradicionales y las de los Estados Unidos?

TOOLS TO PROMOTE SUCCESS

Students and instructors will walk *with confidence* when they have the support tools when and where they need them!

The *¡Anda!* program includes many unique features and components designed to help students succeed at language learning and their instructors at language teaching.

Student learning support

- An online **"walking tour"** of the *¡Anda!* text and ***¡Anda!* online** tools helps students navigate their language program materials and understand better the "whys" and "hows" of learning Spanish.
- **A digital zoom tool for vocabulary** in ***¡Anda!* online** allows students to zoom in and see the vocabulary images more clearly and hear the words pronounced.
- One of the hallmarks of the *¡Anda!* program is the **transparent and comprehensive recycling system** that helps students link current learning to previously studied materials in earlier chapters or sections. Deliberate and explicit recycling makes students aware of the fact that language learning continually builds upon what they know and reuses what they know in different contexts:
  - Within chapters: vocabulary and grammar are carried from one chunk to another whenever possible and appropriate.
  - From chapter to chapter: There are many recycling activities in each chapter. Icons indicate this and give a reference to the student of exactly where the recycled concept is referenced earlier in the text.
  - There are two chapters entirely devoted to recycling. *Capítulo 6* recycles materials from *Capítulo A* through *Capítulo 5* and *Capítulo 12* recycles material from *Capítulo 7* through *Capítulo 11*. No new material is presented in these chapters. Rubrics have been provided for these chapters to assess student performance.
- **Periodic review and self-assessment** boxes (*¿Cómo andas I?* and *¿Cómo andas II?*) help students gauge their understanding and retention of the material presented. A final assessment in each chapter *(Y por fin, ¿cómo andas?)* offers a comprehensive review and ties to the Learning Outcomes at the beginning of each chapter. Practice activities available in ***¡Anda!* online** allow students to self-assess their understanding of chapter concepts, including full-length practice tests with remediation.

9-36 Luces, cámara, acción ¿Te gustan las películas? ¿Vas al cine a menudo? Cuéntale (*Narrate*) a un/a compañero/a la última película que viste. Usa por lo menos **siete** oraciones. ¡Recuerda! Generalmente **el imperfecto** se usa para la descripción y **el pretérito** para la acción.

¿Cómo andas? II

Having completed **Comunicación II**, I now can...	Feel confident	Need to review
• explain ailments and treatments. (p. 359)	☐	☐
• narrate in the past. (p. 364)		
• consider pharmacies in Spanish-speaking countries and how they differ from those in the United States. (p. 371)	☐	☐
• ask myself questions when listening in order to organize and summarize what I hear. (p. 372)	☐	☐
• communicate about ailments and healthy living. (p. 373)	☐	☐
• write a summary, sequencing past events. (p. 374)	☐	☐

- **Student notes** provide additional explanations and guidance in the learning process. These notes offer learning strategies (*Estrategia*) and additional information (*Fíjate*).
- ***¡Anda!* online** offers students a wealth of online resources and a supportive environment for completing homework assignments and self-study. Extra resources appear at the point-of-need to support students as they complete online homework activities; providing links to English and Spanish grammar tutorials, eText sections, and additional practice activities—all directly relevant to the task at hand. Hints, verb charts, a glossary, and many other resources are available as well.

Instructor teaching support

One of the most important keys to student success is instructor success. The ***¡Anda!*** program has all of the support that you have come to expect and, based on our research, it offers many other enhancements!

- The **Annotated Instructor's Edition** of ***¡Anda!*** offers an abundance of materials designed to help instructors teach effectively and efficiently. Strategically placed annotations explain the text's methodology and function as **a built-in course in language teaching methods.**
- **Estimated time indicators** for presentational materials and practice activities help instructors create class plans.
- Other annotations provide **additional activities** and **suggested answers**.
- **The annotations are color-coded** and labeled for ready reference and ease of use.
- A treasure trove of supplemental activities, available for download in ***¡Anda!* online**, allows instructors to choose additional materials for in-class use.
- **NEW: Learning Catalytics™** offers instructors an easy way to engage students, incorporate quick checks, implement peer-to-peer learning in class, and track student performance through real-time analytics. Included in ***¡Anda!* online**, this interactive classroom tool uses students' smartphones, tablets, and laptops to engage them in sophisticated tasks and thinking in the classroom. Instructors can create their own activities or use activities especially prepared for ***¡Anda!***

Teacher annotations

The teacher annotations in the *¡Anda!* program fall into several categories:

- **Section Goals:** Set of student objectives for each section.
- ***World-Readiness Standards:*** Information containing the correlation between each section with the *World-Readiness Standards,* as well as tips for increasing student performance.
- **Methodology:** A deep and broad set of methods notes designed for the novice instructor.
- **21st Century Skills:** Interpreting the new Partnership for the 21st Century Skills and the *World-Readiness Standards*. These skills enumerate what is necessary for successful 21st century citizens.

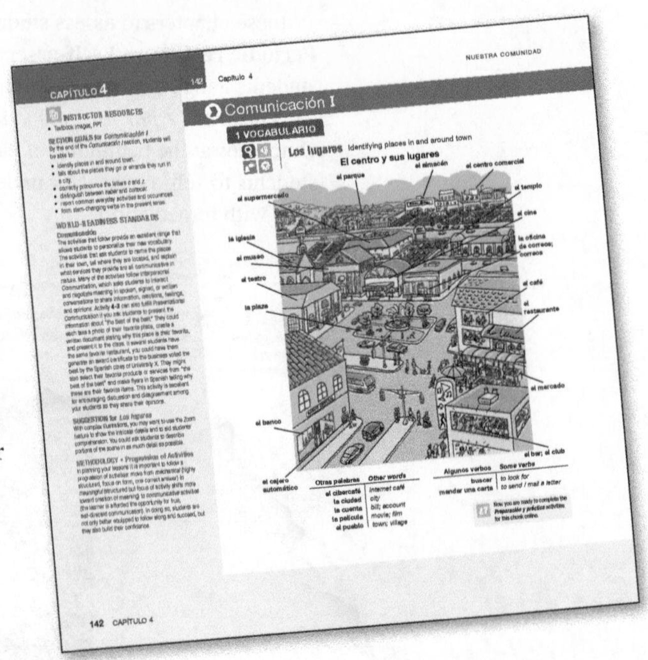

- **Planning Ahead:** Suggestions for instructors included in the chapter openers to help prepare materials in advance for certain activities in the chapter. Also provided is information regarding which activities to assign to students prior to them coming to class.
- **Warm-Up:** Suggestions for setting up an activity or how to activate students' prior knowledge relating to the task at hand.
- **Suggestion:** Teaching tips that provide ideas that will help with the implementation of activities and sections.
- **Expansion:** Ideas for variations of a topic that may serve as wrap-up activities.
- **Follow-Up:** Suggestions to aid instructors in assessing student comprehension.
- **Notes:** Information on people, places, and things that aid in the completion of activities and sections by providing background knowledge.
- **Additional Activity:** Independent activities related to the ones in the text that provide further practice.
- **Alternate Activity:** Variations of activities provided to suit individual classrooms and preferences.
- **Heritage Language Learners:** Suggestions for the heritage language learners in the classroom that provide alternatives and expansions for sections and activities based on prior knowledge and skills.
- **Audioscript:** Written script of all audio recordings.

The authors' approach

Learning a language is an exciting, enriching, and sometimes life-changing experience. The development of the ***¡Anda!*** program, now in its third edition, is the result of many years of teaching and research that guided the authors independently to make important discoveries about language learning, the most important of which center on the student. Research-based and pedagogically sound, ***¡Anda!*** is also the product of extensive information gathered firsthand from numerous focus group sessions with students, graduate instructors, adjunct faculty, full-time professors, and administrators in an effort to determine the learning and instructional needs of each of these groups.

The importance of the *World-Readiness Standards* in *¡Anda!*

The ***¡Anda!*** program continues to be based on the *World-Readiness Standards.* The five organizing principles (the 5 Cs) of the Standards for language teaching and learning are at the core of ***¡Anda!*:** **Communication, Cultures, Connections, Comparisons,** and **Communities**. Each chapter opener identifies for the instructor where and in what capacity each of the 5 Cs are addressed. The **Weave of Curricular Elements** of the *World-Readiness Standards* provide additional organizational structure for ***¡Anda!*** The components of the **Curricular Weave** are: **Language System, Cultural Knowledge, Communication Strategies, Critical Thinking Skills, Learning Strategies, Other Subject Areas,** and **Technology**. Each of the Curricular Weave elements is omnipresent and, like the 5 Cs, permeates all aspects of each chapter of ***¡Anda!***

- The **Language System**, which is comprised of components such as grammar, vocabulary, and phonetics, is at the heart of each chapter.
- The **Comunicación** sections of each chapter present vocabulary, grammar, and pronunciation at the point of need and maximum usage. Streamlined presentations are utilized that allow the learner to be immediately successful in employing the new concepts.
- **Cultural Knowledge** is approached thematically, making use of the chapter's vocabulary and grammar. Many of the grammar and vocabulary activities are presented in a cultural context. Cultural presentations begin with the two-page chapter openers and always start with what the students already know about the cultural theme/concept from their home, local, regional,

or national cultural perspective. The *Nota cultural* and *Vistazo cultural* sections provide rich cultural information about each Hispanic country.

- **Communication and Learning Strategies** are abundant with tips for both students and instructors on how to maximize studying and in-class learning of Spanish, as well as how to utilize the language outside of the classroom.
- **Critical Thinking Skills** take center stage in *¡Anda!* Questions throughout the chapters, in particular tied to the cultural presentations, provide students with the opportunities to respond to more than discrete-point questions. The answers students are able to provide do indeed require higher-order thinking, but at a linguistic level completely appropriate for a beginning language learner.
- With regard to **Other Subject Areas,** *¡Anda!* is diligent with regard to incorporating **Connections** to other disciplines via vocabulary, discussion topics, and suggested activities.
- Finally, **Technology** is taken to an entirely new level with ***¡Anda!* online**. The authors and Pearson believe that technology is a means to the end, not the end in itself, and so the focus is not on the technology per se, but on how that technology can facilitate learning and deliver great content in better, more efficient, more interactive, and more meaningful ways.

By embracing the *World-Readiness Standards* and as a result of decades of experience teaching Spanish, the authors believe that:

- A **student-centered classroom** is the best learning environment.
- Instruction must **begin where the learner is**, and all students come to the learning experience with prior knowledge that needs to be tapped.
- All students can learn in a **supportive environment** where they are encouraged to take risks when learning another language.
- **Critical thinking** is an important skill that must constantly be encouraged, practiced, and nurtured.
- **Learners** need to **make connections** with other disciplines in the Spanish classroom.

With these beliefs in mind, the authors have developed hundreds of creative and meaningful language-learning activities for the text and supporting components that employ students' imagination and engage the senses. For both students and instructors, they have created an instructional program that is **manageable, motivating,** and **clear**.

¡Que lo disfruten! Enjoy!

THE AUTHORS

Glynis Cowell

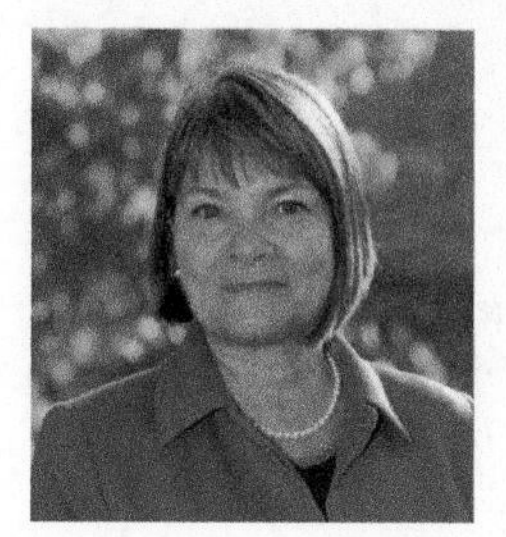

Glynis Cowell is the Director of Spanish Language Instruction and the Director of Undergraduate Studies in the Department of Romance Studies at the University of North Carolina at Chapel Hill. She has taught first-year seminars, honors courses, and numerous face-to-face and hybrid Spanish language courses. She also team-teaches a graduate course on the theories and techniques of teaching foreign languages. Dr. Cowell received her M.A. in Spanish Literature and her Ph.D. in Curriculum and Instruction, with a concentration in Foreign Language Education, from the University of North Carolina at Chapel Hill. Prior to joining the faculty at UNC-CH in August 1994, she coordinated the Spanish Language Program in the Department of Romance Studies at Duke University. She has also taught Spanish at both the high school and community college level. At UNC-CH she has received the Students' Award for Excellence in Undergraduate Teaching as well as the Graduate Student Mentor Award for the Department of Romance Studies.

Dr. Cowell has directed teacher workshops on Spanish language and cultures and has presented papers and written articles on the teaching of language and literature, the transition to blended and online courses in language teaching, and teaching across the curriculum. She is the co-author of two other college textbooks.

Audrey Heining-Boynton

Audrey Heining-Boynton received her Ph.D. from Michigan State University and her M.A. from The Ohio State University. Her career spans K–12 through graduate school teaching, most recently as Professor of Education and Spanish at the University of North Carolina at Chapel Hill. She has won many teaching awards, including the prestigious ACTFL Anthony Papalia Award for Excellence in Teacher Education, the Foreign Language Association of North Carolina (FLANC) Teacher of the Year Award, and the UNC ACCESS Award for Excellence in Working with LD and ADHD students. Dr. Heining-Boynton is a frequent presenter at national and international conferences, has published more than one hundred articles, curricula, textbooks, and manuals, and has won nearly $4 million in grants to help create language programs in North and South Carolina. Dr. Heining-Boynton has also held many important positions: President of the American Council on the Teaching of Foreign Languages (ACTFL), President of the National Network for Early Language Learning, Vice President of Michigan Foreign Language Association, board member of the Foreign Language Association of North Carolina, committee chair for Foreign Language in the Elementary School for the American Association of Teachers of Spanish and Portuguese, and elected Executive Council member of ACTFL. She is also an appointed two-term *Foreign Language Annals* Editorial Board member and guest editor of the publication.

Faculty Reviewers

Elizabeth Adams, *State University of New York, Geneseo*
Melba Amador, *Western Kentucky University*
Teresa Arrington, *Blue Mountain College*
Julie Augustinaitis, *Schoolcraft College*
Shaun Bauer, *University of Central Florida*
Hilda Benton, *University of Arkansas*
Isabel Brown, *University of South Alabama*
Aurora Castillo-Scott, *Georgia College State University*
Esther Castro, *San Diego State University*
Zoila Castro, *University of Rhode Island*
Miguel Dominguez, *California State University, Dominguez Hills*
Cory Duclos, *Spring Hill College*
Marla Estes, *University of North Texas*
Miguel Estrada, *Houston Baptist University*
Dina A. Fabery, *University of Central Florida*
Jenny Faile, *University of South Alabama*
Benito Gomez, *California State University, Dominguez Hills*
Viviannette Gonzalez, *Indiana University, Bloomington*
Joe Guerra, *Navarro College*
Heather Hinds, *University of Arkansas*
Cari Jiménez, *University of Florida*
Catherine Kraft, *Navarro College*
Veronica Marquez, *University of North Florida*
Kyle Matthews, *State University of New York, Geneseo*
Monica Montalvo, *University of Central Florida*
Iris Myers, *Roanoke College*
Carla Naranjo, *Montgomery College*
Rosalinda Nericcio, *San Diego State University*
Lisa Noetzel, *College of Coastal Georgia*
Andrea Nofz, *Schoolcraft College*
Diego Pascual, *Texas Tech University*
Robin Reeves, *Indiana University*
Manuela Rodriguez-Morales, *University of North Florida*
Paul Roggendorff, *Abilene Christian University*
Steven Sheppard, *University of North Texas*
Christine Stanley, *Roanoke College*
Silvina Trica-Flores, *Nassau Community College*
Phoebe Vitharana, *Le Moyne College*
Consuelo Wallace, *Navarro College*
Richard Wallace, *Crowder College*

Walk with Us Advisory Board

Susana Ackerman, *Santa Rosa Junior College*
Tyler Anderson, *Colorado Mesa University*
Alejandra Balestra, *University of Houston*
Melissa Birkhofer, *University of North Dakota*
Brian Boisvert, *State University of New York, Fredonia*
Kristy Britt, *University of South Alabama*
Rebecca Cottrell, *Metropolitan State University of Denver*
Allen Davis, *Indiana University*
Juan De Urda Anguita, *State University of New York, Fredonia*
Dorian Dorado, *Louisiana State University*
Laura Fox, *Grand Valley State University*
Lisa Fraguada-Pileggi, *Delaware County Community College*
Alejandra Galindo, *University of Tennessee, Knoxville*
Inma Gomez-Soler, *University of Memphis*
Shannon Hahn, *Durham Technical Community College*
Milvia Hernandez, *University of Maryland, Baltimore County*
Courtney Lanute, *Florida Southwestern State*
Jeff Longwell, *New Mexico State University*
Maria Manni, *University of Maryland, Baltimore County*
Elizabeth Morais, *Community College of Rhode Island*
Jennifer Rathbun, *Ashland University*
Terri Rice, *University of South Alabama*
Carmen Rivera, *State University of New York, Fredonia*
Ruth Sanchez, *Sewanee: University of the South*
Carmen Sparrow, *University of Tennessee, Knoxville*
Gwen Stickney, *North Dakota State University*
Erika Sutherland, *Muhlenberg College*
Linda Tracy, *Santa Rosa Junior College*
Gheorghita Tres, *Oakland Community College*
Victoria Uricoechea, *Winthrop University*
Paul Worley, *Western Carolina University*

ACKNOWLEDGMENTS

The third edition of ***¡Anda! Curso elemental*** is the result of careful planning between ourselves and our publisher and ongoing collaboration with students and you, our colleagues. We look forward to continuing this dialogue and sincerely appreciate your input. We owe special thanks to the many members of the Spanish-teaching community whose comments and suggestions helped shape the pages of every chapter—you will see yourselves everywhere. We gratefully acknowledge the reviewers for this third edition, and we thank them for their invaluable support, input, and feedback.

We are especially thankful for the unwavering support of Jean LeLoup. We are also grateful to those who have collaborated with us in the writing of ***¡Anda!*** Thank you to Josefa Lindquist for her outstanding work on the new *Lectura* section. We also thank Robin Reeves for the excellent integration of the new *Club cultura* video with the *Vistazo cultural*. We also thank her for the wonderful activities written to accompany the new video program. Thanks to Donna Binkowski for her work on the chapter openers and the *Notas culturales*. For ***¡Anda!* online**, we thank Marta Tecedor for her hard work on the digital Student Activities Manual, Jon Aske for the thoughtful revision of the Testing Program, Jeff Longwell for creating the *LiveChat* Activities, Mónica Montalvo for the creation of the *MediaShare* activities, and Rob Martinsen for his work on the *WeSpeke* activities for ***¡Anda!***

Equally important are the contributions of the highly talented individuals at Pearson Education. We wish to express our gratitude and deep appreciation to the many people at Pearson who contributed their ideas, tireless efforts, and publishing experience to this third edition of ***¡Anda! Curso elemental.*** First, we thank Bob Hemmer, Editor in Chief, and Denise Miller, Senior Acquisitions Editor, whose support and guidance have been essential. We are indebted to Gisela Aragón-Velthaus, Senior Development Editor, for all of her hard work, suggestions, attention to detail, and dedication to the programs. We have also been fortunate to have Scott Gravina, Director of Editorial Development, who brings his special talents to the project, helping to create the outstanding final product. We send our thanks to the development team of Sarah Link, Gabriela Ferland, Andrew Bowen, Patricia Acosta, Nina Tunac Basey, and Kristen Chapron for their focus and attention on the myriad details of the program. We would also like to thank Samantha Alducin for all of the hard work on the integration of technology for the ***¡Anda!*** program. Thanks to Elle McGill, Editorial Assistant, for attending to many administrative details.

Our thanks also go to Steve Debow, Marketing Director, and the World Language Consultants, Yesha Brill, Raúl Vásquez López, and Mellissa Yokell, for their strong support of ***¡Anda!,*** and for creating and coordinating all marketing and promotion for this third edition. Thank you to Millie Chapman and Marlene Gassler, Project Managers, and Annemarie Franklin, Program Manager, who guided ***¡Anda!*** through the many stages of production. We continue to be indebted to Andrew Lange for the amazing illustrations that translate our vision.

We also thank our colleagues and students from across the country who inspire us and from whom we learn.

And finally, our love and deepest appreciation to our families for all of their support during this journey: John, Jack, Kate; and David.

Glynis S. Cowell
Audrey L. Heining-Boynton

Para empezar

You are about to begin the exciting journey of studying the Spanish language and learning about Hispanic culture. Learning a language is a skill much like learning to ski or playing an instrument. Developing these skills takes practice and in the beginning, perfection is not expected. Research has shown that successful language learners are willing to take risks and experiment with the language.

What is essential in learning Spanish is to keep trying and be willing to risk making mistakes, knowing that the practice will garner results. *¡Anda! Curso elemental* will be your guide and provide you with key essentials for becoming a successful language learner.

Why should you study Spanish, or for that matter, any language other than English? For some of you, the answer may be quite frankly, "because it is a graduation requirement!" Bear in mind, however, that Spanish is one of the most widely spoken languages in the world. You may find that knowledge of the Spanish language is a useful professional and personal tool.

If you have never studied Spanish before, this chapter will provide you with some basic words and expressions you will need to begin to use the language in meaningful ways. If you have already learned or studied some Spanish, this chapter can serve as a quick review.

Preguntas

1. Why is it important to study Spanish?
2. How might Spanish play a role in your future?

¿Sabías que...?

Spanish is the official language of 21 countries and over 400 million people speak Spanish as a native language.

Learning Outcomes

By the end of this chapter, you will be able to:

- ✔ greet, introduce, and say good-bye to someone.
- ✔ understand and respond appropriately to basic classroom expressions and requests.
- ✔ count from 0–30, state the time, elicit the date and season, and report the weather.
- ✔ share personal likes and dislikes.
- ✔ summarize the diversity of the Spanish-speaking world.

Comunicación

1 VOCABULARIO

Saludos, presentaciones y despedidas

Greeting, introducing, and saying good-bye to someone

Los saludos	*Greetings*
¡Hola!	*Hi! Hello!*
Buenos días.	*Good morning.*
Buenas tardes.	*Good afternoon.*
Buenas noches.	*Good evening; Good night.*
¿Cómo estás?	*How are you?* (familiar)
¿Cómo está usted?	*How are you?* (formal)
¿Qué tal?	*How's it going?*
Más o menos.	*So-so.*
Regular.	*Okay.*
Bien, gracias.	*Fine, thanks.*
Bastante bien.	*Just fine.*
Muy bien.	*Really well.*
¿Y tú?	*And you?* (familiar)
¿Y usted?	*And you?* (formal)

Las despedidas	*Farewells*
Adiós.	*Good-bye.*
Chao.	*Bye.*
Hasta luego.	*See you later.*
Hasta mañana.	*See you tomorrow.*
Hasta pronto.	*See you soon.*

—¿Qué tal?
—Bien.

—¿Cómo estás?
—Bien, gracias.

—Hasta mañana.
—Adiós.

Las presentaciones	*Introductions*
¿Cómo te llamas?	*What is your name?* (familiar)
¿Cómo se llama usted?	*What is your name?* (formal)
Me llamo...	*My name is...*
Soy...	*I am...*
Mucho gusto.	*Nice to meet you.*
Encantado/Encantada.	*Pleased to meet you.*
Igualmente.	*Likewise.*
Quiero presentarte a...	*I would like to introduce you to...* (familiar)
Quiero presentarle a...	*I would like to introduce you to...* (formal)

- The expressions **¿Cómo te llamas?** and **¿Cómo se llama usted?** both mean *What is your name?* but the former is used among students and other peers (referred to as *familiar*). You will learn about the differences between these *familiar* and *formal* forms later in this chapter. Note that **Encantado** is said by a male, and **Encantada** is said by a female.
- Spanish uses special punctuation to signal a question or an exclamation. An upside-down question mark begins a question and an upside-down exclamation mark begins an exclamation, as in **¿Cómo te llamas?** and **¡Hola!**

A 1 **Saludos y despedidas** Match each greeting or farewell with its logical response. Compare your answers with those of a classmate.

1. _______ ¿Qué tal?
2. _______ Hasta luego.
3. _______ ¿Cómo te llamas?
4. _______ Encantada.

a. Me llamo Julia.
b. Bastante bien.
c. Igualmente.
d. Hasta pronto.

A 2 ¡Hola! ¿Qué tal? Greet five classmates, and ask how each is doing. After you are comfortable with one greeting, try a different one.

MODELO E1: *¡Hola! ¿Cómo estás?*
E2: *Bien, gracias. ¿Y tú?*
E1: *Muy bien.*

A 3 ¿Cómo te llamas? Introduce yourself to three classmates.

MODELO E1: *¡Hola! Soy… ¿Cómo te llamas?*
E2: *Me llamo… Mucho gusto.*
E1: *Encantado/a.*
E2: *Igualmente.*

A 4 Quiero presentarte a… Now, introduce one person you have just met to another classmate.

MODELO E1: *John, quiero presentarte a Mike.*
MIKE: *Mucho gusto.*
JOHN: *Igualmente.*

A 5 Una fiesta Imagine that you are at a party. In groups of five, introduce yourselves to each other. Use the model as a guide.

MODELO AMY: *Hola, ¿qué tal? Soy Amy.*
ORLANDO: *Hola, Amy. Soy Orlando. ¿Cómo estás?*
AMY: *Muy bien, Orlando. ¿Y tú?*
ORLANDO: *Bien, gracias. Amy, quiero presentarte a Tom.*
TOM: *Encantado.*
E4: …

Nota cultural

Cómo se saluda la gente

How do you generally greet acquaintances? Do you use different greetings for different people?

When native speakers of Spanish meet, they greet each other, ask each other how they are doing, and respond using phrases like the ones you just learned. In most of the Spanish-speaking world, men usually shake hands when greeting each other, although close male friends may greet each other with an **abrazo** (*hug*). Between female friends, the usual greeting is a **besito** (*little kiss*) on one or both cheeks (depending on the country) and a gentle hug. The **besito** is a gentle air kiss. When men and women greet each other, depending on their ages, how well they know each other, and what country they are in, they either simply shake hands and/or greet with a **besito.** While conversing, Spanish speakers may stand quite close to each other.

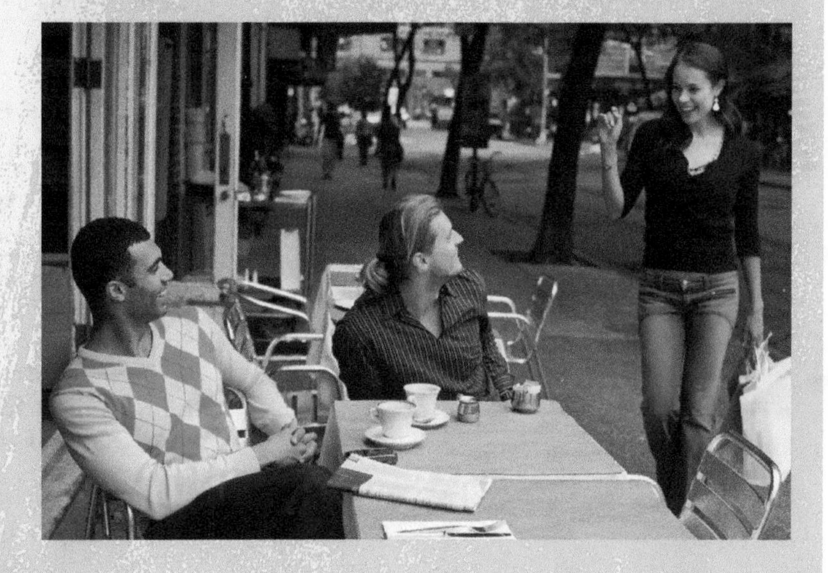

Preguntas

1. How do people in the Spanish-speaking world greet each other?
2. How do your male friends generally greet each other? And your female friends?
3. In general, how much distance is there between you and the person(s) with whom you are speaking?

2 VOCABULARIO

Expresiones útiles para la clase Understanding and responding appropriately to basic classroom expressions and requests

The following list provides useful expressions that you and your instructor will use frequently.

Preguntas y respuestas	*Questions and answers*
¿Cómo?	*What? How?*
¿Cómo se dice... en español?	*How do you say... in Spanish?*
¿Cómo se escribe... en español?	*How do you write... in Spanish?*
¿Qué significa?	*What does it mean?*
¿Quién?	*Who?*
¿Qué es esto?	*What is this?*
Comprendo.	*I understand.*
No comprendo.	*I don't understand.*
Lo sé.	*I know.*
No lo sé.	*I don't know.*
Sí.	*Yes.*
No.	*No.*

Expresiones de cortesía	*Polite expressions*
De nada.	*You're welcome.*
Gracias.	*Thank you.*
Por favor.	*Please.*

Mandatos para la clase	*Classroom instructions (commands)*
Abra(n) el libro en la página...	*Open your book to page...*
Cierre(n) el/los libro/s.	*Close your book/s.*
Conteste(n).	*Answer.*
Escriba(n).	*Write.*
Escuche(n).	*Listen.*
Lea(n).	*Read.*
Repita(n).	*Repeat.*
Vaya(n) a la pizarra.	*Go to the board.*

In Spanish, commands can have two forms. The singular form (**abra, cierre, conteste,** etc.) is directed to one person, while the plural form (those ending in **-n: abran, cierren, contesten,** etc.) is used with more than one person.

A-6 Práctica Take turns saying which expressions or commands would be used in the following situations.

Estrategia

When working with a partner, always listen carefully. If your partner gives an incorrect response, help your partner arrive at the correct response.

1. You don't know the Spanish word for something.
2. Your teacher wants everyone to listen.
3. You need your teacher to repeat what he/she has said.
4. You don't know what something means.
5. Your teacher wants students to turn to a certain page.
6. You don't understand something.

A-7 Más práctica Play the roles of instructor **(I)** and student **(estudiante / E)**. The instructor either tells the student to do something or asks a question; the student responds appropriately. Practice with at least **five** sentences or questions, using the expressions that you have just learned; then change roles.

MODELO I: *Abra el libro.*
E: (Student opens the book.)
I: *¿Cómo se dice* hello?
E: *Se dice "hola".*

Estrategia

To learn Spanish more quickly, you should attempt to speak only Spanish in the classroom.

3 GRAMÁTICA

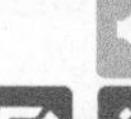 

El alfabeto Spelling in Spanish

The Spanish alphabet is quite similar to the English alphabet except in the ways the letters are pronounced. Learning the proper pronunciation of the individual letters in Spanish will help you pronounce new words and phrases.

LETTER	LETTER NAME	EXAMPLES	LETTER	LETTER NAME	EXAMPLES
a	a	**a**diós	**ñ**	eñe	ma**ñ**ana
b	be	**b**uenos	**o**	o	c**ó**m**o**
c	ce	**c**lase	**p**	pe	**p**or favor
d	de	**d**ía	**q**	cu	**q**ué
e	e	**e**spañol	**r**	ere	seño**r**a
f	efe	por **f**avor	**s**	ese	**s**aludos
g	ge	lue**g**o	**t**	te	**t**arde
h	hache	**h**ola	**u**	u	**u**sted
i	i	señor**i**ta	**v**	uve	nue**v**e
j	jota	**j**ulio	**w**	doble ve o uve doble	**W**ashington
k	ka	**k**ilómetro	**x**	equis	e**x**amen
l	ele	**l**uego	**y**	ye o i griega	**y**o
m	eme	**m**adre	**z**	zeta	pi**z**arra
n	ene	**n**oche			

A 8 En español

Take turns saying the following abbreviations in Spanish, helping each other with pronunciation if necessary.

1. CD-RW
2. IBM
3. CNN
4. MTV
5. MCI
6. UPS
7. WWW
8. QVC
9. CBS
10. ABC

A 9 ¿Qué es esto?

Complete the following steps.

Paso 1 Take turns spelling the following words for a partner, who will write what you spell. Then pronounce each word.

1. hola
2. mañana
3. usted
4. igualmente
5. que
6. noches

Paso 2 Now spell your name for your partner as he/she writes it down. Your partner will pronounce your name, based on your spelling. Use **otra palabra** (*another word*) to indicate the beginning of a new word.

MODELO E1: *de, a, uve, i, de, otra palabra, ese, eme, i, te, hache*

E2: (escribe y repite) *D-a-v-i-d S-m-i-t-h*

4 VOCABULARIO

Los cognados Identifying cognates

Cognados, or *cognates,* are words that are similar in form and meaning to their English equivalents. As you learn Spanish you will discover many cognates. Can you guess the meanings of the following words?

inteligente **septiembre** **familia** **universidad**

A 10 Práctica

Take turns giving the English equivalents for the following words.

1. importante
2. animal
3. programa
4. mapa
5. atractivo
6. favorito
7. especial
8. fantástico
9. famoso
10. diferente

A 11 ¿Hablas español?

Read the classified ad and make a list of all of the cognates; then answer the following questions.

Administrador/a
Departamento de Servicio Público.
Hospital General de Mesa Grande, AR.
Experiencia necesaria.
Fluidez en inglés y español.
$45,000–$60,000.
Teléfono: 480-555-2347

1. What job is advertised?
2. What are the requirements?
3. How much does it pay?
4. How can you get more information?

5 GRAMÁTICA

Los pronombres personales Expressing subject pronouns

Can you list the subject pronouns in English? When are they used? The following chart lists the subject pronouns in Spanish and their equivalents in English. As you will note, Spanish has several equivalents for *you*.

yo	*I*	**nosotros/as**	*we*
tú	*you* (familiar)	**vosotros/as**	*you* (plural, Spain)
usted	*you* (formal)	**ustedes**	*you* (plural)
él	*he*	**ellos**	*they* (masculine)
ella	*she*	**ellas**	*they* (feminine)

Tú

Generally speaking, **tú** (you, singular) is used for people with whom you are on a first-name basis, such as family members and friends.

Usted

Usted, abbreviated **Ud.,** is used with people you do not know well, or with people with whom you are not on a first-name basis. **Usted** is also used with older people, or with those to whom you want to show respect.

Spanish shows gender more clearly than English. **Nosotros** and **ellos** are used to refer to either all males or to a mixed group of males and females. **Nosotras** and **ellas** refer to an all-female group.

Nota cultural ¿Tú o usted?

Languages are constantly evolving. Words are added and deleted, they change in meaning, and the use of language in certain situations may change as well. For example, the use of **tú** and **usted (Ud.)** is changing dramatically in Spanish. **Tú** may now be used more freely in situations where **usted** was previously used. In some Spanish-speaking countries, it has become acceptable for a shopper to address a young store clerk with **tú.** Just a few years ago, only **usted** would have been appropriate in that context. Nevertheless, the traditional use of **tú** and **usted** still exists. Regarding your choice between **tú** and **usted,** a good rule of thumb is: *When in doubt, be more formal.*

There are a few regional differences in the use of pronouns. Spanish speakers in Spain use **vosotros** ("you all") when addressing more than one person with whom they are on a first-name basis. Elsewhere in the Spanish-speaking world, **ustedes,** abbreviated **Uds.,** is used when addressing more than one person on a formal or informal basis. In Costa Rica, Argentina, and other parts of Latin America, **vos** replaces **tú,** but **tú** would be perfectly understood in these countries.

Preguntas

1. When in doubt, do you use **tú** or **usted**?
2. What new words have been added to the English language in the past twenty years?
3. What are some words and expressions that we do not use in English anymore?

A 12 **¿Cómo se dice?** Take turns expressing the following in Spanish.

1. we (all men)
2. I
3. you (speaking to a friend)
4. they (just women)
5. we (all women)
6. you (speaking to a professor)
7. they (just men)
8. they (fifty women and one man)
9. we (men and women)
10. they (men or women)

A 13 ***¿Tú o usted?*** Determine whether you would most likely address the following people with **tú** or **usted**. State your reasons, using the categories below.

A respect	**C** someone with whom you are on a first-name basis
B family member	**D** someone you do not know well

1. your sister
2. your mom
3. your Spanish professor
4. your grandfather
5. your best friend's father
6. a clerk in a department store
7. your doctor
8. someone you've just met who is older
9. someone you've just met who is your age
10. a child you've just met

6 GRAMÁTICA

El verbo *ser* Using *to be*

You have already learned the subject pronouns in Spanish. It is time to put them together with a verb. First, consider the verb *to be* in English. The *to* form of a verb, as in *to be* or *to see*, is called an *infinitive*. Note that *to be* has different forms for different subjects.

to be			
I	**am**	we	**are**
you	**are**	you (all)	**are**
he, she, it	**is**	they	**are**

Verbs in Spanish also have different forms for different subjects.

ser (*to be*)					
Singular			**Plural**		
yo	**soy**	*I am*	nosotros/as	**somos**	*we are*
tú	**eres**	*you are*	vosotros/as	**sois**	*you (all) are*
Ud.	**es**	*you are*	Uds.	**son**	*you (all) are*
él, ella	**es**	*he/she is*	ellos/as	**son**	*they are*

- In Spanish, subject pronouns are not required, but rather used for clarification or emphasis. Pronouns are indicated by the verb ending. For example:

  Soy means *I am.*

  Es means either *he is, she is*, or *you* (formal) *are.*

- If you are using a subject pronoun, it will appear first, followed by the form of the verb that corresponds to the subject pronoun, and then the rest of the sentence, as in the examples:

  Yo **soy** Mark. **Soy** Mark.

  Él **es** inteligente. **Es** inteligente.

As you continue to progress in ***¡Anda! Curso elemental,*** you will learn to form and respond to questions, both orally and in writing, and you will have the opportunity to create longer sentences.

A 14 Vamos a practicar Take turns saying the forms of the verb **ser** that you would use with the following pronouns. Correct your partner's answers as necessary.

1. nosotras
2. usted
3. yo
4. él
5. ellas
6. tú
7. ustedes
8. ella

A 15 "Ser o no ser... " Take turns changing these forms of **ser** to the plural if they are singular, and vice versa. Listen to your partner for accuracy and help him/her if necessary.

MODELO E1: yo soy
E2: *nosotros somos*

1. usted es 2. nosotros somos 3. ella es 4. ellos son 5. tú eres

7 VOCABULARIO

Los adjetivos de nacionalidad Stating nationalities

Nacionalidad	Estudiantes
alemán	Hans
alemana	Ingrid
canadiense	Jacques/Alice
chino	Tsong
china	Xue Lan
cubano	Javier
cubana	Pilar
español	Rodrigo
española	Guadalupe
estadounidense (norteamericano/a)	John/Kate
francés	Jean-Paul
francesa	Brigitte
inglés	James
inglesa	Diana
japonés	Yasu
japonesa	Tabo
mexicano	Manuel
mexicana	Milagros
nigeriano	Yena
nigeriana	Ngidaha
puertorriqueño	Ernesto
puertorriqueña	Sonia

In Spanish:

- adjectives of nationality are not capitalized unless one is the first word in a sentence.
- most adjectives of nationality have a form for males, and a slightly different one for females. (You will learn more about this in **Capítulo 1.** For now, simply note the differences.)
- when referring to more than one individual, you make the adjectives plural by adding either an **-s** or an **-es.** (Again, in **Capítulo 1** you will formally learn more about forming plural words.)
- some adjectives of nationality have a written accent mark in the masculine form, but not in the feminine, like **inglés/inglesa** and **francés/francesa.** For example: **Mi papá es *inglés* y mi mamá es *francesa*.**

A-16 ¿Cuál es tu nacionalidad?

Describe the nationalities of the students listed on page 14. Form complete sentences using either **es** or **son,** following the model. Then practice spelling the nationalities in Spanish with your partner.

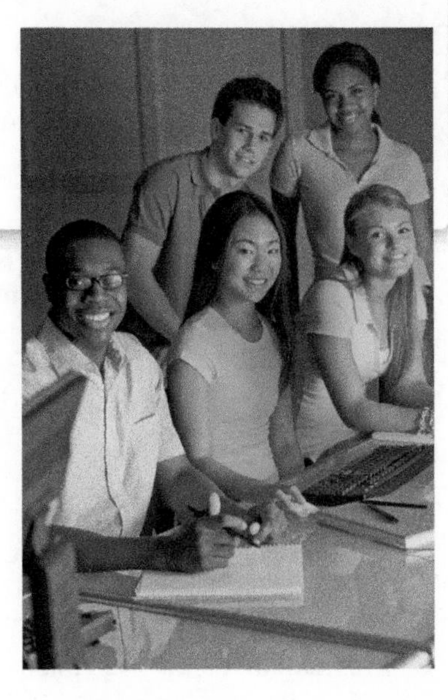

MODELO E1: china
E2: *Xue Lan es china.*
E1: chinos
E2: *Xue Lan y Tsong son chinos.*

1. francesa
2. japonés
3. estadounidenses
4. canadiense
5. mexicanos
6. alemán

A-17 ¿Qué son?

Take turns naming the nationalities of the people listed. Make sure you use the correct form of **ser** in each sentence. Follow the model.

MODELO E1: Yena
E2: *Yena es nigeriano.*
E1: Yena y Ngidaha
E2: *Yena y Ngidaha son nigerianos.*

1. Jacques
2. Xue Lan y Tsong
3. Ingrid
4. Brigitte
5. Kate
6. Hans
7. Javier y Pilar
8. Jean-Paul
9. yo
10. mi familia y yo

Nota cultural Los hispanos

Many terms are associated with people from the Spanish-speaking world, most commonly *Hispanic* and *Latino*. While there is some controversy regarding the use of these terms, typically *Hispanic* refers to all people who come from a Spanish-speaking background. *Latino,* on the other hand, implies a specific connection to Latin America. Whichever term is used, the people denoted are far from homogeneous. Some are racially diverse, most are culturally diverse, and some do not even speak Spanish.

Preguntas

1. Briefly explain the terms *Latino* and *Hispanic.*
2. Name two people who are of Spanish-speaking heritage, and state how they are similar, and how they are different.

8 VOCABULARIO

Los números 0–30 Counting from 0–30

0 **cero**	7 **siete**	13 **trece**	19 **diecinueve**	25 **veinticinco**
1 **uno**	8 **ocho**	14 **catorce**	20 **veinte**	26 **veintiséis**
2 **dos**	9 **nueve**	15 **quince**	21 **veintiuno**	27 **veintisiete**
3 **tres**	10 **diez**	16 **dieciséis**	22 **veintidós**	28 **veintiocho**
4 **cuatro**	11 **once**	17 **diecisiete**	23 **veintitrés**	29 **veintinueve**
5 **cinco**	12 **doce**	18 **dieciocho**	24 **veinticuatro**	30 **treinta**
6 **seis**				

A-18 ¿Qué número? Take turns saying what number comes before and after each of the numbers below. Your partner will check your accuracy.

MODELO 1 *cero, dos*

1. 2
2. 5
3. 8
4. 11
5. 15
6. 17
7. 20
8. 23
9. 24
10. 28

A-19 ¿Cuál es la secuencia? Take turns reading the number patterns aloud while filling in the missing numbers.

1. 1, 3, 5, ______, 9, ______, 13, ______, ______
2. 2, 4, ______, 8, ______, 12, ______, 16, ______, 20, ______
3. 3, ______, 9, ______, 15, ______, 21, ______, 27, ______
4. 1, 3, 6, ______, 15, ______, 28

Nota cultural

El mundo hispano

PAÍS	POBLACIÓN
ARGENTINA	41.343.201
BOLIVIA	9.947.418
CHILE	16.746.491
COLOMBIA	44.205.293
COSTA RICA	4.516.220
CUBA	11.477.459
ECUADOR	14.790.608
EL SALVADOR	6.052.064
ESPAÑA	46.505.963
GUATEMALA	13.550.440
GUINEA ECUATORIAL	650.702
HONDURAS	7.989.415
MÉXICO	112.468.855
NICARAGUA	5.995.928
PANAMÁ	3.410.676
PARAGUAY	6.375.830
PERÚ	29.907.003
PUERTO RICO	3.978.702
LA REPÚBLICA DOMINICANA	9.823.821
URUGUAY	3.510.386
VENEZUELA	27.223.228

*CIA World Factbook, 2010

Fíjate

Spanish uses a period to indicate thousands and millions, rather than the comma used in English.

Fíjate

Spanish is the official language of the countries listed in the chart. In the United States, over 50 million people speak Spanish; it is home to the world's second largest Spanish-speaking community.

(continued)

Preguntas

Use the map and chart of the Spanish-speaking world to answer the following questions in Spanish. Then, compare your answers with your partner's.

1. Fill in the chart with the names of the Spanish-speaking countries in the appropriate columns. How many such countries are there in each of these areas? How many are there in the world?

AMÉRICA DEL NORTE	CENTROAMÉRICA	EL CARIBE	AMÉRICA DEL SUR	EUROPA	ÁFRICA

2. How many continents contain Spanish-speaking countries? What are they?
3. How many countries have a Spanish-speaking population of 25,000,000 or more? Name them and their continents.

9 VOCABULARIO

La hora Stating the time

Es (la) medianoche.

Es (el) mediodía.

Es la una.

Son las diez y cinco.

Son las tres y cuarto.

Son las seis y media.

Son las nueve menos cuarto.

Son las diez menos veinticinco.

La hora	***Telling time***
¿Qué hora es?	*What time is it?*
Es la una. / Son las...	*It's one o'clock. / It's... o'clock.*
¿A qué hora... ?	*At what time...?*
A la... / A las...	*At... o'clock.*
...de la mañana	*... in the morning*
...de la tarde	*... in the afternoon, early evening*
...de la noche	*... in the evening, at night*

la medianoche	*midnight*
el mediodía	*noon*
menos cinco	*five minutes to the hour*
y cinco	*five minutes after the hour*

When telling time in Spanish:

- use **Es la...** to say times between 1:00 and 1:30.
- use **Son las...** to say times *except* between 1:00 and 1:30.
- use **A la...** (between 1:00 and 1:30) or **A las...** to say *at* what time.
- use the expressions **mediodía** and **medianoche** to say *noon* and *midnight.*
- **de la tarde** tends to mean from noon until 7:00 or 8:00 p.m.
- **cuarto** and **media** are equivalent to the English expressions *quarter* (fifteen minutes) and *half* (thirty minutes). **Cuarto** and **media** are interchangeable with the numbers **quince** and **treinta**.
- use **y** for times that are before and up to the half-hour mark.
- use **menos** for times that are beyond the half-hour mark.

A 20 ¿Qué hora es? Look at the clocks, and take turns asking and responding to **¿Qué hora es?**

MODELO E1: *¿Qué hora es?*
E2: *Son las nueve de la mañana.*

1.

2.

3.

4.

5.

6.

7.

8.

A 21 **¿A qué hora...?** Take turns asking and answering at what time the following occur.

MODELO la clase de matemáticas (8:00 a.m.)
E1: ¿A qué hora es la clase de matemáticas?
E2: Es a las ocho de la mañana.

1. la clase de español (10:15 a.m.)
2. el programa de televisión (5:45 p.m.)
3. la fiesta (8:30 p.m.)
4. la clase de arte (2:40 p.m.)
5. la clase de biología (8:05 a.m.)

A 22 **Tu horario** Think about your daily schedule. Then, take turns asking and telling your partner at what times you do the following activities.

MODELO E1: *¿A qué hora?*
E2: *a la una y media*

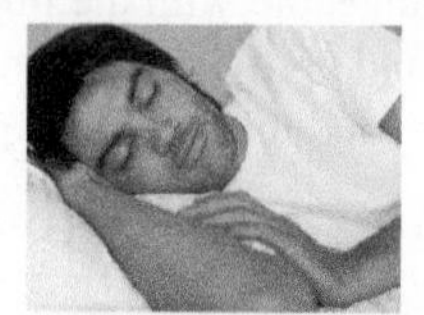

1. 

2. 

3. 

4. 

5. 

6. 

7. 

8. 

A 23 **¿Y el fin de semana?** What is your schedule for the weekend? Take turns telling your partner at what times you plan to do the activities from **A-22** this coming weekend.

10 VOCABULARIO

Los días, los meses y las estaciones

Eliciting the date and season

Los meses y las estaciones (*Months and seasons*)

la primavera

marzo, abril y mayo

el verano

junio, julio y agosto

el otoño

septiembre, octubre y noviembre

el invierno

diciembre, enero y febrero

Los días de la semana	*Days of the week*
lunes	*Monday*
martes	*Tuesday*
miércoles	*Wednesday*
jueves	*Thursday*
viernes	*Friday*
sábado	*Saturday*
domingo	*Sunday*

Expresiones útiles	*Useful expressions*
¿Qué día es hoy?	*What day is today?*
¿Cuál es la fecha de hoy?	*What is today's date?*
Hoy es lunes.	*Today is Monday.*
Hoy es el 1° (primero) de septiembre.	*Today is September first.*
Mañana es el 2 (dos) de septiembre.	*Tomorrow is September second.*

Unlike in English, the days of the week and the months of the year are not capitalized in Spanish. Also, in the Spanish-speaking world, in some countries, Monday is considered the first day of the week. On calendars the days are listed from Monday through Sunday.

A 24 Antes y después Which days come directly before and after the ones listed? Take turns saying the days in Spanish.

1. sábado
2. lunes
3. viernes
4. domingo
5. jueves
6. miércoles

A 25 Y los meses Which months come directly before and after the ones listed? Take turns saying the months in Spanish.

1. octubre
2. febrero
3. mayo
4. agosto
5. diciembre
6. junio
7. septiembre
8. enero
9. octubre
10. marzo

A 26 ¿Cuándo es? Look at the activities included in the **Guía del ocio.** Take turns determining what activity takes place and at what time on the following days.

Fíjate

In Spanish, ***h*** is the abbreviation for ***hora***.

GUÍA DEL OCIO MADRID

MÚSICA

Sábado 4

• **XVI Festival de Jazz: Joe Henderson**
La Riviera. 21 h.

• **Alonso y Williams**
La Madriguera. 24 h.

Domingo 5

• **Pedro Iturralde**
Clamores. Pases: 22.45 y 0.45 h. Libre.

Lunes 6

• **Moreiras Jazztet**
Café Central. 22 h.

CINE

Ocho apellidos vascos
(2014, España)****
Género: Comedia
Director: Emilio Martínez-Lázaro
Interpretación: Clara Lago, Dani Rovira…
Un sevillano (Dani Rovira) decide salir de Andalucía para seguir a una joven vasca (Clara Lago).

Piratas del Caribe: En mareas misteriosas
(2011, EE. UU.) ****
Género: Acción, fantasía, comedia
Director: Rob Marshall
Interpretación: Johnny Depp, Penélope Cruz, Ian McShane…
La continuación de la historia del capitán Jack Sparrow quien guía una expedición a la fuente de la juventud.

Volver (2006, España)*****
Género: Comedia dramática
Director: Pedro Almodóvar
Interpretación: Penélope Cruz, Carmen Maura…
Se basa en la vida y los recuerdos del director sobre su madre y el lugar donde se crió.

EXPOSICIONES

• **Museo Nacional Centro de Arte Reina Sofía**
Santa Isabel, 52.
Metro Atocha
Tel. 91 467 50 62
Horario: de 10 a 21 h. Domingo de 10 a 14.30 h.
Martes cerrado.

Un recorrido del arte del siglo XX, desde Picasso. Salas dedicadas a los comienzos de la vanguardia. Además, exposiciones temporales.

• **Museo del Prado**
Paseo del Prado, s/n. Metro Banco de España.
Tel. 91 420 36 62 y 91 420 37 68
Horario: martes a sábado de 9 a 19 h. Domingo de 9 a 14 h.
Lunes cerrado.

Todas las escuelas españolas, desde los frescos románicos hasta el siglo XVIII. Grandes colecciones de Velázquez, Goya, Murillo, etc.
Importante representación de las escuelas europeas (Rubens, Tiziano, Durero, etc.). Escultura clásica griega y romana y Tesoro del Delfín.

MODELO E1: el lunes por la noche
E2: *El Moreiras Jazztet es a las veintidós horas / a las diez.*

1. el sábado por la noche
2. el miércoles por la mañana
3. el domingo
4. el sábado por la noche
5. el martes por la tarde

11 VOCABULARIO

El tiempo Reporting the weather

¿Qué tiempo hace? (*What's the weather like?*)

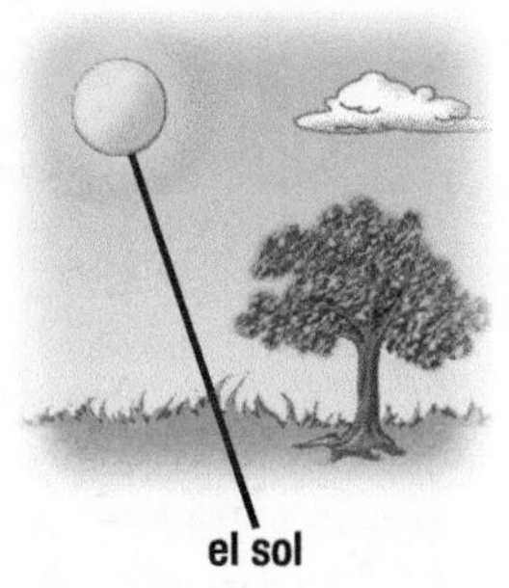

el sol

Hace sol.

Hace buen tiempo.

la lluvia

Llueve.

Hace mal tiempo.

la nube

Está nublado.

el viento

Hace viento.

la nieve

Nieva.

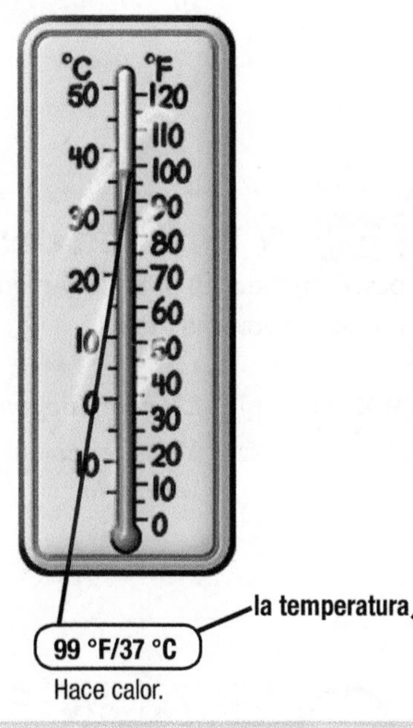

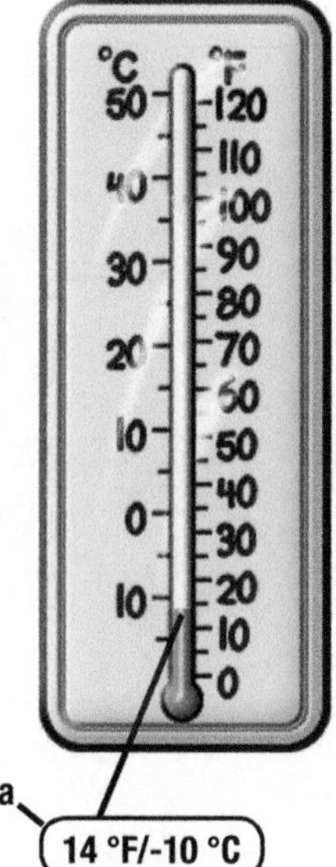

la temperatura

99 °F/37 °C

Hace calor.

14 °F/-10 °C

Hace frío.

A 27 ¿Qué tiempo hace? Take turns asking and answering what the most typical weather is during the following seasons where you go to school.

MODELO E1: ¿Qué tiempo hace… en (el) verano?

E2: *En (el) verano hace sol.*

¿Qué tiempo hace…?

1. en (el) otoño
2. en (el) invierno
3. en (la) primavera
4. en (el) verano

A 28 España Take turns answering the question **¿Qué tiempo hace?** based on the map of Spain.

MODELO E1: ¿Qué tiempo hace en Sevilla?
E2: *Hace calor.*

1. ¿Qué tiempo hace en Mallorca?
2. ¿Qué tiempo hace en Pamplona?
3. ¿Qué tiempo hace en Barcelona?
4. ¿Qué tiempo hace en Madrid?
5. ¿Qué tiempo hace en Córdoba?

A 29 Y América del Sur Take turns making statements about the weather based on the map of South America. You can say what the weather is like, and also what it is not like. Follow the model.

MODELO E1: *Llueve en Bogotá.*
E2: *No hace frío en Venezuela.*

Fíjate

To make a negative statement, simply place the word **no** before the verb: *No llueve en Caracas. No nieva en Buenos Aires. No hace calor en Punta Arenas.*

12 GRAMÁTICA

Gustar Sharing personal likes and dislikes

To express likes and dislikes, you say the following:

Me gusta la primavera.

No me gusta el invierno.

Me gustan los viernes.

No me gustan los lunes.

¡Explícalo tú!

1. To say you like or dislike one thing, what form of **gustar** do you use?
2. To say you like or dislike more than one thing, what form of **gustar** do you use?

 **Check your answers to the preceding questions in Appendix 1.**

A 30 **¿Qué te gusta?** Ask your partner whether he/she likes or dislikes the following things.

Estrategia

Say *¿Te gusta… ?* to ask "Do you like… ?"

MODELO la primavera

E1: *¿Te gusta la primavera?*

E2: *Sí, me gusta la primavera.*

1. el otoño
2. el invierno
3. el verano
4. los lunes
5. los sábados
6. los domingos
7. los viernes
8. la clase de español

A 31 **¿Qué más te gusta?** Take turns asking your partner about the following places and things.

MODELO E1: *¿Te gustan las hamburguesas?*

E2: *No, no me gustan las hamburguesas.*

1\. 

Las Vegas, Nevada

2\. 

las guitarras

3\. 

las camionetas

4\. 

la pizza

5\. 

San Antonio, Texas

6\. 

los teléfonos celulares

7\. 

el béisbol

8\. 

el fútbol

Y por fin, ¿cómo andas?

Estrategia

The *¿Cómo andas?* and *Y por fin, ¿cómo andas?* sections are designed to help you assess your understanding of specific concepts. In *Capítulo A Para empezar*, there is one opportunity for you to reflect on how well you understand the concepts. Beginning with *Capítulo 1* there will be three opportunities per chapter for you to stop and reflect on what you have learned. These checklists help you become accountable for your own learning, and help you determine what you need to review. Use the checklist as a way to communicate with your instructor about any concepts you still need to review. Additionally, you might also use your checklist as a way to study with a peer group or peer tutor. If you need to review a particular concept, more practice is available in *¡Anda!* online.

Each of the coming chapters of ***¡Anda! Curso elemental*** will have three self-check sections for you to assess your progress. A **¿Cómo andas? I** (*How are you doing?*) section will appear one third of the way through each chapter; another, **¿Cómo andas? II,** will appear at the two-thirds point, and a third and final one will appear at the end of the chapter, called **Y por fin, ¿cómo andas?** (*Finally, how are you doing?*) Use the checklists to measure what you have learned in the chapter. Place a check in the *Feel confident* column of the topics you feel you know, and a check in the *Need to review* column of those that you need to practice more. Be sure to go back and practice because it is the key to your success!

Having completed this chapter, I now can...	Feel confident	Need to review
Comunicación		
• greet, introduce, and say good-bye to someone. (p. 4)	☐	☐
• understand and respond appropriately to basic classroom expressions and requests. (p. 8)	☐	☐
• spell in Spanish. (p. 9)	☐	☐
• identify cognates. (p. 10)	☐	☐
• express subject pronouns. (p. 11)	☐	☐
• use *to be*. (p. 13)	☐	☐
• state nationalities. (p. 14)	☐	☐
• count from 0–30. (p. 16)	☐	☐
• state the time. (p. 18)	☐	☐
• elicit the date and season. (p. 21)	☐	☐
• report the weather. (p. 23)	☐	☐
• share personal likes and dislikes. (p. 25)	☐	☐
Cultura		
• compare and contrast greetings in the Spanish-speaking world and in the United States. (p. 7)	☐	☐
• explain when to use the familiar and formal *you*. (p. 12)	☐	☐
• summarize the diversity of the Spanish-speaking world. (p. 16)	☐	☐
• name the continents and countries where Spanish is spoken. (p. 17)	☐	☐
Comunidades		
• use Spanish in real-life contexts. (online)	☐	☐

Vocabulario activo

Los saludos	Greetings
Buenos días.	*Good morning.*
Buenas noches.	*Good evening; Good night.*
Buenas tardes.	*Good afternoon.*
¡Hola!	*Hi! Hello!*
¿Cómo está usted?	*How are you?* (formal)
¿Cómo estás?	*How are you?* (familiar)
¿Qué tal?	*How's it going?*
Bastante bien.	*Just fine.*
Bien, gracias.	*Fine, thanks.*
Más o menos.	*So-so.*
Muy bien.	*Really well.*
Regular.	*Okay.*
¿Y tú?	*And you?* (familiar)
¿Y usted?	*And you?* (formal)

Las despedidas	Farewells
Adiós.	*Good-bye.*
Chao.	*Bye.*
Hasta luego.	*See you later.*
Hasta mañana.	*See you tomorrow.*
Hasta pronto.	*See you soon.*

Las presentaciones	Introductions
¿Cómo te llamas?	*What is your name?* (familiar)
¿Cómo se llama usted?	*What is your name?* (formal)
Encantado/a.	*Pleased to meet you.*
Igualmente.	*Likewise.*
Mucho gusto.	*Nice to meet you.*
Me llamo…	*My name is…*
Soy…	*I am…*
Quiero presentarle a…	*I would like to introduce you to…* (formal)
Quiero presentarte a…	*I would like to introduce you to…* (familiar)

Expresiones útiles para la clase	Useful classroom expressions
Preguntas y respuestas	*Questions and answers*
¿Cómo?	*What? How?*
¿Cómo se dice… en español?	*How do you say… in Spanish?*
¿Cómo se escribe… en español?	*How do you write… in Spanish?*
¿Qué es esto?	*What is this?*
¿Qué significa?	*What does it mean?*
¿Quién?	*Who?*
Comprendo.	*I understand.*
Lo sé.	*I know.*
No.	*No.*
No comprendo.	*I don't understand.*
No lo sé.	*I don't know.*
Sí.	*Yes.*
Expresiones de cortesía	*Polite expressions*
De nada.	*You're welcome.*
Gracias.	*Thank you.*
Por favor.	*Please.*
Mandatos para la clase	*Classroom instructions (commands)*
Abra(n) el libro en la página…	*Open your book to page…*
Cierre(n) el/los libro/s.	*Close your book/s.*
Conteste(n).	*Answer.*
Escriba(n).	*Write.*
Escuche(n).	*Listen.*
Lea(n).	*Read.*
Repita(n).	*Repeat.*
Vaya(n) a la pizarra.	*Go to the board.*

Las nacionalidades	Nationalities
See pages 14–15.	

See pages 14–15.

Los números 0–30	Numbers 0–30
See page 16.	

La hora	Telling time
A la… / A las…	*At… o'clock.*
Es la… / Son las…	*It's… o'clock.*
¿A qué hora… ?	*At what time… ?*
¿Qué hora es?	*What time is it?*
…de la mañana	*… in the morning*
…de la noche	*… in the evening, at night*
…de la tarde	*… in the afternoon, early evening*
la medianoche	*midnight*
el mediodía	*noon*
menos cinco	*five minutes to the hour*
y cinco	*five minutes after the hour*

Expresiones del tiempo	Weather expressions
Está nublado.	*It's cloudy.*
Hace buen tiempo.	*The weather is nice.*
Hace calor.	*It's hot.*
Hace frío.	*It's cold.*
Hace mal tiempo.	*The weather is bad.*
Hace sol.	*It's sunny.*
Hace viento.	*It's windy.*
Llueve.	*It's raining.*
la lluvia	*rain*
Nieva.	*It's snowing.*
la nieve	*snow*
la nube	*cloud*
¿Qué tiempo hace?	*What's the weather like?*
el sol	*sun*
la temperatura	*temperature*
el viento	*wind*

Los días, los meses y las estaciones	Days, months, and seasons
Los días de la semana	*Days of the week*
See page 21.	
Las estaciones	*Seasons*
el invierno	*winter*
la primavera	*spring*
el otoño	*autumn; fall*
el verano	*summer*
Expresiones útiles	*Useful expressions*
¿Cuál es la fecha de hoy?	*What is today's date?*
¿Qué día es hoy?	*What day is today?*
Hoy es el 1° (primero) de septiembre.	*Today is September first.*
Hoy es lunes.	*Today is Monday.*
Mañana es el dos de septiembre.	*Tomorrow is September second.*

Los meses del año	Months of the year
enero	*January*
febrero	*February*
marzo	*March*
abril	*April*
mayo	*May*
junio	*June*
julio	*July*
agosto	*August*
septiembre	*September*
octubre	*October*
noviembre	*November*
diciembre	*December*

Algunos verbos	Some verbs
gustar	*to like*
ser	*to be*

La familia Sánchez, San Antonio, Texas

1 ¿Quiénes somos?

Families can be big or small, and family members can be similar or very diverse. What makes us who we are? What makes each of us unique? What impact does your family or where you grow up have on the person you are?

We may come from different geographical locations and represent different cultures, races, and religions, yet in many respects we are much the same. We have the same basic needs, share common likes and dislikes, and possess similar hopes and dreams.

Preguntas

1. Whom do you resemble most in your family? In what ways are you alike?
2. What are some different nationalities and cultures you encounter on a regular basis in your community? What do you have in common with them?
3. What are some activities families do together in your community?

¿Sabías que...?

At least 13% of U.S. residents speak Spanish in their homes.

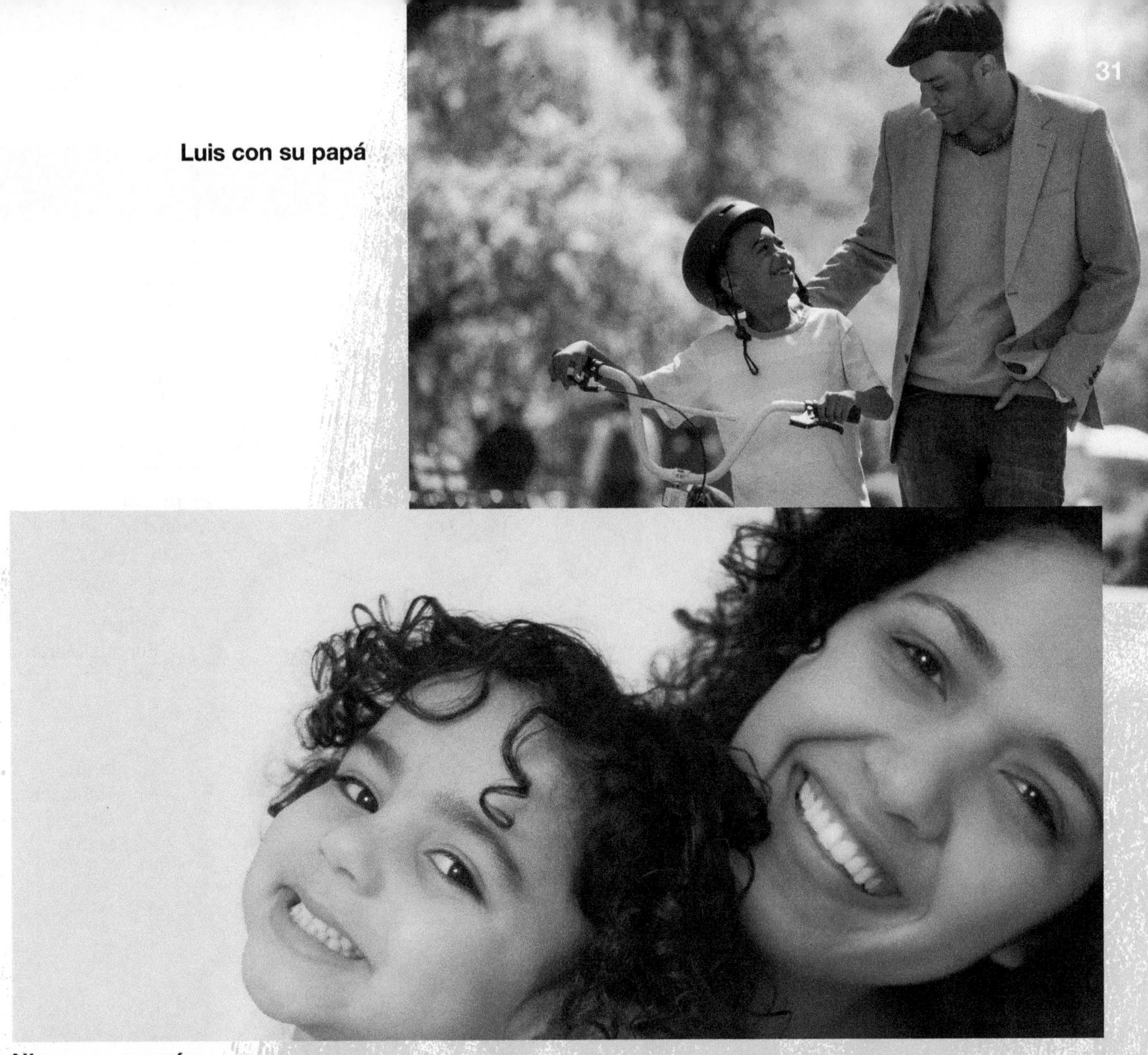

Luis con su papá

Nina y su mamá

Learning Outcomes

By the end of this chapter, you will be able to:

- ✔ describe families.
- ✔ express what someone has.
- ✔ give details about yourself and others.
- ✔ state possession and give details about people, places, and things.
- ✔ communicate about people you know.
- ✔ organize ideas to write a poem.
- ✔ exchange interesting facts about the size, location, and makeup of the Hispanic population in the United States.
- ✔ read a social media page.

Comunicación I

1 VOCABULARIO

La familia Describing families

Fíjate

Your instructor assigned this *Vocabulario* to be learned before you come to class. Therefore, when you come to class, you can immediately work with a partner to practice the vocabulary in context. Your instructor will assign all *Vocabulario* to be learned before class. This practice will help you become a highly successful Spanish-language learner.

la abuela Carmen Jiménez de Martín

el abuelo Manuel Martín García

la madre Rosario Domínguez de Martín

el tío Enrique Martín Jiménez

la tía Francisca Ávila de Martín

el padre Pedro Martín Jiménez

el hermano Antonio Martín Domínguez

Eduardo Martín Domínguez

casados *(married)*

la hermana Adriana Martín Domínguez

la prima Sonia Martín Ávila

Más miembros de la familia	*More family members*
los abuelos	*grandparents*
la esposa	*wife*
el esposo	*husband*
los hermanos	*brothers and sisters; siblings*
la hija	*daughter*
el hijo	*son*
los hijos	*sons and daughters; children*
la madrastra	*stepmother*
la mamá	*mom*

Más miembros de la familia	*More family members*
el nieto	*grandson*
la nieta	*granddaughter*
el padrastro	*stepfather*
el papá	*dad*
los padres	*parents*
el primo	*cousin* (male)
los primos	*cousins*
los tíos	*aunts and uncles*

¿? Now you are ready to complete the ***Preparación y práctica*** activities for this chunk online.

PRONUNCIACIÓN

Vowels

Go to *¡Anda!* online to learn about the pronunciation of vowels.

Fíjate

You will find this *Pronunciación* section, and accompanying activities, in *¡Anda!* online.

Capítulo A Para empezar. El verbo *ser*, pág. 13.

Estrategia

¡Anda! Curso elemental has provided you with recycling references to help guide your continuous review of previously learned material. Make sure to consult the indicated pages if you need to refresh your memory about the topic.

1-1 La familia de Eduardo

Look at Eduardo's family tree. Take turns with a partner to ask and answer questions about the family members.

MODELO Antonio

E2: *¿Quién es Antonio?*

E2: *Es su* (his) *hermano.*

1. Francisca
2. Carmen
3. Enrique
4. Manuel
5. Pedro
6. Rosario
7. Sonia
8. Adriana

1-2 ¿Cierto o falso?

Roberto is a friend of Eduardo, but does he really know Eduardo's family? Listen to Roberto's statements. Using Eduardo's family tree on page 32, indicate **C** for **Cierto** (*true*) or **F** for **Falso** (*false*) for each statement you hear.

MODELO [*you hear*] Sonia es la prima de Eduardo.

[*you mark*] C

	C	F		C	F
1.	☑	☐	4.	☑	☐
2.	☑	☐	5.	☑	☐
3.	☐	☑			

1-3 Mi familia

Complete the following steps.

Paso 1 Draw and label in less than one minute **three** generations of your own family tree, or create a fictitious one. Then share your information with a partner, following the model. Please save your drawing! You will need it for **1-7.**

MODELO E1: *Mary es mi* (my) *hermana.*

E2: *George es mi papá.*

Paso 2 Finally, quickly write at least **five** of the sentences that you shared orally with your partner, or **five** different sentences about your family members. Follow the **modelo**.

MODELO __________ __________ mi ________________.

(Subject) ***(verb)*** ***(family member)***

Estrategia

For additional vocabulary choices, consult Appendix 3, *También se dice…*

Fíjate

Your instructor assigned this *Nota cultural* to be read before you come to class. In class you will then be prepared to answer the *Preguntas* with a partner. All *Nota cultural* should be read before coming to class.

Fíjate

Below are some common Spanish first names and nicknames.

Hombres (*men*)

Antonio	Toño, Toni
Francisco	Paco, Pancho, Cisco
Guillermo	Memo, Guillo, Guille
Jesús	Chu, Chuito, Chucho, Chus
José	Pepe
Manuel	Manolo, Mani
Ramón	Moncho, Monchi

Mujeres (*women*)

Antonia	Toñín, Toña, Toñi(ta)
Concepción	Concha, Conchita
Guadalupe	Lupe, Lupita
María Soledad	Marisol
María Teresa	Maite, Marité, Maritere
Pilar	Pili
Rosario	Charo

Nota cultural

Los apellidos en el mundo hispano

In Spanish-speaking countries, it is customary for people to use both paternal and maternal last names (surnames). For example, Eduardo's father is **Pedro Martín Jiménez** and his mother's maiden name is **Rosario Domínguez Montalvo**. Eduardo's first last name is his father's first last name (**Martín**); Eduardo's second last name is his mother's first last name (**Domínguez**). Therefore, Eduardo's full name is **Eduardo Martín Domínguez**. In most informal situations, though, Eduardo would use only his first last name, so he would call himself **Eduardo Martín**.

In most Spanish-speaking countries, a woman usually retains the surname of her father upon marriage, while giving up her mother's surname. She takes her husband's last name, preceded by the preposition **de** (*of*). For example, when Eduardo's mother married his father, her name became **Rosario Domínguez de Martín**. Therefore, if a woman named **Carmen Torres López** married **Ricardo Colón Montoya**, her name would become **Carmen Torres de Colón**.

Preguntas

1. It may seem unusual to use more than one last name at a time, but this custom is not unique to Spanish-speaking cultures. Are there any equivalents in the United States or in other countries?
2. Can you think of any advantages to using both the mother's and the father's last names?

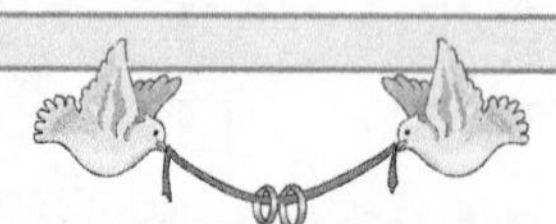

Sr. Pablo Valenzuela Domínguez　*Sr. Roberto Rebolledo Sánchez*
Sra. Alicia Ochoa de Valenzuela　*Sra. Rosario Menéndez de Rebolledo*

Tienen el gusto de invitarles al matrimonio de sus hijos

José Luis　y　María Luisa

que se celebrará el sábado, día 14 de junio de 2008,
a las 3:00 de la tarde,
en la Iglesia Santa Margarita

Iglesia Santa Margarita
Avenida Juárez, nº 32
Colonia Escobar
Cholula

2 GRAMÁTICA

El verbo *tener* Expressing what someone has

Fíjate

Your instructor assigned this *Gramática* to be read, studied, and learned before you come to class. Therefore, when you come to class, you can immediately work with a partner to practice the grammar in context via the activities in your text. Your instructor will assign all *Gramática* to be learned before class. This practice will help you become a highly successful Spanish-language learner.

In **Capítulo A Para empezar** you learned the present tense of **ser.** Another very common verb in Spanish is **tener** (*to have*). The present tense forms of the verb **tener** follow.

¿? Now you are ready to complete the ***Preparación y práctica*** activities for this chunk online.

tener (*to have*)

Singular			Plural		
yo	**tengo**	*I have*	nosotros/as	**tenemos**	*we have*
tú	**tienes**	*you have*	vosotros/as	**tenéis**	*you all have*
Ud.	**tiene**	*you have*	Uds.	**tienen**	*you all have*
él, ella	**tiene**	*he/she has*	ellos/as	**tienen**	*they have*

1-4 ¿Quién tiene familia? Take turns giving the correct form of the verb **tener** for each subject listed.

MODELO E1: *la prima*
E2: *tiene*

1. tú
2. los padres
3. nosotros
4. Pedro, Carmen y Rosario
5. yo
6. el tío

1-5 ¡Apúrate! Form a circle with a group of classmates. One person makes a ball out of a piece of paper, says a subject pronoun, and tosses the ball to someone in the group. That person catches it, says the subject pronoun with the corresponding form of **tener**, then gives another pronoun and tosses the ball to someone else. After finishing **tener**, repeat the game with **ser**.

Capítulo A Para empezar. El verbo *ser*, pág. 13.

MODELO E1: *yo*
E2: *yo tengo; ellas*
E3: *ellas tienen; usted*
E4: *usted tiene;...*

1-6 La familia de José Complete the paragraph with the correct forms of **tener.** Share your answers with a partner. Based on what you learned in the **Nota cultural** on page 34, what is José's father's last name? What is José's mother's maiden name?

Yo soy el primo de José Ruiz López. Él (1) ______ una familia grande. (2) ______ tres hermanos. Su hermano Pepe está casado (*is married*) y (3) ______ dos hijos. También (*Also*) José y sus hermanos (4) ______ muchos tíos, siete en total. La madre de José (5) ______ tres hermanos y dos están casados. El padre de José (6) ______ una hermana y ella está casada con mi padre: ¡es mi madre! Nosotros (7) ______ una familia grande. ¿Y tú? ¿(8) ______ una familia grande?

1-7 Mi árbol familiar Create **three** sentences with **tener** based on your family tree from **1-3**, page 33. Tell them to your partner, who will then share what you said with another classmate.

Fíjate

The word *un* is the shortened form of the number *uno.* It is used before a masculine noun—a concept that will be explained later in this chapter.

MODELO E1 (ALICE): *Tengo un hermano, Scott. Tengo dos tíos, George y David. No tengo abuelos.*

E2 (JEFF): *Alice tiene un hermano, Scott. Tiene dos tíos, George y David. No tiene abuelos.*

3 GRAMÁTICA

Sustantivos singulares y plurales

Using singular and plural nouns

To pluralize nouns and adjectives in Spanish, follow these guidelines.

1. If the word ends in a vowel, add **-s.**

   hermana → hermanas abuelo → abuelos
   día → días mi → mis

2. If the word ends in a consonant, add **-es.**

   mes → meses ciudad → ciudades
   televisión → televisiones joven → jóvenes

3. If the word ends in a **-z**, change the **z** to **c**, and add **-es.**

   lápiz → lápices feliz → felices

Raúl tiene dos primas y Jorge tiene una prima.

Now you are ready to complete the ***Preparación y práctica*** activities for this chunk online.

Fíjate

Note that *televisión* loses its accent mark in the plural. Also, note the plural of *joven* is *jóvenes.* You will learn about accent marks in *Capítulo 2.*

18 Te toca a ti Take turns making the following singular nouns plural.

MODELO E1: primo
E2: *primos*

1. padre
2. tía
3. taxi
4. francés
5. nieto
6. alemán
7. abuela
8. sol
9. emoción

19 De nuevo Now take turns making the following plural nouns singular.

MODELO E1: primos
E2: *primo*

1. hijos
2. días
3. discusiones
4. madres
5. lápices
6. jóvenes
7. familias
8. libertades
9. nietos

4 GRAMÁTICA

El masculino y el femenino

Identifying masculine and feminine nouns

In Spanish, all nouns (people, places, and things) have gender; they are either masculine or feminine. Use the following rules to help you determine the gender of nouns. If a noun does not belong to any of the following categories, you must memorize the gender as you learn that noun.

1. Most words ending in -a are feminine.

   la hermana, la hija, la mamá, la tía

   *Some exceptions: **el día, el papá,** and words of Greek origin ending in -ma, such as

   el problema and **el programa.**

2. Most words ending in -o are masculine.

   el abuelo, el hermano, el hijo, el nieto

   *Some exceptions: **la foto** (*photo*), **la mano** (*hand*), **la moto** (*motorcycle*)

   *Note: **la foto** and **la moto** are shortened forms for **la fotografía** and **la motocicleta.**

3. Words ending in -ción and -sión are feminine.

   la discusión, la recepción, la televisión

   *Note: The suffix -ción is equivalent to the English *-tion.*

4. Words ending in -dad or -tad are feminine.

   la ciudad (*city*), **la libertad, la universidad**

   *Note: these suffixes are equivalent to the English *-ty.*

El abuelo y las tías

Estrategia

Making educated guesses about the meanings of unknown words will help to make you a successful Spanish learner!

Now you are ready to complete the ***Preparación y práctica*** activities for this chunk online.

As you learned in **Capítulo A Para empezar,** words that look alike and have the same meaning in both English and Spanish, such as **discusión** and **universidad,** are known as *cognates*. Use them to help you decipher meaning and to form words. For example, **prosperidad** looks like what English word? What is its gender?

1-10 ¿Recuerdas? Take turns determining which of the following nouns are masculine (**M**) and which are feminine (**F**).

1. ______ hijas
2. ______ discusión
3. ______ mapa
4. ______ nacionalidad
5. ______ hermano
6. ______ manos
7. ______ mamá
8. ______ abuelos

1-11 Para practicar Take turns deciding whether these cognates are masculine or feminine. Can you guess their English equivalents?

1. guitarra
2. teléfono
3. computadora
4. drama
5. cafetería
6. educación

5 GRAMÁTICA

Los artículos definidos e indefinidos

Conveying *the*, *a*, *one*, and *some*

Like English, Spanish has two kinds of articles, definite and indefinite. The definite article in English is *the*; the indefinite articles are *a*, *an*, and *some*.

In Spanish, articles and other adjectives mirror the gender (masculine or feminine) and number (singular or plural) of the nouns to which they refer. For example, an article referring to a singular masculine noun must also be singular and masculine. Note the forms of the articles in the following charts.

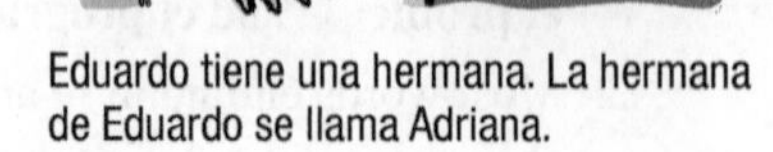

Eduardo tiene una hermana. La hermana de Eduardo se llama Adriana.

Los artículos definidos

el hermano	*the brother*	los hermanos	*the brothers/the brothers and sisters*
la hermana	*the sister*	las hermanas	*the sisters*

Los artículos indefinidos

un hermano	*a/one brother*	unos hermanos	*some brothers/some brothers and sisters*
una hermana	*a/one sister*	unas hermanas	*some sisters*

1. ***Definite articles*** are used to refer to **the** person, place, or thing.
2. ***Indefinite articles*** are used to refer to **a** or **some** person, place, or thing.

Now you are ready to complete the ***Preparación y práctica*** activities for this chunk online.

Adriana es **la** hermana de Eduardo y **los** abuelos de él se llaman Carmen y Manuel.	*Adriana is Eduardo's sister, and his grandparents' names are Carmen and Manuel.*
Jorge tiene **una** tía y **unos** tíos.	*Jorge has an aunt and some uncles.*

Fíjate

Note that *el* means "the," and *él* means "he."

1-12 Vamos a practicar

Complete the following steps.

Paso 1 Take turns giving the correct form of the *definite* article for each of the following nouns.

MODELO E1: tías
E2: *las tías*

1. tío
2. padres
3. mamá
4. papá
5. hermanas
6. hijo
7. abuela
8. primo

Paso 2 This time provide the correct form of the *indefinite* article.

MODELO E1: tías
E2: *unas tías*

1-13 Una concordancia

Take turns matching the family members with the corresponding articles. Each family member will have **two** articles: one definite and one indefinite.

1. ______ hijo
2. ______ hermanas
3. ______ tía
4. ______ primas
5. ______ abuelos
6. ______ nieta
7. ______ padres
8. ______ madre

a. el
b. la
c. los
d. las
e. un
f. una
g. unos
h. unas

1-14 ¿Quiénes son?

Fill in the blanks with the correct form of either the definite or indefinite article. Then take turns sharing your answers and explaining your choices. You may want to refer to the family tree on page 32.

Estrategia

To say "Eduardo's sister" or "Eduardo's grandparents," you add *de Eduardo* to each of your sentences: *Es la hermana de Eduardo. Son los abuelos de Eduardo.*

MODELO Adriana es _la_ hermana de Eduardo.

(1) ______ abuelos se llaman Manuel y Carmen. Eduardo tiene (2) ______ tío. (3) ______ tío se llama Enrique. Eduardo tiene (4) ______ prima; se llama Sonia. (5) ______ hermano de Eduardo se llama Antonio.

¿Cómo andas? I

Each chapter has three places at which you will be asked to assess your progress. This first assessment comes as you have completed approximately one third of the chapter. How confident are you with your progress to date?

Having completed **Comunicación I**, I now can...	Feel confident	Need to review
• describe families. (p. 32)	☐	☐
• pronounce vowels. (p. 33 and online)	☐	☐
• illustrate formation of Hispanic last names. (p. 34)	☐	☐
• express what someone has. (p. 35)	☐	☐
• use singular and plural nouns. (p. 36)	☐	☐
• identify masculine and feminine nouns. (p. 37)	☐	☐
• convey *the*, *a*, *one*, and *some*. (p. 38)	☐	☐

Comunicación II

6 VOCABULARIO

Gente Giving details about yourself and others

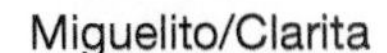

Miguelito/Clarita

el niño/la niña

Daniel/Mariela

el chico, el muchacho/ la chica, la muchacha

Javier/Ana

el joven/la joven

Manuel/Manuela

el hombre/la mujer

la Sra. Torres/la Srta. Sánchez/el Sr. Martín

la señora/la señorita/ el señor

Manolo/Pilar

el amigo/la amiga

Pepita/Roberto

la novia/el novio

El hombre and **la mujer** are terms for *man* and *woman*. **Señor, señora,** and **señorita** are often used as titles of address; in that case, they may also be abbreviated as **Sr., Sra.,** and **Srta.,** respectively.

—Buenos días, **Sr.** Martín.	*Good morning, Mr. Martín.*
—¿Cómo está Ud., **Sra.** Sánchez?	*How are you, Mrs. Sánchez?*

Fíjate

The abbreviations *Sr., Sra.,* and *Srta.* are always capitalized, just like their equivalents in English.

Now you are ready to complete the ***Preparación y práctica*** activities for this chunk online.

1-15 Los opuestos Take turns giving the gender opposites for the following words. Include the appropriate articles.

MODELO E1: el novio
E2: *la novia*

1. el chico
2. un hombre
3. la joven
4. un señor
5. una amiga
6. la niña

1-16 ¿Cómo se llama? Take turns answering the following questions, based on the drawings on page 41.

Capítulo A Para empezar. *Saludos, presentaciones y despedidas*, pág. 4.

MODELO E1: ¿Cómo se llama el hombre?
E2: *El hombre se llama Manuel.*

1. ¿Cómo se llama la joven?
2. ¿Cómo se llama el niño?
3. ¿Cómo se llaman los novios?
4. ¿Cómo se llama la señora?

7 GRAMÁTICA

Los adjetivos posesivos Stating possession

You have already used the possessive adjective **mi** (*my*). Other forms of possessive adjectives are also useful in conversation.

Look at the following chart to see how to personalize talk about your family (*our* dad, *his* sister, *our* cousins, etc.) using possessive adjectives.

Fíjate

Vuestro/a/os/as is only used in Spain.

Los adjetivos posesivos

mi, mis	*my*	**nuestro/a/os/as**	*our*
tu, tus	*your*	**vuestro/a/os/as**	*your*
su, sus	*your*	**su, sus**	*your*
su, sus	*his, her, its*	**su, sus**	*their*

Fíjate

Note that *tu* means "your," and *tú* means "you."

Note:

1. Possessive adjectives agree in form with the person, place, or thing possessed, *not with the possessor.*
2. Possessive adjectives agree in number (singular or plural), and in addition, **nuestro** and **vuestro** indicate gender (masculine or feminine).
3. The possessive adjectives **tu/tus** (*your*) refer to someone with whom you are familiar and/or on a first name basis. **Su/sus** (*your*) is used when you are referring to people to whom you refer with *usted* and *ustedes*: that is, more formally and perhaps not on a first-name basis. **Su/sus** (*your* plural or *their*) is used when referring to individuals whom you are addressing with *ustedes* or when expressing possession with *ellos* and *ellas.*

mi hermano	*my brother*	**mis** hermanos	*my brothers/siblings*
tu primo	*your cousin*	**tus** primos	*your cousins*
su tía	*her/his/your/their aunt*	**sus** tías	*her/his/your/their aunts*
nuestra familia	*our family*	**nuestras familias**	*our families*
vuestra mamá	*your mom*	**vuestras** mamás	*your moms*
su hija	*her/his/your/their daughter*	**sus** hijas	*his/her/your/their daughters*

Eduardo tiene una novia. *Eduardo has a girlfriend.*
Su novia se llama Julia. *His girlfriend's name is Julia.*

Nuestros padres tienen dos amigos. *Our parents have two friends.*
Sus amigos son Jorge y Marta. *Their friends are Jorge and Marta.*

¿? Now you are ready to complete the ***Preparación y práctica*** activities for this chunk online.

1-17 ¿De quién es?

Take turns supplying the correct possessive adjectives for the family members listed.

MODELO E1: (*our*) papás
E2: *nuestros papás*

1. (*your*/familiar) novia
2. (*my*) hermanos
3. (*our*) mamá
4. (*your*/formal) tío
5. (*her*) amiga
6. (*his*) hermanas

1-18 Relaciones familiares

Take turns completing the paragraph about Eduardo's family relationships, from Sonia's point of view. You may want to refer to the family tree on page 32.

Yo soy Sonia. Eduardo es (1) ______ primo. Antonio y Adriana son (2) ______ primos también (*also*). (3) ______ padres, Pedro y Rosario, son (4) ______ tíos. (5) ______ padres se llaman Enrique y Francisca. Además (*Furthermore*), (6) ______ amiga Pilar es como (*like*) parte de (7) (*our*) ______ familia.

1-19 Tu familia

Using at least **three** different possessive adjectives, talk to your partner about your family. You may want to refer to the family tree you drew for **1-3.**

MODELO En mi familia somos cinco personas. Mi padre se llama John y mi madre es Marie. Sus amigos son Mary y Dennis. Tengo dos hermanos, Clark y Blake. Nuestros tíos son Alice y Ralph y nuestras primas se llaman Gina y Glynis.

Estrategia

Using your own friends and family will help you remember the vocabulary. Write the names of your immediate family or your best friends. Then write a description of how those people are connected to each other. E.g., *Karen es la madre de Brian* or *Brian es el hijo de Karen.*

8 GRAMÁTICA

Los adjetivos descriptivos Supplying details about people, places, and things

Descriptive adjectives are words that describe people, places, and things.

1. In English, adjectives usually come before the words they describe (e.g., **the *red* car**), but in Spanish, they usually follow the words (e.g., **el coche *rojo***).
2. Adjectives in Spanish agree with the nouns they modify in number (singular or plural) and in gender (masculine or feminine).

Carlos es un **chico** simpático.	*Carlos is a nice boy.*
Adela es una **chica** simpática.	*Adela is a nice girl.*
Carlos y Adela son (unos) **chicos** simpáticos.	*Carlos and Adela are (some) nice children.*

3. A descriptive adjective can also follow the verb **ser** directly. When it does, it still agrees with the noun to which it refers, which is the subject in this case.

Carlos es simpático.	*Carlos is nice.*
Adela es simpática.	*Adela is nice.*
Carlos y Adela son simpáticos.	*Carlos and Adela are nice.*

Las características físicas, la personalidad y otros rasgos

La personalidad	*Personality*
aburrido/a	*boring*
antipático/a	*unpleasant*
bueno/a	*good*
cómico/a	*funny; comical*
interesante	*interesting*
malo/a	*bad*
paciente	*patient*
perezoso/a	*lazy*
responsable	*responsible*
simpático/a	*nice*
tonto/a	*silly; dumb*
trabajador/a	*hard-working*

Las características físicas	*Physical characteristics*
bonito/a	*pretty*
feo/a	*ugly*
grande	*big; large*
pequeño/a	*small*

Otras palabras	*Other words*
muy	*very*
(un) poco	*(a) little*

¿? Now you are ready to complete the ***Preparación y práctica*** activities for this chunk online.

1-20 ¿Cómo son? Take turns describing the following people to a classmate.

Capítulo A Para empezar. El verbo *ser*, pág. 13.

MODELO E1: Jorge
E2: *Jorge es débil.*

Jorge

Estrategia

Review *Los adjetivos de nacionalidad* on p. 14 in *Capítulo A Para empezar* in order to describe people in more detail.

1. Juan

2. María

3. Lupe y Marco

4. Roberto

5. Beatriz

6. yo

1 21 ¿Cierto o falso? Juana is describing her friends and family. Listen to what she says and look at the images to determine if she is correct in her descriptions. Indicate **C** for **Cierto** (*true*) or **F** for **Falso** (*false*).

	C	F
1.	☐	☐
2.	☐	☐
3.	☐	☐
4.	☐	☐
5.	☐	☐

1-22 Al contrario

Student 1 creates a sentence using the cues provided, and Student 2 expresses the opposite. Pay special attention to adjective agreement.

MODELO los hermanos González / guapo

E1: *Los hermanos González son guapos.*

E2: *¡Ay no, son muy feos!*

1. los abuelos / pobre
2. la señora López / antipático
3. Jaime / delgado
4. la tía Claudia / mayor
5. Tomás y Antonia / alto
6. nosotros / perezoso

1-23 ¿Cómo los describes?

Circulate among your classmates, asking for descriptions of the following people. Write what each person says, along with his/her name.

MODELO E1: *¿Cómo es Jon Stewart?*

E2: *Jon Stewart es cómico, inteligente y muy trabajador.*

E1: *¿Cómo te llamas?*

E2: *Mi nombre* (name) *es Rubén.*

PERSONA(S)	DESCRIPCIÓN	NOMBRE DEL ESTUDIANTE
Jon Stewart	Es cómico, inteligente y muy trabajador.	Rubén
1. Bruno Mars		
2. tus padres		
3. tu mejor (*best*) amigo/a y tú		
4. Shakira		
5. los estudiantes en la clase de español		

1-24 ¿Cómo eres?

Imagine you are signing up for a dating service. Complete the following steps.

Capítulo A Para empezar. El verbo *ser*, pág. 13.

Paso 1 Describe yourself to your partner using at least **three** adjectives, and then describe your ideal date.

MODELO *Me llamo Julie. Soy joven, muy inteligente y alta. La persona ideal para mí* (for me) *es inteligente, paciente y cómica.*

Paso 2 How similar are you and your partner and how similar are your ideal dates?

MODELO *Rebeca y yo somos jóvenes, altas y muy inteligentes. Nuestras personas ideales son cómicas y pacientes.*

1-25 ¿Es verdad? Describe **five** famous (or infamous!) people or characters. Your partner can react by saying **Es verdad** (*It's true*) or **No es verdad** (*It's not true*). If your partner disagrees with you, he/she must correct your statement.

MODELO E1: *Santa Claus es gordo y un poco feo.*
E2: *No es verdad. Sí, es gordo pero no es feo. Es guapo.*

Estrategia

Being an "active listener" is an important skill in any language. *Active listening* means that you hear and understand what someone is saying. Being able to repeat what someone says helps you practice and perfect the skill of active listening.

1-26 ¿Cuáles son sus cualidades? Think of the qualities of your best friend and those of someone you do not particularly like (**una persona que no me gusta**). Using adjectives that you know in Spanish, write at least **three** sentences that describe each of these people. Share your list with a partner.

MODELO

MI MEJOR (*BEST*) AMIGO/A	UNA PERSONA QUE NO ME GUSTA
1. Es trabajador/a.	1. Es antipático/a.
2. Es inteligente.	2. No es paciente.
3. …	3. …

1-27 Describe a una familia Bring family photos (personal ones or some taken from the Internet or a magazine) to class and describe the family members to a classmate, using at least **five** sentences.

Capítulo A Para empezar. *Los pronombres personales*, pág. 11.

MODELO *Tengo dos hermanas, Kate y Ana. Ellas son simpáticas y bonitas. Mi papá no es aburrido y es muy trabajador. Tengo seis primos…*

Nota cultural El español, lengua diversa

The title of this chapter, **¿Quiénes somos?**, suggests that we are all a varied combination of many factors, one of which is language. As you know, the English language is rich in state, regional, and national variations. For example, what word do you use when referring to soft drinks? Some people in the United States say *soda,* others say *pop,* and still others use *Coke* as a generic term for all brands and flavors of soft drinks.

The Spanish language also has many variations. For example, to describe someone as *funny* you could say **cómico/a** in many Latin American countries, but **divertido/a** or **gracioso/a** in Spain. Similarly, there are multiple ways to say the word *bus*: in Mexico, **camión**; in Puerto Rico and Cuba, **guagua**; in Spain, **autobús**. In ***¡Anda! Curso elemental,*** such variants will appear in the **También se dice**... section in Appendix 3.

The pronunciation of English also varies in different parts of the United States and throughout the rest of the English-speaking world, and so it is with Spanish across the Spanish-speaking world. Nevertheless, wherever you go you will find that Spanish is still Spanish, despite regional and national differences. You should have little trouble understanding native speakers from different countries or making yourself understood. You may have to attune your ears to local vocabulary or pronunciation, but that's part of the intrigue of communicating in another language.

Preguntas

1. What are some characteristics of the English spoken in other countries, such as Canada, Great Britain, Australia, and India?
2. What are some English words that are used where you live that are not necessarily used in other parts of the country?

9 VOCABULARIO

Los números 31–100 Counting from 31 to 100

The numbers 31–100 function in much the same way as the numbers 0–30. Note how the numbers 30–39 are formed. This pattern will repeat itself up to 100.

31 **treinta y uno**
32 **treinta y dos**
33 **treinta y tres**
34 **treinta y cuatro**
35 **treinta y cinco**
36 **treinta y seis**
37 **treinta y siete**
38 **treinta y ocho**
39 **treinta y nueve**
40 **cuarenta**
41 **cuarenta y uno…**
50 **cincuenta**
51 **cincuenta y uno…**
60 **sesenta**
70 **setenta**
80 **ochenta**
90 **noventa**
100 **cien**

Estrategia

Practice the numbers in Spanish by reading and pronouncing any numbers you see in your daily routine (e.g., highway signs, prices on your shopping receipts, room numbers on campus, phone numbers, etc.).

Now you are ready to complete the ***Preparación y práctica*** activities for this chunk online.

1-28 Examen de matemáticas Are you ready to test your math skills?

Take turns reading and solving the problems aloud. Then create your own math problems to test your partner.

más	*plus*
menos	*minus*
son	*equals*
por	*times; by*
dividido por	*divided by*

MODELO E1: 97 − 53 =

E2: *Noventa y siete menos cincuenta y tres son cuarenta y cuatro.*

1. $81 + 13 =$
2. $65 - 26 =$
3. $24 + 76 =$
4. $99 - 52 =$
5. $12 \times 8 =$
6. $8 \times 7 =$
7. $65 \div 5 =$
8. $100 \div 2 =$

1-29 ¿Qué número es?

Look at the pages from the telephone book. Say **five** phone numbers and have your partner tell you whose numbers they are. Then switch roles.

MODELO E1: *Ochenta y ocho, sesenta y ocho, setenta y cinco*

E2: *Adelaida Santoyo*

SANTOS JAIME-SIERRA 12I 12 SM 3 CP 77500....**84-0661**
SANTOS JAVIER L1 Y 12 M10 SM43 PEDREGAL CP 77500........**80-5138**
SANTOS SEGOVIA FREDDY CALLE 45 NTE MANZ 34 LTE 3 COL 77528........**80-2242**
SANTOS SEGURA ALBA ROSA COL LEONA VICARIO M 8 L SM 74 77500........**80-0861**
SANTOS SOLIS FELIPE CALLE 20 OTE NO 181 SM 68 M 12 L 28 CP 77500........**80-1330**
SANTOS VELÁZQUEZ MARÍA JESÚS CALLE 3 NO 181 77537........**86-6949**
SANTOS VILLANUEVA ARMINDA CALLE 46 PTE MANZ 20 77510........**88-3999**
SANTOS JOSÉ E CALLE 33 OTE 171 L 14 M 25 CP 77500........**80-1175**
SANTOSCOY LAGUNES ELIZABETH CERRADA FLAMBOYANES 2 SM23........**87-6204**
SANTOYO ADELAIDA CALLE 75 NTE DEPTO 7 EDIF 2 SM 92 CP 77500........**88-6875**
SANTOYO BETANCOURT PEDRO ARIEL HDA NUM 12 NABZ 61 77517........**88-7941**
SANTOYO CORTEZ LIGIA EDIFICIO QUETZAL DEPTO C-1 SM 32 77500........**87-4676**
SANTOYO MARTÍN AIDA MARÍA NANCE DEP 4 MZA 12 NUM 13........**87-3799**

1-30 ¿Su número de teléfono?

Imagine that you work in a busy office. You take messages with the following phone numbers. Say the numbers to a partner, who will write them. Then switch roles, mixing the order of the numbers.

MODELO E1: 223-7256

E2: *dos, veintitrés, setenta y dos, cincuenta y seis*

1. 962-2136
2. 615-9563
3. 871-4954
4. 414-4415
5. 761-7920
6. 270-2325

1-31 Los hispanos en los EE. UU. Use the information from the pie chart to answer the following questions in Spanish.

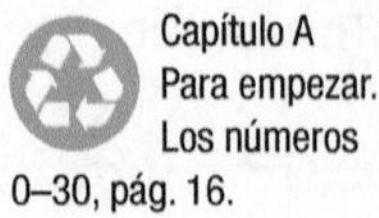

Capítulo A Para empezar. Los números 0–30, pág. 16.

por ciento *percent*

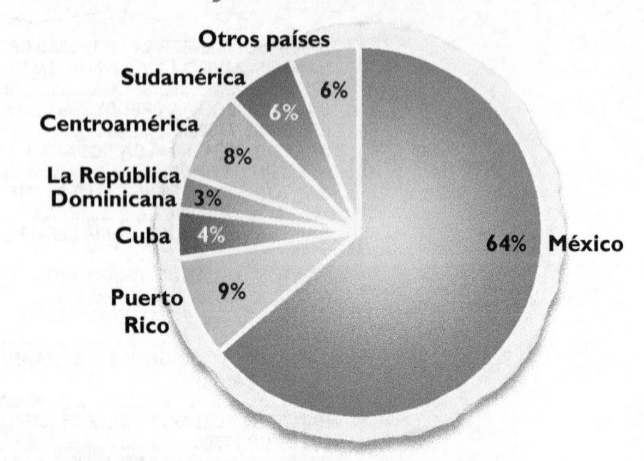

Source: US Census Bureau State & County QuickFacts

1. What percentage of U.S. Hispanics is from Cuba?
2. What percentage of U.S. Hispanics is from Puerto Rico?
3. What percentage of U.S. Hispanics is from Mexico?
4. What percentage of U.S. Hispanics is from South America?
5. What percentage of U.S. Hispanics comes from countries other than Mexico?

Escucha

Presentaciones

Estrategia

Determining the topic and listening for words you know

The first steps to becoming a successful listener are to determine the topic and then listen for words that you know. If you are in a social situation, you can determine the topic by looking for visual cues (body language, pictures, etc.) or by asking the speaker(s) for clarification. When listening to passages in ***¡Anda! Curso elemental,*** look at the activities or questions connected with the passage to help you determine the topic. Remember that words that you know include *cognates* which are words that look and sound like words in English.

Aural comprehension is critical in learning to communicate in Spanish. You are working on developing your listening skills every time your instructor speaks or when you work in pairs or groups in class. You will also practice this skill when you watch the *Club cultura* video series, which is part of the *Vistazo cultural* section in ***¡Anda! Curso elemental***.

In ***¡Anda! Curso elemental*** you will have the opportunity to learn and practice strategies to assist you in developing listening skills in Spanish. Let's begin with listening for words you know, including cognates.

1-32 Antes de escuchar In the following segment, Alejandra introduces her family. Write two things that you expect to hear.

____

____

1-33 A escuchar Listen as Alejandra introduces her family. Use the following steps to help you.

a. First, look at the incomplete sentences in item c below. They will give you an idea about the topic of the passage.
b. Listen to the passage, concentrating on the words you know. Make a list of those words.
c. Listen one more time and complete the following sentences.
   1. La familia de Alejandra es ____________.
   2. Los nombres de sus padres son ____________.
   3. Alejandra tiene ____________ hermanos y ____________ hermanas.

1-34 Después de escuchar Take turns saying **three** sentences about you and your family to a partner. Your partner will tell you the words he/she knows.

¡Conversemos!

1-35 Jefe nuevo With a partner, imagine that your new boss came to your office today to introduce himself/herself. Call your best friend, and describe your new boss in at least **four** sentences.

1-36 Mucho gusto You have just met a new neighbor. Imagine that your partner is your new neighbor, and describe yourself and your family to him/her. Use at least **six** sentences. In addition to **ser** and **tener,** create sentences using *Me gusta / No me gusta,* etc.

Escribe

Un poema

Estrategia	
Organizing ideas / Preparing to write	Whether you are writing informally or formally, organizing your ideas before you write is important. The advance preparation will help you express yourself clearly and concisely. Jotting notes or ideas helps in the organizational process.

1-37 Antes de escribir Write all the Spanish nouns and adjectives you can think of that describe you. Start by reviewing the vocabulary lists for **Capítulo 1** and **También se dice...**, Appendix 3.

1-38 A escribir Complete the following steps in order to write your first poem in Spanish.

Paso 1 Using either your first, middle, or last name, match a noun or descriptive adjective with each letter of that name. For example:

"Sarah": ***S*** *= simpática,* ***a*** *= alta,* ***r*** *= responsable,* ***a*** *= amiga,* ***h*** *= hermana*

With these words, create what is known as an *acrostic* poem.

Paso 2 Now build phrases or sentences around your letters, using **tener, ser,** possessive adjectives, and numbers.

MODELO	
S*impática*	***SARAH***
A*lta*	*es* ***S****impática*
R*esponsable*	*no es baja; es* ***A****lta*
A*miga*	*es* ***R****esponsable*
H*ermana*	*tiene cien* ***A****migas*
	es mi ***H****ermana.*

1-39 Después de escribir Read your poem to a classmate.

¿Cómo andas? II

This is your second self-assessment. You have now completed two thirds of the chapter. How confident are you with the following topics and concepts?

Having completed **Comunicación II**, I now can…	**Feel confident**	**Need to review**
• give details about myself and others. (p. 41)	☐	☐
• state possession. (p. 42)	☐	☐
• supply details about people, places, and things. (p. 44)	☐	☐
• compare and contrast several regional and national differences in the English and Spanish languages. (p. 49)	☐	☐
• count from 31 to 100. (p. 50)	☐	☐
• determine the topic and listen for known words. (p. 52)	☐	☐
• communicate about people I know. (p. 53)	☐	☐
• organize ideas to write a poem. (p. 54)	☐	☐

Vistazo cultural

Los Estados Unidos

Les presento mi país

Rafael Sánchez Martínez

Mi nombre es Rafael Sánchez Martínez y soy de El Barrio, una comunidad en la ciudad de Nueva York. Soy bilingüe: hablo inglés y español. Soy estadounidense y tengo herencia hispana. Mis abuelos son puertorriqueños. Hay (*There are*) muchos hispanohablantes (*Spanish speakers*) en mi barrio, y en los Estados Unidos también. **¿Puedes (*Can you*) identificar otras cuatro o cinco ciudades en el mapa con grandes poblaciones hispanohablantes?** Hay hispanohablantes famosos de muchas carreras diferentes, como Soledad O'Brien y Aarón Sánchez. El padre de Soledad es cubano y la madre de Aarón es mexicana. **¿Por qué son famosas estas personas?** También se nota la influencia hispana en los restaurantes y en los supermercados donde se ofrecen productos hispanos de compañías como Goya, Ortega, Corona, Marinela y Tecate. Mi restaurante favorito se llama Fonda Boricua. **¿Cuál es tu restaurante favorito?**

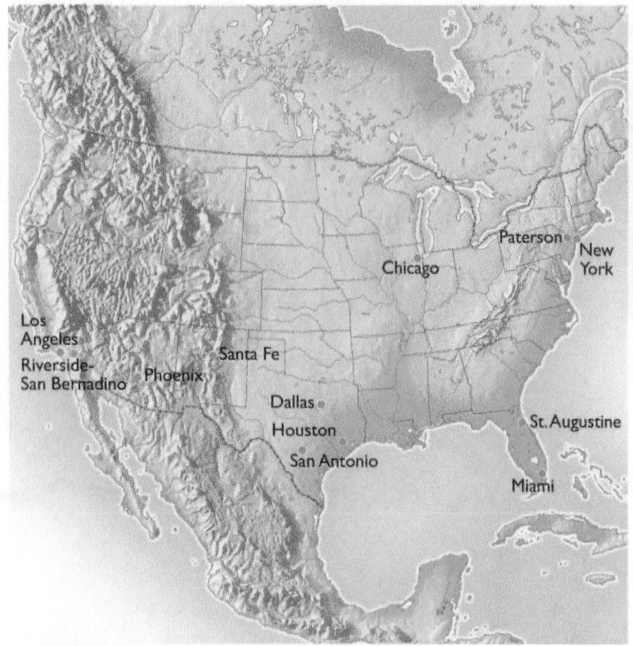

Los Estados Unidos

Una señora prepara tortillas en un restaurante en San Diego, California.

San Francisco, California, como otras ciudades en los Estados Unidos, tiene un centro para mujeres hispanas.

El mes de la herencia hispana se celebra entre el 15 de septiembre y el 15 de octubre en muchas ciudades de los Estados Unidos.

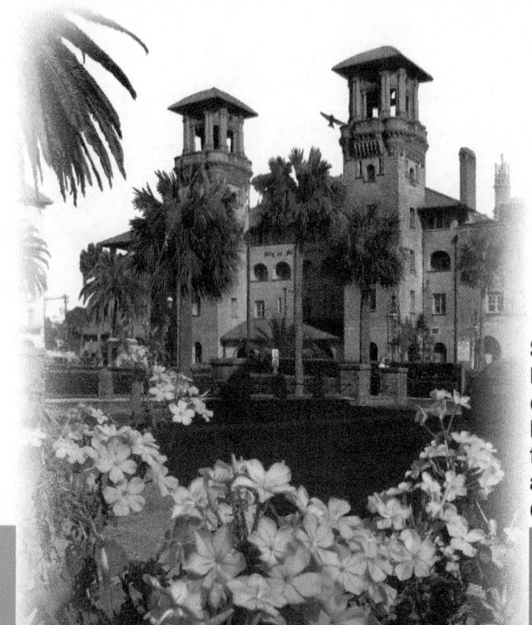
St. Augustine es la primera ciudad europea en los Estados Unidos, fundada en el año 1565 por los españoles.

ESTADO

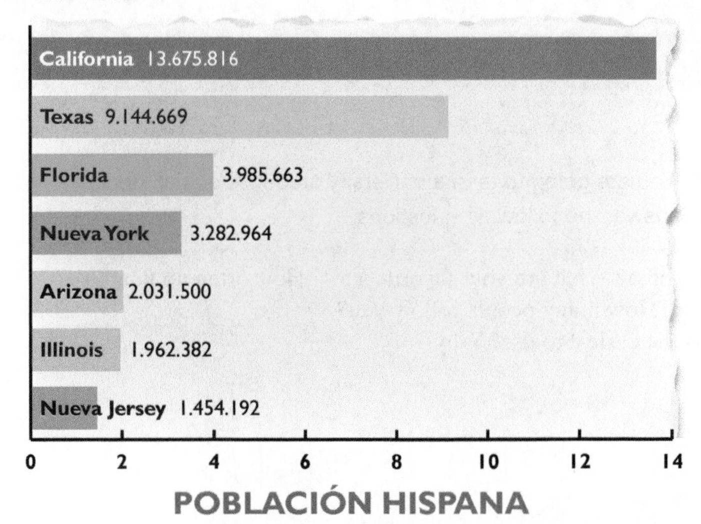

POBLACIÓN HISPANA

Source: US Census Bureau State & County QuickFacts

Fíjate

In most of the Spanish-speaking world, commas are used where the English-speaking world uses decimal points, and vice versa. For example, in English one says "six point four percent," in Spanish, *seis coma cuatro por ciento.*

CIUDAD

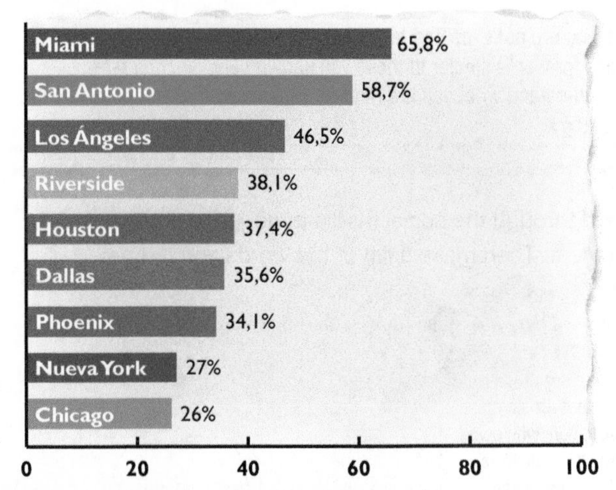

PORCENTAJE DE POBLACIÓN HISPANA

Source: Brookings Institution

ALMANAQUE

Nombre oficial:	Estados Unidos de América
Gobierno:	República constitucional y federal
Población:	307.006.550 (2010)
Población de origen hispano:	15,8% (2010)
Moneda:	el dólar ($)

¿Sabías que...?

- Para el año 2050, una de cada cuatro personas en los Estados Unidos va a ser de origen hispano.
- Los hispanos tienen una gran presencia en el béisbol profesional en los Estados Unidos. Según (*According to*) un censo del deporte del 2014, los hispanos representan más del 28% de los jugadores de las grandes ligas de béisbol. De los beisbolistas hispanos, el 44% son de origen dominicano y el 32% son de origen venezolano. En las pequeñas ligas de béisbol hay aún más (*even more*) participación hispana, con más del 40% de los jugadores de origen hispano en años recientes.

Preguntas

1. What is the importance of St. Augustine, Florida?
2. What states have the largest Hispanic population?
3. Who are some famous Hispanics in the United States? Which do you admire most? What do you know about his or her heritage?
4. Which sport in the United States has a large Hispanic presence? What do you know about the origins of those players?

Lectura

El perfil de Adriana

1-40 Antes de leer You are going to read a university student's social media page. Before you read the page, answer the following questions.

1. How often do you use social media? What are your favorite sites? How often do you post?
2. How many sites do you follow? How many people follow you?
3. Which type of social media is the easiest to use? Why?

Estrategia

Recognizing Cognates
When you read something for the first time, you are not expected to understand every word. In addition to focusing on the words that you *do* know, look for words similar to those you know in English, *cognates*. Cognates are an excellent way to help you understand what you are reading. Make sure that you complete the **Mientras lees** activity to practice this strategy.

1-41 Mientras lees Read through the social media page, underlining the cognates. Share your list with a classmate. Then make a list of the words you did not understand.

Estrategia

When reading social media entries, note the parts that are common to all of them. Usually you find the following information: who owns the entry and personal information like name, age, likes, dislikes, etc. You can use your knowledge of writing, posting, and reading social media entries in English to see whether you can understand the additional information presented in Adriana's social media page.

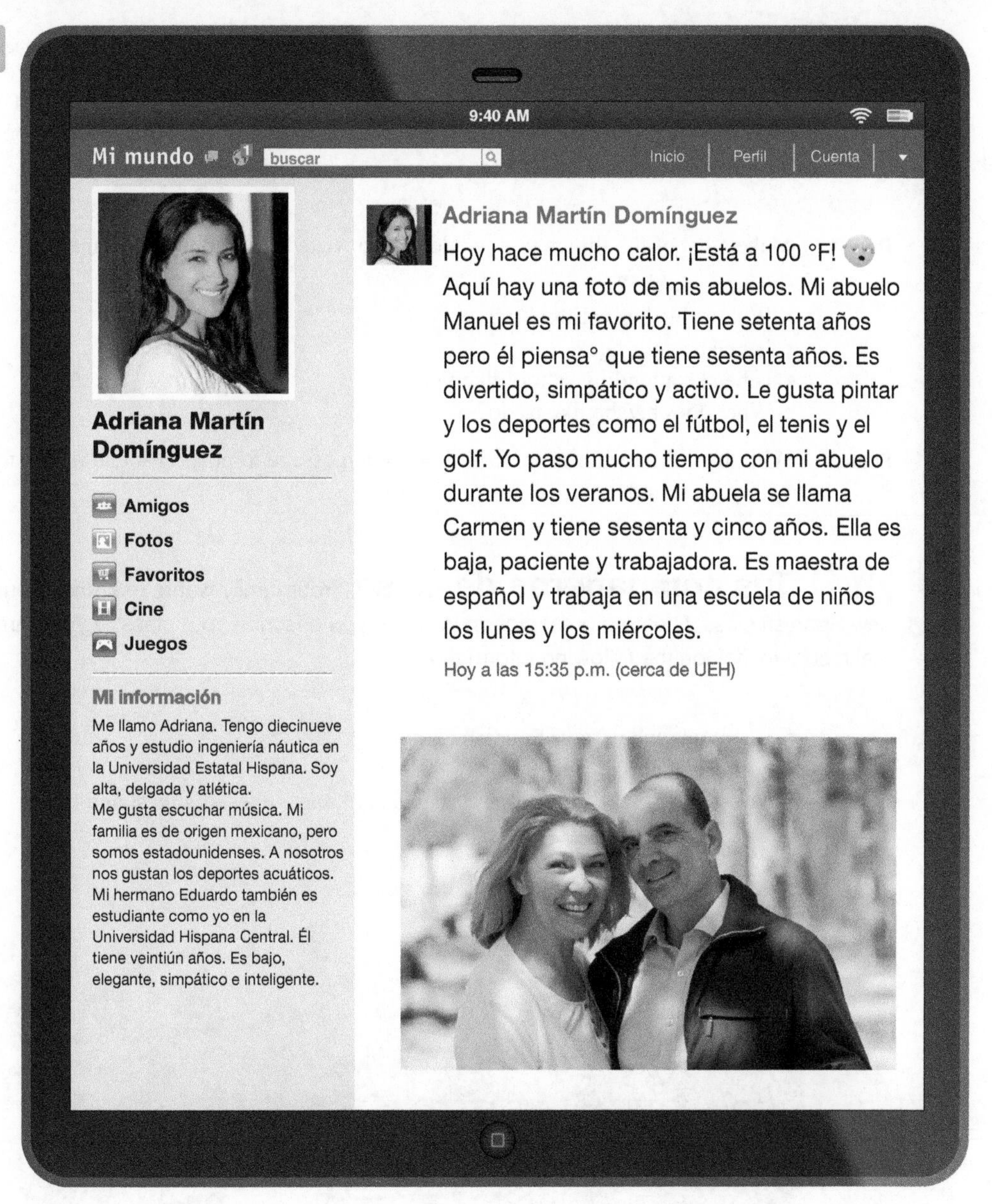

°*thinks*

1-42 Después de leer

Answer the following questions.

1. Who wrote the entries in the social media page?
2. What does the student like to do?
3. How is the weather where she is?
4. What do you consider interesting about her grandparents? Mention at least three things.

1·43 Experiencia personal Your favorite family member is coming to visit you at school. You want to explain to your friends what he/she is like. Write a brief social media announcement for your friends to present your favorite family member.

Paso 1 Make a list of the things you would like to write about your family member:

- Who is he/she?
- What is his/her nationality?
- Is he/she your age?
- Is he/she attending school like you?
- What does he/she like to do?

Paso 2 With the information from *Paso 1*, write a message to post on social media to share with your friends.

Media Share

1·44 Tus compañeros de clase Your family wants to know about your new Spanish class. Create a presentation in which you describe your class to your family. Make sure to include the following information:

- where and when your Spanish class is
- number of classmates
- a description of two of your classmates (names, likes, dislikes, and origin)

For additional *Lectura* activities, go to *¡Anda!* online.

Y por fin, ¿cómo andas?

Each chapter will end with a checklist like the one that follows. This is the third time in the chapter that you are given the opportunity to check your progress. Use the checklist to measure what you have learned in the chapter. Place a check in the *Feel confident* column for the topics you feel you know, and a check in the *Need to review* column for the topics that you need to practice more.

Having completed this chapter, I now can...	**Feel confident**	**Need to review**
Comunicación I		
• describe families. (p. 32)	☐	☐
• pronounce vowels. (p. 33 and online)	☐	☐
• express what someone has. (p. 35)	☐	☐
• use singular and plural nouns. (p. 36)	☐	☐
• identify masculine and feminine nouns. (p. 37)	☐	☐
• convey *the*, *a*, *one*, and *some*. (p. 38)	☐	☐
Comunicación II		
• give details about myself and others. (p. 41)	☐	☐
• state possession. (p. 42)	☐	☐
• supply details about people, places, and things. (p. 44)	☐	☐
• count from 31 to 100. (p. 50)	☐	☐
• determine the topic and listen for known words. (p. 52)	☐	☐
• communicate about people I know. (p. 53)	☐	☐
• organize ideas to write a poem. (p. 54)	☐	☐
Cultura		
• illustrate formation of Hispanic last names. (p. 34)	☐	☐
• compare and contrast several regional and national differences in the English and Spanish languages. (p. 49)	☐	☐
• discuss the size, location, and makeup of the Hispanic population in the United States. (p. 56)	☐	☐
Lectura		
• read a social media page in Spanish. (p. 58)	☐	☐
Comunidades		
• use Spanish in real-life contexts. (online)	☐	☐

Vocabulario **activo**

La familia	Family
el/la abuelo/a	*grandfather/grandmother*
los abuelos	*grandparents*
el/la esposo/a	*husband/wife*
el/la hermano/a	*brother/sister*
los hermanos	*brothers and sisters; siblings*
el/la hijo/a	*son/daughter*
los hijos	*sons and daughters; children*
la madrastra	*stepmother*
la madre/la mamá	*mother/mom*
el/la nieto/a	*grandson/granddaughter*
el padrastro	*stepfather*
el padre/el papá	*father/dad*
los padres	*parents*
el/la primo/a	*cousin*
los primos	*cousins*
el/la tío/a	*uncle/aunt*
los tíos	*aunts and uncles*

La gente	People
el/la amigo/a	*friend*
el/la chico/a	*boy/girl*
el hombre	*man*
el/la joven	*young man/young woman*
el/la muchacho/a	*boy/girl*
la mujer	*woman*
el/la niño/a	*little boy/little girl*
el/la novio/a	*boyfriend/girlfriend*
el señor (Sr.)	*man; gentleman; Mr.*
la señora (Sra.)	*woman; lady; Mrs.*
la señorita (Srta.)	*young woman; Miss*

Los adjetivos descriptivos	Descriptive adjectives
La personalidad y otros rasgos	Personality and other characteristics
aburrido/a	*boring*
antipático/a	*unpleasant*
bueno/a	*good*
cómico/a	*funny; comical*
inteligente	*intelligent*
interesante	*interesting*
malo/a	*bad*
paciente	*patient*
perezoso/a	*lazy*
pobre	*poor*
responsable	*responsible*
rico/a	*rich*
simpático/a	*nice*
tonto/a	*silly; dumb*
trabajador/a	*hard-working*
Otras palabras	Other words
muy	*very*
(un) poco	*(a) little*
Las características físicas	Physical characteristics
alto/a	*tall*
bajo/a	*short*
bonito/a	*pretty*
débil	*weak*
delgado/a	*thin*
feo/a	*ugly*
fuerte	*strong*
gordo/a	*fat*
grande	*big; large*
guapo/a	*handsome/pretty*
joven	*young*
mayor	*old*
pequeño/a	*small*

Los números 31–100	Numbers 31–100
treinta y uno	*thirty-one*
treinta y dos	*thirty-two*
treinta y tres	*thirty-three*
treinta y cuatro	*thirty-four*
treinta y cinco	*thirty-five*
treinta y seis	*thirty-six*
treinta y siete	*thirty-seven*
treinta y ocho	*thirty-eight*
treinta y nueve	*thirty-nine*
cuarenta	*forty*
cuarenta y uno	*forty-one*
cincuenta	*fifty*
cincuenta y uno	*fifty-one*
sesenta	*sixty*
setenta	*seventy*
ochenta	*eighty*
noventa	*ninety*
cien	*one hundred*

Un verbo	Verb
tener	*to have*

If you are interested in discovering additional vocabulary for the topics studied in each chapter, consult Appendix 3, **También se dice…,** for additional words. It contains expanded vocabulary that you may need for your own personal expression, including regionally used words and slang. Enjoy!

Unos estudiantes en San Miguel de Allende, México

2 La vida universitaria

The majority of universities throughout the Spanish-speaking world tend to be public, with vast student enrollments, minimal tuition, if any, and rigorous admission exams. In many countries, exam results can determine career choices and generally students begin to take courses in their major area in their first year. As a rule, students live off-campus and universities are often in large urban areas.

Preguntas

1. Do you live on campus or commute to classes? Is your college or university in a city or small town? How might these factors impact your experience?
2. How large is your college or university? What are the advantages and/or disadvantages of studying at an institution of this size?
3. Why do many U.S. colleges and universities require general education courses prior to entering courses for majors? Why do many schools have language requirements?

¿Sabías que...?

In Mexico, a bachelor's degree is called *licenciatura.*

La Biblioteca Iberoamericana Octavio Paz, la Universidad de Guadalajara, México

Estudiante argentina

Learning Outcomes

By the end of this chapter, you will be able to:

- ✔ state places, majors, and items associated with university life.
- ✔ relate daily activities.
- ✔ articulate emotions and states of being, and convey likes and dislikes.
- ✔ offer opinions on sports and pastimes.
- ✔ communicate about university life.
- ✔ craft a personal description.
- ✔ exchange interesting facts about Mexico and university life there.
- ✔ read a letter from an academic advisor.

Comunicación I

1 VOCABULARIO

Las materias y las especialidades

Sharing information about courses and majors

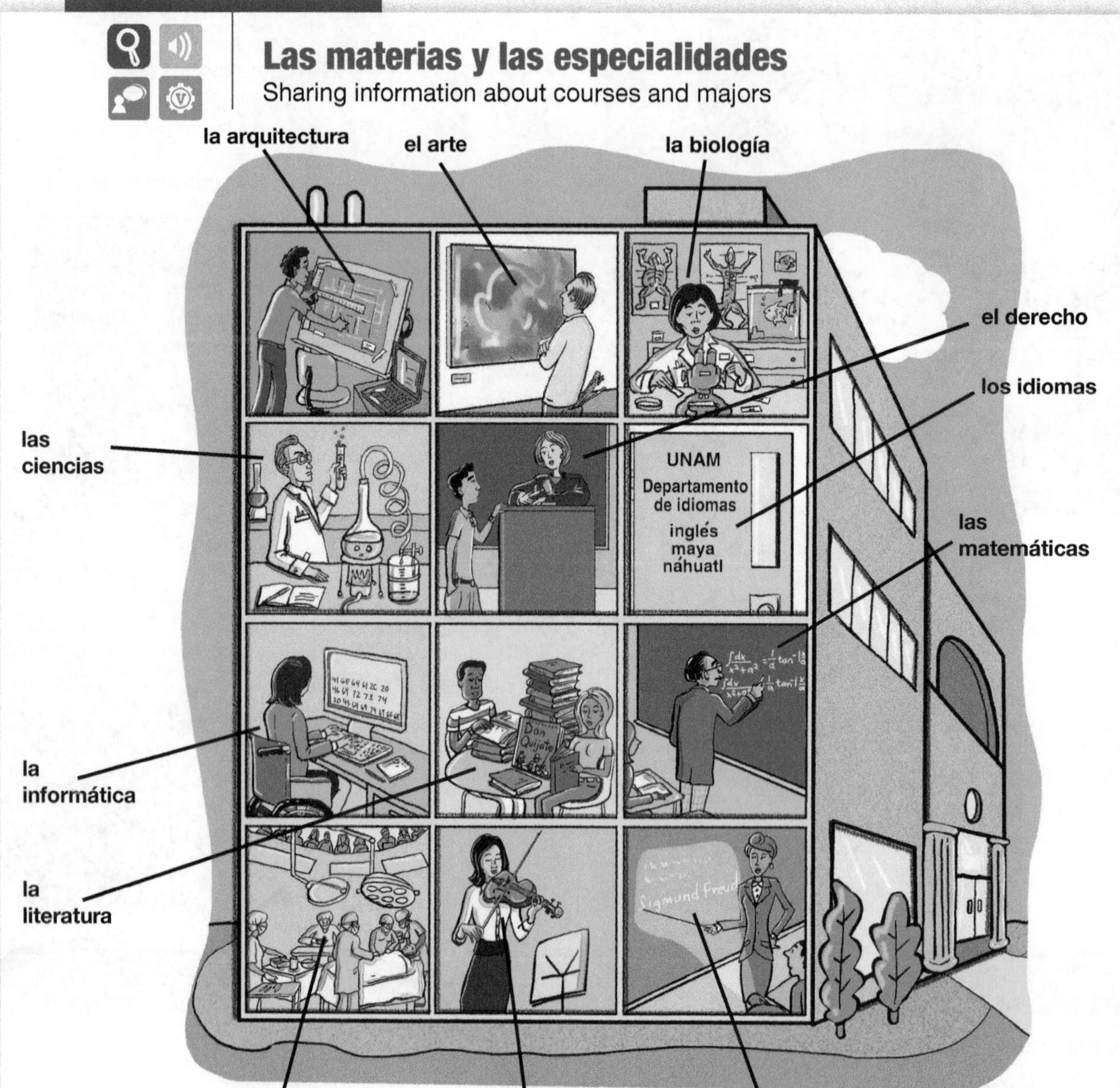

Otras palabras	*Other words*
la administración de empresas	*business administration*
el curso	*course*
la pedagogía	*education*
el periodismo	*journalism*
el semestre	*semester*

REMINDER: There is additional enrichment vocabulary that you may find useful for your own personal expression in Appendix 3.

Now you are ready to complete the ***Preparación y práctica*** activities for this chunk online.

PRONUNCIACIÓN

Word stress and accent marks

Go to *¡Anda!* online to learn about word stress and accent marks.

2-1 ¿Cuál es su especialidad?

Complete the following steps.

Paso 1 Take turns matching the following famous people with the majors they may have studied in college.

1. ______ Pablo Picasso
2. ______ Maya Angelou
3. ______ Marie Curie
4. ______ Sigmund Freud
5. ______ el presidente de Coca-Cola
6. ______ Supreme Court Justice Sonia Sotomayor
7. ______ Taylor Swift
8. ______ Bill Gates

a. la música
b. el arte
c. la psicología
d. la informática
e. la literatura
f. las ciencias
g. el derecho
h. la administración de empresas

Paso 2 Now, can you name the majors the following famous Hispanics may have studied in college?

1. Ellen Ochoa (astronauta)
2. Jorge Ramos (periodista *[journalist]*)
3. Isabel Allende (autora)
4. Carlos Santana (músico)

2-2 ¿Qué clases tienes?

Complete the following chart, and then share your schedule with a partner.

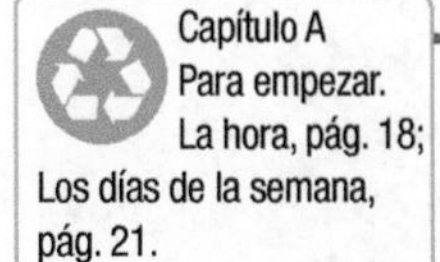

Capítulo A
Para empezar.
La hora, pág. 18;
Los días de la semana, pág. 21.

HORARIO DE CLASES

CLASES	DÍAS DE LA SEMANA	HORA
matemáticas	martes y jueves	1:30

MODELO *Este semestre tengo cinco cursos. Tengo la clase de matemáticas los martes y jueves a la una y media... ¿Y tú?*

Estrategia

If the meaning of any of the vocabulary words is not clear, verify the definition in the *Vocabulario activo* at the end of this chapter.

Capítulo 1. El verbo *tener*, pág. 35; Los adjetivos descriptivos, pág. 44.

Estrategia

Go to Appendix 3, *También se dice…*, for an expanded list of college majors. *También se dice…* includes additional vocabulary and regional expressions for all chapters. Although not exhaustive, the list will give you an idea of the variety and richness of the Spanish language.

2-3 Estereotipos In your opinion, the following characteristics are stereotypically associated with students majoring in which fields? Share your responses with your group of three or four students, and then report the group findings to the class.

MODELO Los estudiantes ______________ son ricos.

E1: *Tengo "Los estudiantes de administración de empresas son ricos". ¿Qué tienes tú?*

E2: *También tengo "Los estudiantes de administración de empresas son ricos".*

E3: *Tengo "Los estudiantes de informática son ricos".*

GRUPO: *Tenemos "Los estudiantes de administración de empresas y los estudiantes de informática son ricos".*

Los estudiantes de…

1. ______________ son ricos.
2. ______________ son simpáticos.
3. ______________ son trabajadores.
4. ______________ son cómicos.
5. ______________ son responsables.
6. ______________ son pacientes.
7. ______________ son interesantes.
8. ______________ son muy inteligentes.

Nota cultural: Las universidades hispanas

There are many similarities and differences between the system of higher education in the United States and that of the Spanish-speaking world. For example, students in universities across the Spanish-speaking world usually begin their career courses immediately, as opposed to having several years of liberal arts courses. Also, although many universities have student housing, it is common for students to live at home or rent apartments with other students.

La Universidad Nacional Autónoma de México (UNAM)

With regard to collegiate sports and pastimes, there are usually varieties of extracurricular activities available in the form of clubs. For example, clubs can be sports-related, or they can be centered around other organized activities such as socially conscious volunteerism groups.

Technology permeates Hispanic universities. As in the United States, it is not uncommon for students to take online courses or have opportunities for some type of distance learning.

Preguntas

1. What are similarities between your life as a college student and that of a student in the Spanish-speaking world?
2. Where in the Spanish-speaking world would you like to study? Find the university's web site and share with the class the programs and opportunities that the school has to offer.

2 VOCABULARIO

La sala de clase

Describing your classroom and classmates

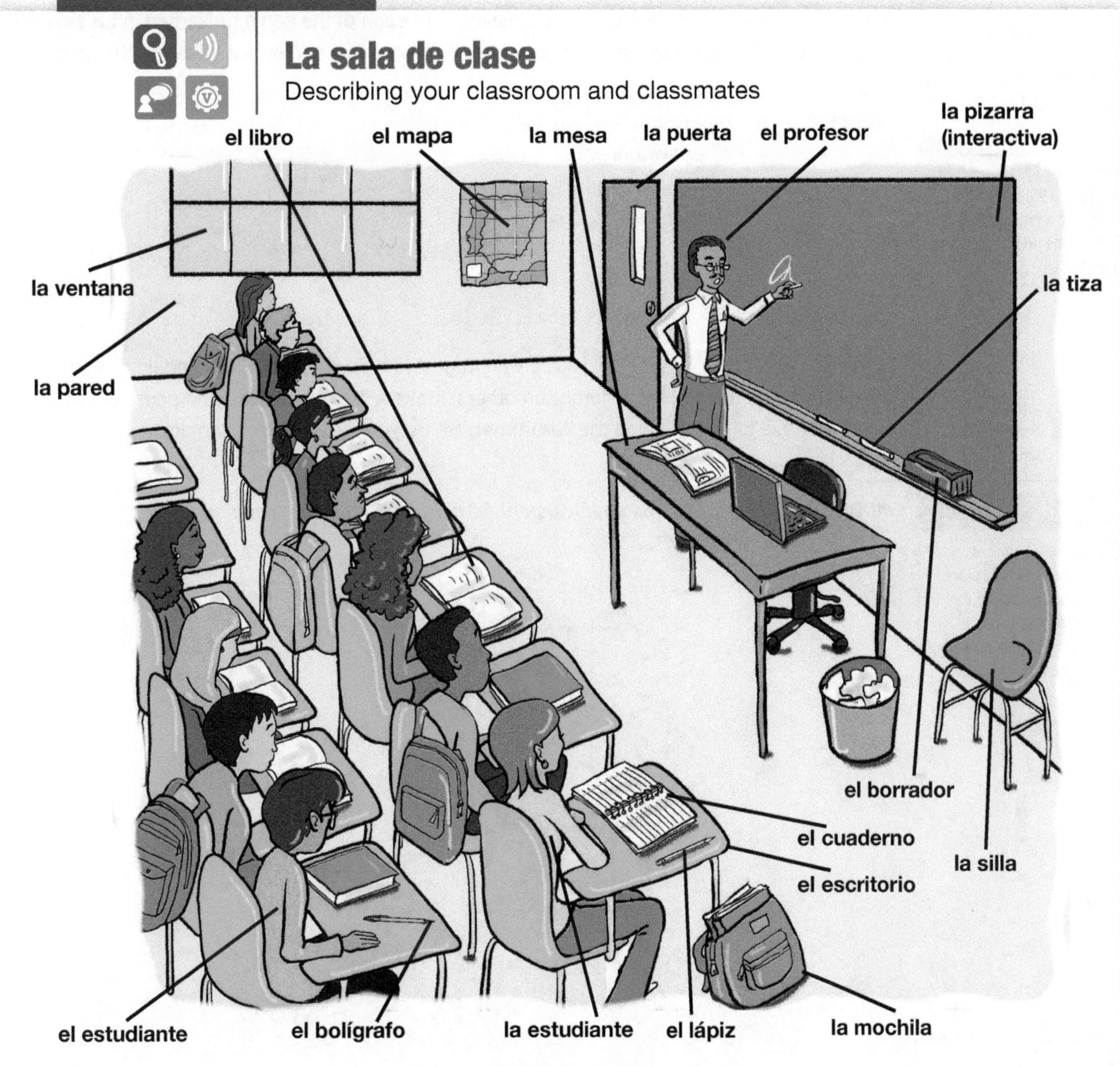

Otras palabras	*Other words*
los apuntes *(pl.)*	*notes*
la composición	*composition*
el examen	*exam*
el papel	*paper*
la tarea	*homework*
la compañera de clase	*female classmate*
el compañero de clase	*male classmate*
la profesora	*female professor*

Now you are ready to complete the ***Preparación y práctica*** activities for this chunk online.

Capítulo A
Para empezar.
Los números
0–30, pág. 16.

2-4 ¿Cómo es tu sala de clase? Using the numbers 0–30, take turns indicating how many there are in your classroom of each of the items presented in **La sala de clase.** You and your partner should each create at least **five** sentences following the model.

Fíjate

Hay is a little word that carries a lot of meaning. It means both "there is" and "there are."

MODELO E1: *Hay veinticinco mochilas y tres ventanas.*

E2: *Sí, y también hay diecinueve cuadernos.*

hay	*there is; there are*
pero	*but*
también	*too; also*
y	*and*

Capítulo 1.
El verbo *tener,*
pág. 35.

2-5 ¿Qué tiene Miguel? Miguel is running late for class again. He has remembered some things and forgotten others. Make a list of **five** things he possibly has and does not have for class, using the verb **tener**. Share your list with a classmate.

Fíjate

To make a negative statement, simply place the word *no* before the verb: *Miguel tiene los apuntes. Miguel* no *tiene los apuntes.*

MODELO *Miguel tiene los apuntes, pero no tiene el libro de matemáticas. También tiene...*

Capítulo 1.
El verbo *tener,*
pág. 35.

2-6 ¿Cierto o falso? After class, Miguel meets Claudia in the library. Claudia wants to know if he has the necessary materials for their study session. Listen to the conversation and, based on the drawing in **2-5**, determine if Miguel's answers are **Cierto** (*true*) or **Falso** (*false*).

	C	F		C	F
1.	☐	☐	4.	☐	☐
2.	☐	☐	5.	☐	☐
3.	☐	☐			

2-7 ¿Qué tienen tus compañeros? Randomly choose three students and complete the chart below. Then take turns having your partner identify the classmates as you state **five** things each one has or does not have for class.

Fíjate

As in English, when listing a series of things, the word *y* (*and*) is placed just before the last item. In Spanish, however, note that you do not place a comma before *y*.

MODELO E1: *La estudiante 1 tiene dos cuadernos, un libro, un bolígrafo y dos lápices. ¡No tiene la tarea!*
E2: *¿Es Sarah?*
E1: *Sí, es Sarah. / No, no es Sarah.*

ESTUDIANTE 1	ESTUDIANTE 2	ESTUDIANTE 3
(NO) TIENE...	(NO) TIENE...	(NO) TIENE...
1.	1.	1.
2.	2.	2.
3.	3.	3.
4.	4.	4.
5.	5.	5.

3 GRAMÁTICA

Presente indicativo de verbos regulares

Relating daily activities

Mario es un estudiante de derecho. ¿Qué hace (*does he do*) todos los días (*every day*)?

Llega a la clase a las nueve de la mañana.

Lee en la biblioteca.

Habla con sus compañeros.

Trabaja dos horas como tutor.

Come en la cafetería con amigos.

A las 6:30 **espera** el autobús y **regresa** a su apartamento.

Spanish has three groups of verbs, which are categorized by the ending of the infinitive. Remember that an infinitive is expressed in English by the word *to: to have, to be*, and *to speak* are all infinitive forms of English verbs. Spanish infinitives end in **-ar, -er,** or **-ir.** Look at the lists of infinitives on the next page.

(continued)

Verbos que terminan en *-ar*

comprar	*to buy*	**preguntar**	*to ask (a question)*
contestar	*to answer*	**preparar**	*to prepare; to get ready*
enseñar	*to teach; to show*	**regresar**	*to return*
esperar	*to wait for; to hope*	**terminar**	*to finish; to end*
estudiar	*to study*	**tomar**	*to take; to drink*
hablar	*to speak*	**trabajar**	*to work*
llegar	*to arrive*	**usar**	*to use*
mirar	*to look (at); to watch*		
necesitar	*to need*		

Verbos que terminan en *-er*

aprender	*to learn*	**correr**	*to run*
comer	*to eat*	**creer**	*to believe*
comprender	*to understand*	**leer**	*to read*

Verbos que terminan en *-ir*

abrir	*to open*	**recibir**	*to receive*
escribir	*to write*	**vivir**	*to live*

To talk about daily or ongoing activities or actions, you need to use the present tense. You can also use the present tense to express future events.

Mario **lee** en la biblioteca. { *Mario reads in the library.* / *Mario is reading in the library.* }

Mario **lee** en la biblioteca mañana. *Mario will read in the library tomorrow.*

To form the present indicative, drop the **-ar, -er,** or **-ir** ending from the infinitive, and add the appropriate ending. The endings are in blue in the following chart. Follow this simple pattern with all regular verbs.

Estrategia

If you would like to review the difference between the formal "you" and the informal "you," return to the cultural reading *¿Tú o usted?* on page 12 of *Capítulo A Para empezar.*

	hablar (*to speak*)	**comer** (*to eat*)	**vivir** (*to live*)
yo	hablo	como	vivo
tú	hablas	comes	vives
Ud.	habla	come	vive
él, ella	habla	come	vive
nosotros/as	hablamos	comemos	vivimos
vosotros/as	habláis	coméis	vivís
Uds.	hablan	comen	viven
ellos/as	hablan	comen	viven

Now you are ready to complete the ***Preparación y práctica*** activities for this chunk online.

2-8 Vamos a practicar Take ten small pieces of paper and write a different noun or pronoun (**yo, tú, él,** etc.) on each one. On another five small pieces of paper write five infinitives, one on each piece of paper. Take turns drawing a paper from each pile. Give the correct form of the verb you selected to match the noun or pronoun you picked from the pile. Each person should say at least **five** verbs in a row correctly.

MODELO INFINITIVE: *preguntar*
PRONOUN OR NOUN: *mi madre*
E1: *mi madre pregunta*

2-9 El e-mail de Carlos Complete Carlos's e-mail message to his mother using the correct form of the verbs in parentheses.

Enviar | Enviar más tarde | Guardar | Borrar | Adjuntar | Contactos

Para: **Mamá**
De: **Carlos**
Asunto: **La universidad**

Hola mamá:

¡Qué difícil es la universidad! Me gusta mucho pero (1) _________ (trabajar) mucho. Por ejemplo, mañana (2) _________ (tomar) un examen de biología. Ahora mismo (*Right now*) mi amigo Tim y yo (3) _________ (estudiar) en la biblioteca. Generalmente, cuando estudiamos juntos (*together*) (4) _________ (leer: nosotros) de nuevo (*again*) los capítulos y (5) _________ (hablar) de la información que la profesora (6) _________ (enseñar) en clase. Gracias a Tim, yo (7) _________ (comprender) casi todo (*almost everything*). Todos los estudiantes (8) _________ (trabajar) mucho. Es curioso, sus padres (9) _________ (vivir) muy cerca de la tía Julia.

Bueno, es todo por ahora. (10) _________ (necesitar) terminar. ¿A qué hora (11) _________ (llegar) tú mañana para visitarme?

Hasta pronto,
Carlos

2-10 Dime quién, dónde y cuándo

Look at the three columns below. Create **five** sentences by combining an element from each column. Share your sentences with a classmate.

MODELO nosotros/as / usar un microscopio / ciencias
Usamos un microscopio en la clase de ciencias.

Fíjate

Remember that subject pronouns (*yo, tú, él, ella*, etc.) are used for emphasis or clarification, and therefore do not always need to be expressed.

PRONOMBRE	ACTIVIDAD	CLASE
yo	preparar una presentación	matemáticas
nosotros/as	leer mucho	literatura
ellos/as	necesitar una calculadora	español
ella	estudiar leyes (*laws*)	periodismo
tú	escribir muchas composiciones	historia
Uds.	contestar muchas preguntas	derecho
él	aprender mucho	arquitectura

2-11 ¿A quién conoces que...?

Who do you know whom displays the following characteristics? Complete the following questions. Then, take turns asking and answering in complete sentences to practice the new verbs.

MODELO ¿Quién ________ (hablar) mucho?
E1: *¿Quién habla mucho?*
E2: *Mi hermano Tom habla mucho. También mis hermanas hablan mucho.*

1. ¿Quién ________ (correr) mucho?
2. ¿Quién ________ (estudiar) muy poco?
3. ¿Quién ________ (escribir) muchos e-mails?
4. ¿Quién ________ (llegar) tarde (*late*) a la clase?
5. ¿Quién ________ (abrir) su mochila?
6. ¿Quién ________ (usar) los apuntes de sus amigos?
7. ¿Quién ________ (comprender) todo cuando el/la profesor/a habla español?
8. ¿Quién ________ (creer) en Santa Claus?

4 GRAMÁTICA

La formación de preguntas y las palabras interrogativas Creating and answering questions

Asking *yes/no* questions

Antonio: ¿Cuántos idiomas hablas?
Silvia: Hablo dos, español y francés. ¿Y tú?
Antonio: Solo hablo español, pero mi loro habla cinco idiomas.

Yes/no questions in Spanish are formed in two different ways:

1. Adding question marks to the statement.

   Antonio habla español. → ¿Antonio habla español?
   Antonio speaks Spanish. *Does Antonio speak Spanish?* or *Antonio speaks Spanish?*

   As in English, your voice goes up at the end of the sentence. Remember that written Spanish has an upside-down question mark at the beginning of a question.

2. Inverting the order of the subject and the verb.

   Antonio habla español. → ¿Habla Antonio español?
   SUBJECT + VERB VERB + SUBJECT
   Antonio speaks Spanish. *Does Antonio speak Spanish?*

Answering *yes/no* questions

Answering questions is also like it is in English.

¿Habla Antonio español? *Does Antonio speak Spanish?*
Sí, habla español. *Yes, he speaks Spanish.*
No, no habla español. *No, he does not speak Spanish.*

Notice that in the negative response to the question above, both English and Spanish have two negative words.

Information questions

Information questions begin with interrogative words. Study the list of question words below and remember, accents are used on all interrogative words and also on exclamatory words: **¡Qué bueno!** (*That's great!*)

Las palabras interrogativas

¿Qué?	*What?*	**¿Qué** idioma habla Antonio?	*What language does Antonio speak?*
¿Por qué?	*Why?*	**¿Por qué** no trabaja Antonio?	*Why doesn't Antonio work?*
¿Cómo?	*How?*	**¿Cómo** está Antonio?	*How is Antonio?*
¿Cuándo?	*When?*	**¿Cuándo** es la clase?	*When is the class?*
¿Adónde?	*To where?*	**¿Adónde** va Antonio?	*(To) Where is Antonio going?*
¿Dónde?	*Where?*	**¿Dónde** vive Antonio?	*Where does Antonio live?*

(continued)

Las palabras interrogativas

¿De dónde?	*From where?*	**¿De dónde** regresa Antonio?	*Where is Antonio coming back from?*
¿Cuánto/a?	*How much?*	**¿Cuánto** estudia Antonio para la clase?	*How much does Antonio study for the class?*
		¿Cuánta tiza hay?	*How much chalk is there?*
¿Cuántos/as?	*How many?*	**¿Cuántos** idiomas habla Antonio?	*How many languages does Antonio speak?*
		¿Cuántas compañeras llegan tarde?	*How many classmates arrive late?*
¿Cuál?	*Which (one)?*	**¿Cuál** es su clase favorita?	*Which is his favorite class?*
¿Cuáles?	*Which (ones)?*	**¿Cuáles** son sus clases favoritas?	*Which are his favorite classes?*
¿Quién?	*Who?*	**¿Quién** habla cinco idiomas?	*Who speaks five languages?*
¿Quiénes?	*Who?* (pl.)	**¿Quiénes** hablan cinco idiomas?	*Who speaks five languages?*

Note that, although the subject is not always necessary, when it is included in the sentence it follows the verb.

¿? Now you are ready to complete the ***Preparación y práctica*** activities for this chunk online.

2-12 ¿Sí o no? Take turns asking and answering the following yes/no questions in complete sentences.

MODELO E1: ¿Estudias francés?

E2: *Sí, estudio francés. / No, no estudio francés.*

1. ¿Hablas español?
2. ¿Estudias mucho?
3. ¿Aprendes mucho?
4. ¿Escribes mucho en clase?
5. ¿De dónde es tu profesor/a?
6. ¿Trabajas?
7. ¿Vives con tus padres?
8. ¿Lees muchas novelas?

2-13 Preguntas, más preguntas With a partner, determine which interrogative word would elicit each of the following responses and create a question that would elicit each statement.

MODELO E1: Estudio **matemáticas.**
E2: *¿Qué estudias?*

Fíjate

Porque written as one word and without an accent mark means "because."

1. Martín estudia **en la sala de clase.**
2. Estudiamos español **porque es interesante.**
3. **Susana y Julia** estudian.
4. Estudian **por la noche.**
5. Leen **rápidamente.**
6. Leo **tres libros.**

2-14 ¿Y tú? Interview your classmates using the following questions about Spanish class.

MODELO E1: ¿Cuántas sillas hay en la clase?
E2: *Hay veinte sillas.*

difícil	*difficult*
fácil	*easy*

1. ¿Quién enseña la clase?
2. ¿Dónde enseña la clase?
3. ¿Quiénes hablan en la clase generalmente?
4. ¿Cuántos estudiantes hay en la clase?
5. ¿Qué libro(s) usas en la clase?
6. ¿Tomas muchos apuntes en la clase?
7. ¿Es la clase fácil o difícil?
8. ¿Trabajas mucho en la clase de español?

2-15 ¿Y tu familia o amigos? Write **five** questions you could ask classmates about their families or friends. Then move around the room asking those questions of as many people as possible.

Capítulo 1. La familia, pág. 32; El verbo *tener*, pág. 35; Los adjetivos descriptivos, pág. 44.

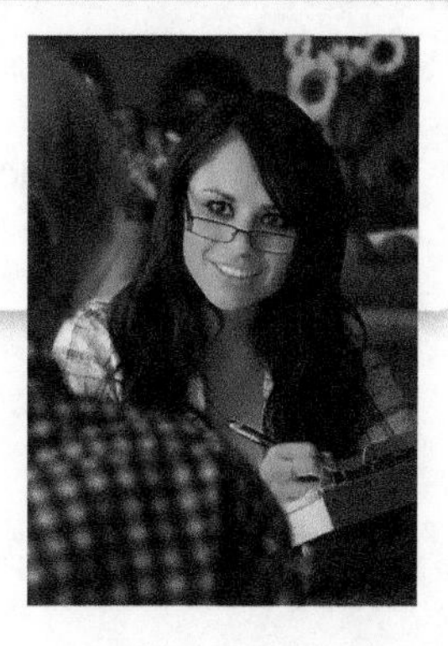

MODELO E1: *¿Cómo se llaman tus padres? ¿Dónde viven tus abuelos?*
E2: *¿Cuántos hermanos tienes?...*

5 VOCABULARIO

Los números 100–1.000

Counting from 100–1,000

100	**cien**	200	**doscientos**	600	**seiscientos**
101	**ciento uno**	201	**doscientos uno**	700	**setecientos**
102	**ciento dos**	300	**trescientos**	800	**ochocientos**
116	**ciento dieciséis**	400	**cuatrocientos**	900	**novecientos**
120	**ciento veinte**	500	**quinientos**	1.000	**mil**

1. The conjuction **y** is used to connect only 31–39, 41–49, 51–59, 61–69, 71–79, 81–89, and 91–99.
   32 = treinta **y** dos, 101 = ciento uno, 151 = ciento cincuenta **y** uno
2. **Ciento** is shortened to **cien** before any noun.
   cien hombres   **cien** mujeres
3. Multiples of **cientos** agree in number and gender with the nouns they modify.
   doscientos estudiantes   **trescientas** jóvenes
4. Note the use of a decimal instead of a comma in **1.000.**

Now you are ready to complete the ***Preparación y práctica*** activities for this chunk online.

2-16 **¡Dinero!** Take turns saying the following amounts of money aloud, in the currencies listed below.

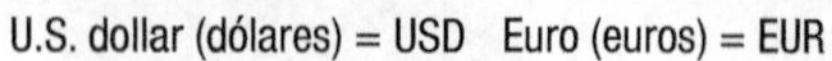

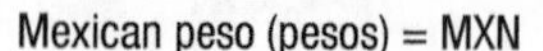

U.S. dollar (dólares) = USD Euro (euros) = EUR Mexican peso (pesos) = MXN Costa Rican colón (colones) = CRC

MODELO E1: 325 USD
E2: *trescientos veinticinco dólares*

1. 110 USD
2. 415 MXN
3. 376 CRC
4. 822 EUR
5. 638 MXN
6. 544 USD
7. 763 CRC
8. 999 EUR

2-17 Vamos a adivinar On a popular TV show, *The Price is Right*, contestants must guess the prices of different items. Bring in **five** ads of items priced between $100 and $1,000 and cover the prices. In groups of three or four, take turns guessing the prices in U.S. dollars. The person who comes closest without going over the price wins each item!

Fíjate

If the item you are pricing is plural, the verb form will be *cuestan*.

MODELO E1: *¿Cuesta* (Does it cost) *ciento cincuenta y cinco dólares?*

E2: *No.*

E1: *Cuesta ciento ochenta dólares.*

E2: *Sí.*

¿Cómo andas? I

Having completed **Comunicación I**, I now can...	Feel confident	Need to review
• share information about courses and majors. (p. 66)	☐	☐
• indicate the stressed syllables in words. (p. 67 and online)	☐	☐
• examine Hispanic university life. (p. 68)	☐	☐
• describe my classroom and classmates. (p. 69)	☐	☐
• relate daily activities. (p. 71)	☐	☐
• create and answer questions. (p. 75)	☐	☐
• count from 100–1,000. (p. 78)	☐	☐

Comunicación II

6 VOCABULARIO

En la universidad

Elaborating on university places and objects

Los lugares

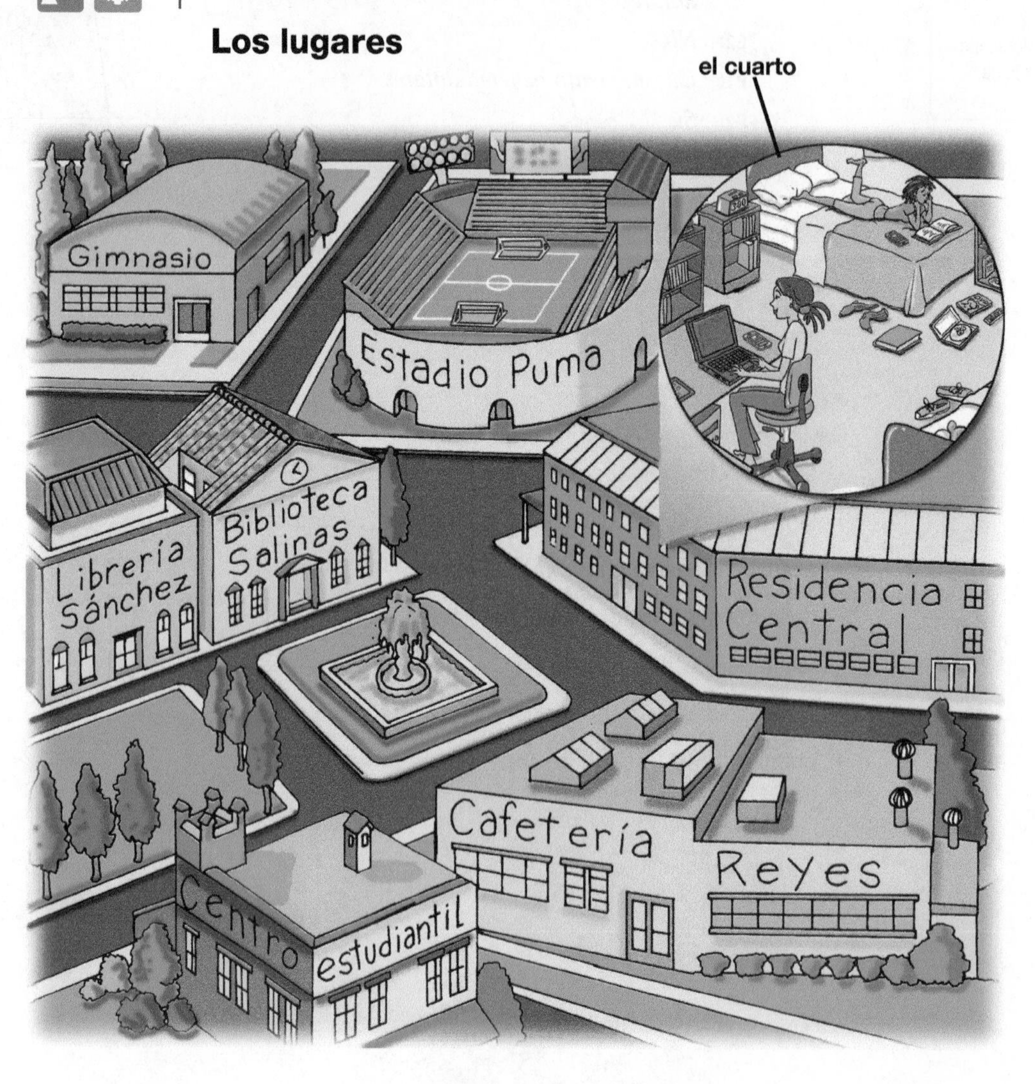

Otras palabras	*Other words*
el apartamento	*apartment*
el edificio	*building*
el laboratorio	*laboratory*
la tienda	*store*

La residencia

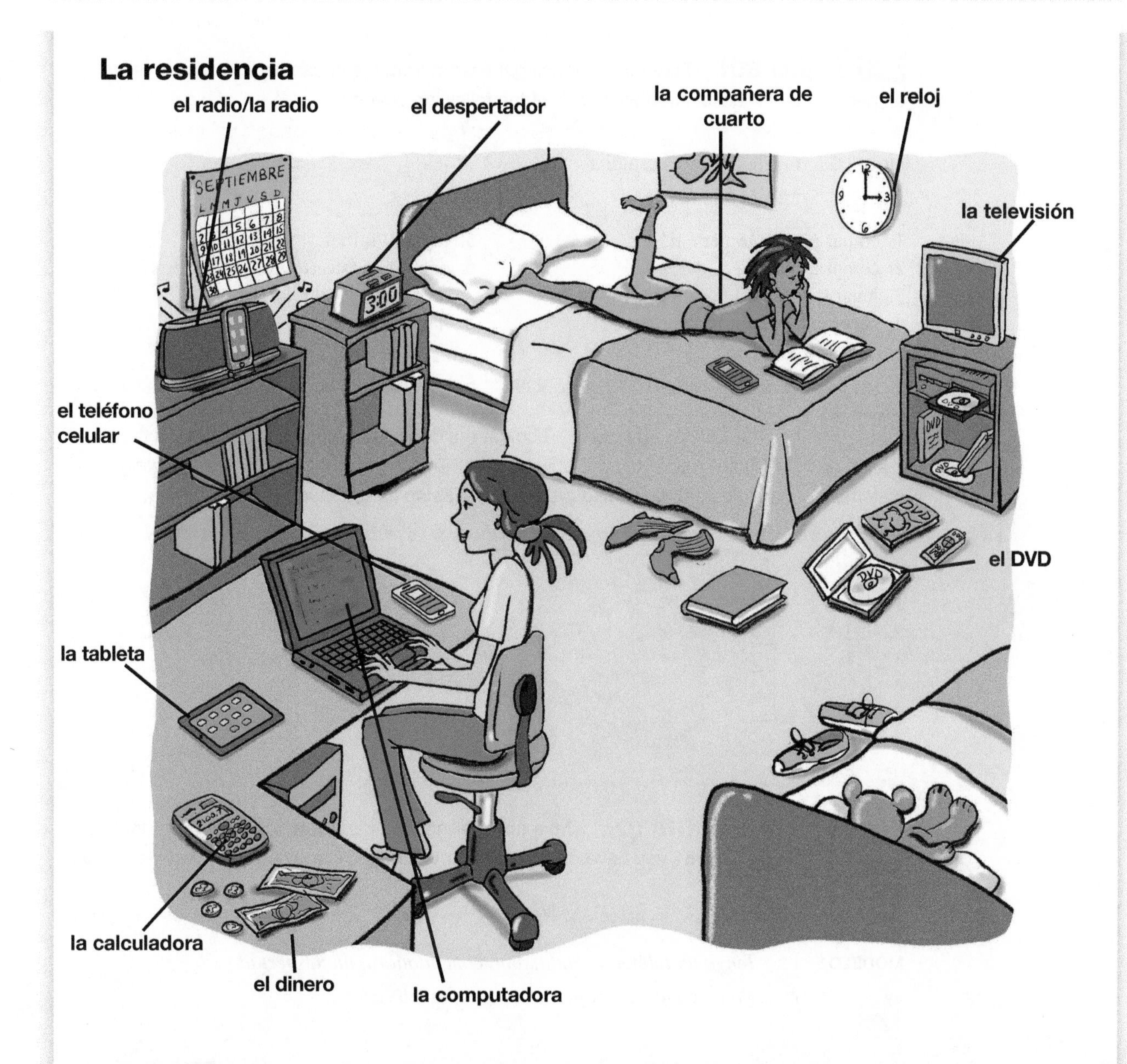

Fíjate

El radio is the radio; *la radio* is the broadcast.

Otras palabras	*Other words*
el compañero de cuarto	*male roommate*
el horario (de clases)	*schedule (of classes)*

Now you are ready to complete the ***Preparación y práctica*** activities for this chunk online.

2-18 ¡Lo sé! Take turns choosing the word from the vocabulary list **Los lugares** on page 80 that is associated with each of the following words.

MODELO E1: leer libros, estudiar
E2: *la biblioteca*

1. comer pasta y tomar café
2. comprar libros
3. jugar (*to play*) al básquetbol
4. hacer experimentos científicos
5. jugar al fútbol
6. comprar cosas (*things*) en general
7. leer libros y estudiar
8. hablar con amigos

2-19 ¿Cierto o falso? Look at the drawing on page 81. Gabriela (in the red T-shirt) and Consuelo (in the yellow T-shirt) are in their dorm room. Listen to the following statements and indicate **C** for **Cierto** (*true*) or **F** for **Falso** (*false*) based on the drawing.

	C	F
1.	☐	☐
2.	☐	☐
3.	☐	☐
4.	☐	☐
5.	☐	☐

2-20 En mi cuarto... Take turns telling your partner which items from the list **La residencia** on page 81 you have in your room or where you live. Then say which items you do not have.

MODELO E1: *Tengo un teléfono celular, una computadora, un despertador...*
E2: *No tengo un radio, pero sí tengo una televisión...*

2-21 Datos personales You are a foreign exchange student in Mexico, living with a family. Your Mexican little "brother" wants to know all about you! Answer his questions, which follow, then ask a classmate the same questions.

1. ¿De dónde eres?
2. ¿Qué estudias?
3. ¿Dónde estudias?
4. ¿Dónde comes?
5. ¿Dónde compras tus libros?
6. ¿Dónde vives?
7. ¿Qué necesitas para tu clase de español?
8. ¿Qué necesitas para una clase de matemáticas?
9. ¿Qué tienes en tu mochila?

7 GRAMÁTICA

El verbo *estar* Expressing *to be*

Another verb that expresses *to be* in Spanish is **estar.** Like **tener** and **ser, estar** is not a regular verb; that is, you cannot simply drop the infinitive ending and add the usual **-ar** endings.

estar (*to be*)

Singular		Plural	
yo	**estoy**	nosotros/as	**estamos**
tú	**estás**	vosotros/as	**estáis**
Ud.	**está**	Uds.	**están**
él, ella	**está**	ellos/as	**están**

Ser and **estar** are not interchangeable because they are used differently. Two uses of **estar** are:

1. To describe the location of someone or something.

   Manuel **está** en la sala de clase. — *Manuel is in the classroom.*
   Nuestros padres **están** en México. — *Our parents are in Mexico.*

2. To describe how someone is feeling or to express a change from the norm.

   Estoy bien. ¿Y tú? — *I'm fine. And you?*
   Estamos tristes hoy. — *We are sad today. (Normally we are upbeat and happy.)*

Now you are ready to complete the ***Preparación y práctica*** activities for this chunk online.

2 22 ¿Cuál es la palabra? Take turns giving the correct form of **estar** for each subject.

1. nosotras
2. el estudiante
3. tú
4. la pizarra y la tiza
5. yo
6. los profesores

2-23 Busco... You are on campus and you want to know where you can find the following items, people, and places. Take turns creating questions to determine the location of each person or thing. Your partner provides a response using the correct form of **estar + en** (*in*, *on*, or *at*).

Estrategia

You have noted that the majority of the classroom activities are with a partner. So that each person has equal opportunities, one of you should do the even-numbered items in an activity, the other do the odd-numbered items.

MODELO el mapa / el libro

E1: *¿Dónde está el mapa?*

E2: *El mapa está en el libro.*

1. las calculadoras / la mochila
2. los apuntes / el cuaderno
3. tú / el laboratorio
4. el despertador / la mesa
5. yo / la residencia
6. mi amigo y yo / el centro estudiantil

2-24 ¡Ahora mismo! With a partner, determine what the following people may be doing, using the following verbs.

aprender	comer	comprar	escribir	estudiar
hablar	leer	preparar	tomar	trabajar

MODELO E1: Marta está en la sala de clase.

E2: *Toma apuntes.*

1. Juan y Pepa están en la biblioteca.
2. Mi hermana está en la librería.
3. El profesor está en su casa.
4. Los estudiantes están en la cafetería.
5. María está en su apartamento.
6. Patricia está en el centro estudiantil.
7. Tú estás en el laboratorio.
8. Mi amiga y yo estamos en la clase de español.

2-25 La clase de geografía

Take turns asking a partner in which countries the following capitals are located.

MODELO E1: *¿Dónde está Washington, D.C.?*

E2: *Washington, D.C., está en los Estados Unidos.*

Fíjate

Knowledge of geography is increasingly important in our global community. Activity **2-25** presents an opportunity to review the countries and capitals of the Spanish-speaking world.

1. Madrid
2. México, D.F.
3. Lima
4. San Juan
5. La Paz
6. Buenos Aires
7. Santiago
8. Tegucigalpa
9. Santo Domingo
10. La Habana

8 VOCABULARIO

Las emociones y los estados

Articulating emotions and states of being

Chema/Gloria

aburrido/a

Roberto/Mayra

cansado/a

Samuel/Tina

contento/a

Ruy/Carmen

enfermo/a

Memo/Eva

enojado/a

Carlos/Patricia

nervioso/a

Ramón/Raquel

preocupado/a

Fernando/Silvia

triste

Carlos/Rebeca

feliz

Now you are ready to complete the ***Preparación y práctica*** activities for this chunk online.

2-26 ¿Cómo están? Look at the drawings from **Las emociones y los estados** and take turns answering the following questions.

MODELO E1: ¿Cómo está Silvia?
E2: *Silvia está triste.*

1. ¿Cómo están Ruy y Carmen?
2. ¿Cómo está Roberto?
3. ¿Quién está preocupada?
4. ¿Quiénes están nerviosos?
5. ¿Cómo están Chema y Gloria?
6. ¿Cómo estás tú?

2-27 ¿Qué pasa? Which adjectives from the drawings above best describe how you might feel in each of the following situations? Share your responses with a partner.

MODELO E1: recibes $1.000
E2: *Estoy contento/a.*

1. Estás en el hospital.
2. Tienes un examen muy difícil hoy.
3. Corres quince millas (*miles*).
4. Tu profesor de historia lee un libro por (*for*) una hora y quince minutos.
5. Esperas y esperas pero tu amigo no llega. (¡Y no te llama por teléfono!)
6. Sacas una "A" en tu examen de español.

2-28 ¿Dónde y cómo? Together, look at the following drawings and determine where the people are, what they are doing, and how they might be feeling.

Tomás

Tina

Ana y Mirta

El profesor Martín y sus estudiantes

MODELO E1: el profesor Martín

E2: *El profesor Martín está en la clase. Enseña matemáticas. Está contento.*

1. Tomás
2. Tina
3. Ana y Mirta
4. Los estudiantes del profesor Martín

9 GRAMÁTICA

El verbo *gustar*

Conveying likes and dislikes

Fíjate

You can go back to page 25 in *Capítulo A Para empezar* for more information on *gustar*.

Estrategia

You may have noticed that there are two types of grammar presentations in *¡Anda! Curso elemental:*

1. You are given the grammar rule.
2. You are given guiding questions to help *you* construct the grammar rule, and to state the rule in your own words.

No matter which type of presentation, educational researchers have found it is *always* important for you to state the rules orally. Accurately stating the rules demonstrates that you are on the road to using the grammar concept(s) correctly in your speaking and writing.

To express likes and dislikes you say the following:

Me gusta la profesora.	*I like the professor.*
Me gustan las clases de idiomas.	*I like language classes.*
¿**Te gustan** las novelas de Sandra Cisneros?	*Do you like Sandra Cisneros's novels?*
Te gusta el arte abstracto.	*You like abstract art.*
No **le gusta** estudiar.	*He does not like to study.*

(continued)

¡Explícalo tú!

1. To say you like or dislike one thing, what form of **gustar** do you use?
2. To say you like or dislike more than one thing, what form of **gustar** do you use?
3. Which words in the examples mean *I? You? He/she?*
4. If a verb is needed after **gusta,** what form of the verb do you use?

 To check your answers to the preceding questions, see Appendix 1.

 Now you are ready to complete the ***Preparación y práctica*** activities for this chunk online.

2-29 **¿Qué te gusta?** Decide whether or not you like the following items, and share your opinions with a classmate.

MODELO E1: las clases difíciles
E2: *(No) Me gustan las clases difíciles.*

1. el centro estudiantil
2. los sábados
3. vivir en un apartamento
4. la informática
5. aprender idiomas
6. la cafetería
7. correr
8. los libros de Harry Potter

2-30 **Te toca a ti** Now change the cues from **2-29** into questions, and ask a different classmate to answer.

MODELO E1: *¿Te gustan las clases difíciles?*
E2: *No, no me gustan las clases difíciles.*

Estrategia

Remember, if you answer negatively, you will need to say *no* twice. If you need to review, check *La formación de preguntas* on page 75 of this chapter.

10 VOCABULARIO

Los deportes y los pasatiempos

Offering opinions on sports and pastimes

bailar

caminar

escuchar música

ir de compras

jugar al básquetbol

jugar al béisbol

jugar al fútbol

jugar al fútbol americano

jugar al golf

jugar al tenis

nadar

montar en bicicleta

(continued)

patinar

tocar un instrumento

ver la televisión

tomar el sol

Otras palabras	*Other words*
el equipo	*team*
hacer ejercicio	*to exercise*
la pelota	*ball*

Now you are ready to complete the ***Preparación y práctica*** activities for this chunk online.

2-31 ¿En qué mes te gusta...? For a fan or a participant, sports and pastimes can be seasonal. Complete the following steps.

Capítulo A Para empezar. Los días, los meses y las estaciones, pág. 21.

Paso 1 Make a list of the top **three** sports or pastimes you enjoy in the months listed below.

enero mayo julio octubre

MODELO enero

1. patinar, 2. bailar, 3. tocar un instrumento

Paso 2 Circulate around the classroom and compare your preferences with those of your classmates. Do you see any trends?

MODELO E1: *¿Qué deportes y pasatiempos te gusta practicar más en enero?*

E2: *Me gusta patinar, bailar y tocar un instrumento.*

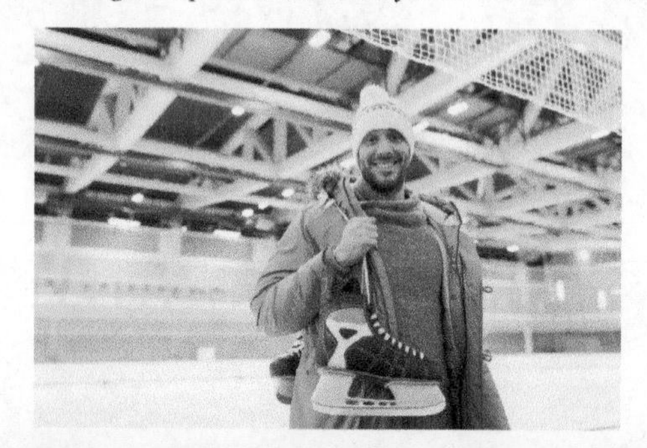

2-32 **¿Cuánto te gusta?** What activities do you enjoy in your spare time? Write **ten** activities in the chart and rank the sports and pastimes by placing a mark in the column that best describes your feeling toward the sport or pastime. What do you suppose **¡Lo odio!** means? Share your answers with your partner, following the model.

Fíjate

Remember that *gustar* is formed differently from regular verbs.

MODELO E1: *Me gusta mucho el fútbol.*

E2: *No me gusta patinar.*

	ME GUSTA MUCHO	ME GUSTA	NO ME GUSTA	¡LO ODIO!
1. el fútbol	X			
2. patinar			X	
3. ...				

Nota cultural

Los deportes en el mundo hispano

Estrategia

Remember to use your reading strategy *Recognizing cognates* from *Capítulo 1* to assist you with this and all future reading passages.

Los Juegos Panamericanos ocurren cada cuatro años.

El fútbol es el deporte más popular en el mundo hispanohablante. Sin embargo (*Nevertheless*), los hispanos participan en una gran variedad de actividades físicas y deportivas como el béisbol, el boxeo, el básquetbol (o baloncesto), el tenis, el vóleibol y el atletismo (*track and field*). España y los países latinoamericanos participan en los Juegos Olímpicos. Además (*Furthermore*), los países latinoamericanos, junto con Canadá y los Estados Unidos, participan en los Juegos Panamericanos que ocurren cada cuatro años, siempre (*always*) un año antes de los Juegos Olímpicos.

Los deportes forman una parte importante de la vida universitaria, especialmente en la Universidad Nacional Autónoma de México (la UNAM). Además de tener el equipo de fútbol Club Universidad Nacional, ofrecen (*they offer*) más de 40 disciplinas deportivas que incluyen los deportes mencionados y también el fútbol americano, el judo, el karate, el ciclismo, la natación, la lucha libre (*wrestling*) y más. Hay varios gimnasios, dos estadios, piscinas (*pools*) y muchas otras áreas para practicar estos deportes.

Preguntas

1. What is the most important sport in the Spanish-speaking world?
2. Does your college/university offer the same sports as the UNAM? What are some differences?

2-33 ¿Eres activo/a? Just how active are you? Complete the chart with activities that should, or do, occupy your time. Share your results with a partner. So… are you leading a well-balanced life?

a menudo *often*
a veces *sometimes; from time to time*
nunca *never*

A MENUDO	A VECES	NUNCA	NECESITO HACERLO (*TO DO IT*) MÁS
1. jugar al golf	1. patinar	1. jugar al fútbol americano	1. jugar al tenis
2.	2.	2.	2.
3.	3.	3.	3.
4.	4.	4.	4.
5.	5.	5.	5.

MODELO *A menudo me gusta jugar al golf.*
A veces me gusta patinar.
Nunca me gusta jugar al fútbol americano.
Necesito jugar más al tenis.

2-34 Tus preferencias Select your **three** favorite sports and/or pastimes (**que más me gustan**) and then select your **three** least favorite (**que menos me gustan**) from **2-33.** Then complete the following steps.

Paso 1 Write your choices in the chart. Then, create **two** sentences summarizing your choices.

LOS DEPORTES/PASATIEMPOS QUE MÁS ME GUSTAN	LOS DEPORTES/PASATIEMPOS QUE MENOS ME GUSTAN
1. *patinar*	1.
2. *bailar*	2.
3. *leer*	3.

MODELO *Los deportes o pasatiempos que más me gustan son patinar, bailar y leer. Los deportes o pasatiempos que menos me gustan son…*

Paso 2 Circulate around the classroom to find classmates with the same likes and dislikes as you. Follow the model. When you find someone with the same likes or dislikes, write his/her name in the chart that follows.

MODELO E1: *¿Qué deporte o pasatiempo te gusta más?*
E2: *El deporte que me gusta más es el tenis.*
E1: *¿Qué deporte o pasatiempo te gusta menos?*
E2: *El pasatiempo que me gusta menos es ir de compras.*

NOMBRE DE TU COMPAÑERO/A	EL DEPORTE/PASATIEMPO QUE MÁS LE GUSTA
1.	
2.	
3.	
NOMBRE DE TU COMPAÑERO/A	**EL DEPORTE/PASATIEMPO QUE MENOS LE GUSTA**
1.	
2.	
3.	

Escucha

Una conversación

Estrategia

Listening for the gist

When *listening for the gist,* you listen for the main idea(s). You do not focus on each word, but rather on the overall meaning. Practice summarizing the gist in several words or a sentence.

2-35 Antes de escuchar In the following segment Eduardo, a university student, is talking on the phone with his mother. Write a question you might possibly hear in their conversation.

La mamá de Eduardo escucha a su hijo.

2-36 A escuchar Listen as Eduardo and his mother converse.

1. The first time you listen, concentrate on the questions she asks, noting key words and ideas.
2. In the second listening, focus on Eduardo's answers, again noting key words and ideas.
3. During the third listening, indicate whether these sentences are **C** for **Cierto** (*true*) or **F** for **Falso** (*false*).
   a. Eduardo's mother calls Eduardo to see how he is doing. ___
   b. Eduardo does not have classes on Tuesday. ___
   c. Eduardo's mother ends the conversation abruptly. ___

2-37 Después de escuchar In one sentence, what is the gist of their conversation? Share your sentence with a partner.

¡Conversemos!

2-38 La vida universitaria Imagine that you are at a gathering on campus for exchange students from Mexico. Introduce yourself by completing the following steps.

Paso 1 Create at least **five sentences** about yourself. Then create at least **five questions** to ask the person you are meeting. Include the following information:

- Introductions from *Capítulo A Para empezar* (p. 5)
- Vocabulary including majors, courses, professions, campus places, emotions and states of being, and sports and pastimes
- New **-ar, -er,** and **-ir** verbs from this chapter.

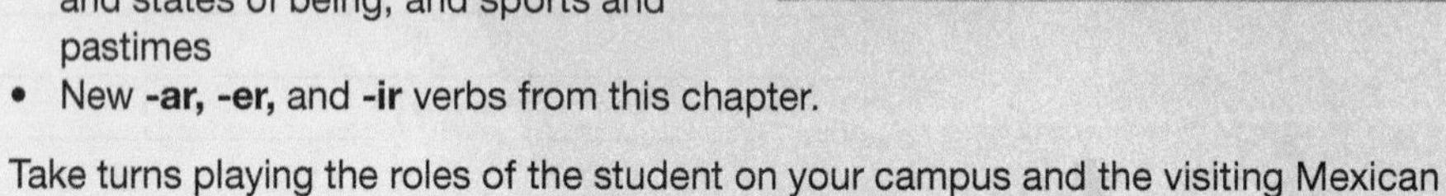

Paso 2 Take turns playing the roles of the student on your campus and the visiting Mexican student.

Escribe

Una descripción

Estrategia

Creating sentences

You have been practicing speaking in sentences. Remember:

1. Basic sentences need: (subj.) + verb + (rest of the sent.)
2. A sentence can express a complete idea with just a verb form, e.g., *Corren*. Subjects clarify, e.g., *Ellos corren* or *Juan y Marta corren.*
3. To make a sentence negative, place ***no*** before the verb, e.g., *No nadamos.*
4. Make sure that your intended subject and verb ending agree, e.g., **yo** = **–o**, etc. *Yo corr**o**.*
5. Make sure that adjectives agree with their corresponding nouns, e.g., *amig**os** inteligent**es**.*

2-39 Antes de escribir Imagine that you are applying for a job on campus—either to work in the library, the student center, or the athletic department. Make a list in Spanish of what makes you a viable applicant.

MODELO (athletic department)

Lista: ✓ Me gustan los deportes; nado y corro muy bien.
✓ Soy buena estudiante, inteligente, creativa, organizada y trabajadora.
✓ Me gustan las cosas nuevas (new) / las personas nuevas.

2-40 A escribir Using your list, create a personal description using the model.

MODELO Tengo veinte años y soy buena estudiante. Soy organizada y trabajadora. Me gustan mucho...

2-41 Después de escribir Your instructor will collect the descriptions, and read some of them to the class. He/She may ask you to guess who wrote each one.

¿Cómo andas? II

Having completed **Comunicación II**, I now can...	Feel confident	Need to review
• elaborate on university places and objects. (p. 80)	☐	☐
• express *to be.* (p. 83)	☐	☐
• articulate emotions and states of being. (p. 86)	☐	☐
• convey likes and dislikes. (p. 87)	☐	☐
• offer opinions on sports and pastimes. (p. 89)	☐	☐
• compare and contrast sports. (p. 91)	☐	☐
• glean the main idea. (p. 93)	☐	☐
• communicate about university life. (p. 94)	☐	☐
• craft a personal description. (p. 94)	☐	☐
• engage in additional communication practice. (online)	☐	☐

Vistazo cultural

México

Les presento mi país

Mi nombre es Gabriela García Cordera y soy de Coyotepec, México. Yo estudio periodismo en la Universidad Nacional Autónoma de México (la UNAM) que está en la Ciudad de México. Vivo cerca de (*near*) la universidad con la familia de mi tía porque normalmente hay pocas residencias estudiantiles en las universidades y muchos estudiantes viven con sus parientes (*relatives*). La UNAM es la universidad más grande de México y de América Latina, con aproximadamente 340.000 estudiantes. **¿Cuántos estudiantes hay en tu universidad?** En la UNAM, tenemos un equipo de fútbol, los Pumas. El fútbol es muy popular en mi país: es el pasatiempo nacional. **¿Qué deporte es muy popular en tu país?** Mi ciudad natal, Coyotepec, está en el estado de Oaxaca, un centro famoso de artesanía. En particular, hay hojalatería (*tin work*), cerámicas de barro negro (*black clay*), cestería (*basket weaving*), fabricación de textiles y de alebrijes (*painted wooden animals*) y mucho más. **¿Qué tipo de artesanía hay en tu región?**

Gabriela García Cordera

La biblioteca de la Universidad Nacional Autónoma de México. La fachada tiene un mosaico de la historia de México.

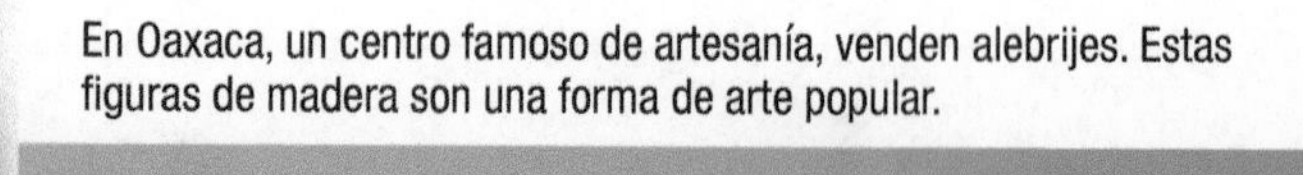

En Oaxaca, un centro famoso de artesanía, venden alebrijes. Estas figuras de madera son una forma de arte popular.

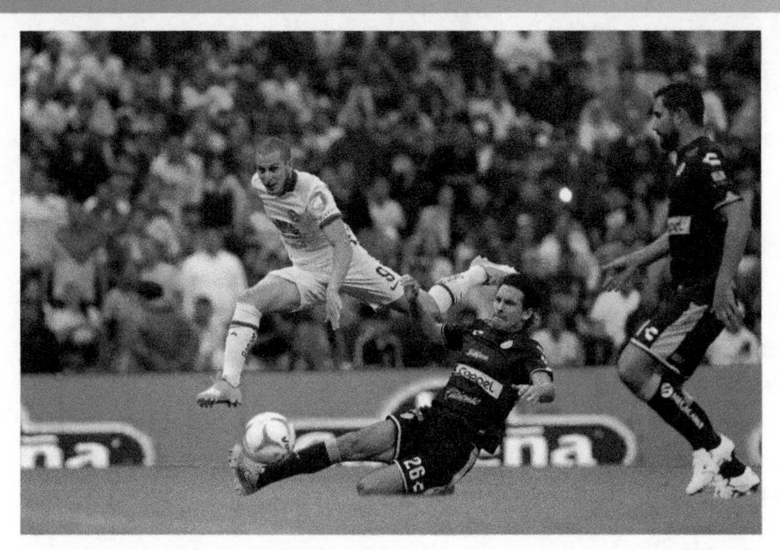

El fútbol es el pasatiempo nacional del país.

El Palacio Nacional de Bellas Artes es un centro cultural muy importante de México.

El tianguis de Tepotzlán en Morelos se instala los sábados y domingos con una variedad de artículos como comida y ropa.

ALMANAQUE

Nombre oficial:	Estados Unidos Mexicanos
Gobierno:	República federal
Población:	111.211.789 (2010)
Idiomas:	español (oficial); maya, náhuatl
Moneda:	peso mexicano ($)

¿Sabías que...?

- El origen del chicle (*gum*) es el látex del chicozapote (*sapodilla tree* en inglés), un árbol tropical de la península de Yucatán. Los mayas, tribu antigua y muy importante de Yucatán, usaban (*used*) el látex como chicle.
- La planta "cabeza de negro", del estado mexicano de Veracruz, forma la base del proceso para crear la cortisona y "la píldora", el contraceptivo oral.

Preguntas

1. What is the most popular sport in Mexico?
2. What is a **tianguis**? What do we have in the United States that is similar?
3. What are the origins of cortisone and the birth control pill?
4. What are some of the handcrafted items from Mexico? What are similar handcrafted items made in your region?
5. What are some differences between the UNAM and your school?

Lectura

Una carta de la universidad

2-42 Antes de leer You will read a letter that Adriana received from her university. Before you read, complete the following activities.

1. Note that there are a limited number of key words in the reading passage you may not know. They are written below with the English equivalents and are listed in order of appearance. They are also boldfaced in the body of the reading.

me gustaría	*I would like*
solicitud	*application*
primer	*first*
siguientes	*following*
equipo	*team*

2. Based on the list of words, can you begin to guess what the context of the reading will be?
3. What other words from the reading can you associate with these words?

Estrategia

Skimming
When you skim, or read quickly, you generally do so to capture the gist of the passage. Practice with skimming helps you learn to focus on the main ideas in your reading.

2-43 Mientras lees To boost your comprehension, it is helpful to skim the passage for the first reading and then ask yourself what key information you have learned.

1. Skim the first paragraph, and then answer the following questions.
   a. Why is Dr. Bermúdez writing the letter?
   b. How long do classes last?
   c. What does Adriana need to do?
2. Now skim the entire letter and write down the key points for each paragraph.
3. Then, reread the letter, this time carefully, to add details to those main ideas. Do not forget to take advantage of cognates like **ingeniería** and **educación** to boost your comprehension.

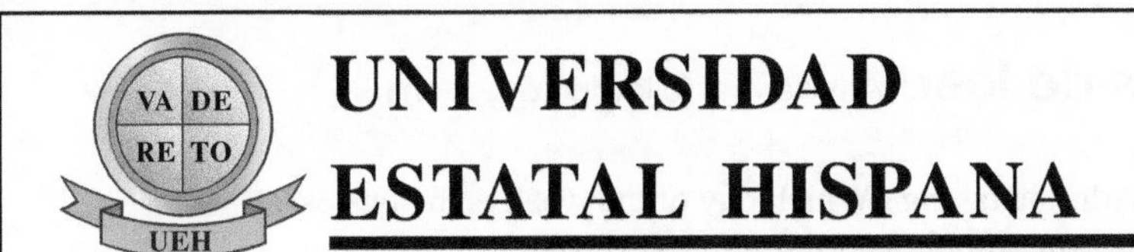

Centro de Matrículas
616 Avenida Principal
Springfield, CA 95370

3 de mayo

Estimada señorita Martín Domínguez:

En esta carta° **me gustaría** darle la bienvenida° una vez más a la Universidad Estatal Hispana. Según° la información en su **solicitud**, usted quiere estudiar ingeniería náutica. Las clases de los lunes, miércoles y viernes son de cincuenta minutos. Las clases de los martes y jueves son de hora y media. Aquí tiene usted su horario inicial. Necesita leer cuidadosamente° su horario.

letter / to welcome you
According to
carefully

En el **primer** semestre tiene las **siguientes** clases: Inglés 105 – Literatura norteamericana, los lunes, miércoles y viernes. La clase de inglés es en el edificio Dante, sala 450 a las 8:00 de la mañana. En el mismo° edificio y en la misma sala tiene Psicología 200 a las 11:00 de la mañana, los lunes, miércoles y viernes. Todos los estudiantes necesitan tomar idiomas. Su clase de Francés 150 – Francés elemental es a la 1:00 de la tarde los lunes, miércoles y viernes en el edificio Cervantes, sala 216. Los martes y jueves tiene clase de Matemáticas 265 – Cálculo I en el edificio de química, sala 203 a las 9:30 de la mañana. La clase de Introducción a la ingeniería 124 es los martes y jueves al mediodía en el centro Newton, sala 1137.

same

Un requisito de la universidad es que necesita una clase de Educación Física. En su solicitud, usted menciona que le gusta nadar y que tiene experiencia con un **equipo** estatal de natación. Natación olímpica 366 es de la 6:30 de la tarde hasta las 8:00 de la tarde los lunes y los jueves en el estadio Nautilos.
Si tiene preguntas, llámeme° al 1-877-554-0877.

call me

Le saludo atentamente°,

Best regards

Augusto Bermúdez

Dr. Augusto Bermúdez
Consejero Académico
Universidad Estatal Hispana

2-44 Después de leer

Answer the following questions.

1. How many classes is Adriana taking? Which day of the week is the busiest?
2. Why is she taking Natación olímpica 366?
3. Re-read the academic advisor's letter and complete the following chart with Adriana's classes for the week.

hora	lunes	martes	miércoles	jueves	viernes
8:00–8:50 a.m.					
9:30–10:45 a.m.					
11:00–11:50 a.m.					
12:00–12:50 p.m.					
1:00–1:50 p.m.					
6:30–8:00 p.m.					

2-45 El horario de tu compañero/a de clase

Interview a classmate and find out what his/her schedule is and what he/she likes to do on the weekend.

2-46 Tu declaración de solicitud (*application statement*)

You are applying to Universidad Estatal Hispana, and need to create a personal statement. Make sure to include the following information:

- full name
- your field of studies
- schedule preferences
- dorm preferences

For additional *Lectura* activities, go to *¡Anda!* online.

Y por fin, ¿cómo andas?

Having completed this chapter, I now can...	Feel confident	Need to review
Comunicación I		
• share information about courses and majors. (p. 66)	☐	☐
• indicate the stressed syllables in words. (p. 67 and online)	☐	☐
• describe my classroom and classmates. (p. 69)	☐	☐
• relate daily activities. (p. 71)	☐	☐
• create and answer questions. (p. 75)	☐	☐
• count from 100–1,000. (p. 78)	☐	☐
Comunicación II		
• elaborate on university places and objects. (p. 80)	☐	☐
• express *to be*. (p. 83)	☐	☐
• articulate emotions and states of being. (p. 86)	☐	☐
• convey likes and dislikes. (p. 87)	☐	☐
• offer opinions on sports and pastimes. (p. 89)	☐	☐
• glean the main idea. (p. 93)	☐	☐
• communicate about university life. (p. 94)	☐	☐
• craft a personal description. (p. 94)	☐	☐
Cultura		
• examine Hispanic university life. (p. 68)	☐	☐
• compare and contrast sports. (p. 91)	☐	☐
• share information about Mexico. (p. 96)	☐	☐
Lectura		
• read a letter from an academic advisor. (p. 98)	☐	☐
Comunidades		
• use Spanish in real-life contexts. (online)	☐	☐

Vocabulario **activo**

Las materias y las especialidades	*Subjects and majors*
la administración de empresas	*business administration*
la arquitectura	*architecture*
el arte	*art*
la biología	*biology*
las ciencias (*pl.*)	*science*
el derecho	*law*
los idiomas (*pl.*)	*languages*
la informática	*computer science*
la literatura	*literature*
las matemáticas (*pl.*)	*mathematics*
la medicina	*medicine*
la música	*music*
la pedagogía	*education*
el periodismo	*journalism*
la psicología	*psychology*
el curso	*course*
el semestre	*semester*

En la sala de clase	*In the classroom*
los apuntes (*pl.*)	*notes*
el bolígrafo	*ballpoint pen*
el borrador	*eraser*
el/la compañero/a de clase	*classmate*
la composición	*composition*
el cuaderno	*notebook*
el escritorio	*desk*
el/la estudiante	*student*
el examen	*exam*
el lápiz	*pencil*
el libro	*book*
el mapa	*map*
la mesa	*table*
la mochila	*book bag; backpack*
el papel	*paper*
la pared	*wall*
la pizarra (interactiva)	*chalkboard; (interactive) whiteboard*
el/la profesor/a	*professor*
la puerta	*door*
la sala de clase	*classroom*
la silla	*chair*
la tarea	*homework*
la tiza	*chalk*
la ventana	*window*

Los verbos	*Verbs*
abrir	*to open*
aprender	*to learn*
comer	*to eat*
comprar	*to buy*
comprender	*to understand*
contestar	*to answer*
correr	*to run*
creer	*to believe*
enseñar	*to teach; to show*
escribir	*to write*
esperar	*to wait for; to hope*
estar	*to be*
estudiar	*to study*
hablar	*to speak*
leer	*to read*
llegar	*to arrive*
mirar	*to look (at); to watch*
necesitar	*to need*
preguntar	*to ask (a question)*
preparar	*to prepare; to get ready*
recibir	*to receive*
regresar	*to return*
terminar	*to finish; to end*
tomar	*to take; to drink*
trabajar	*to work*
usar	*to use*
vivir	*to live*

Las palabras interrogativas	*Interrogative words*
See page 75.	

Los números 100–1.000	*Numbers 100–1,000*
See page 78.	

Los lugares	Places
el apartamento	*apartment*
la biblioteca	*library*
la cafetería	*cafeteria*
el centro estudiantil	*student center; student union*
el cuarto	*room*
el edificio	*building*
el estadio	*stadium*
el gimnasio	*gymnasium*
el laboratorio	*laboratory*
la librería	*bookstore*
la residencia estudiantil	*dormitory*
la tienda	*store*

La residencia	The dorm
la calculadora	*calculator*
el/la compañero/a de cuarto	*roommate*
la computadora	*computer*
el despertador	*alarm clock*
el dinero	*money*
el DVD	*DVD*
el horario (de clases)	*schedule (of classes)*
el radio/la radio	*radio*
el reloj	*clock; watch*
la tableta	*tablet*
el teléfono celular	*cell phone*
la televisión	*television*

Los deportes y los pasatiempos	Sports and pastimes
bailar	*to dance*
caminar	*to walk*
el equipo	*team*
escuchar música	*to listen to music*
hacer ejercicio	*to exercise*
ir de compras	*to go shopping*
jugar al básquetbol	*to play basketball*
jugar al béisbol	*to play baseball*
jugar al fútbol	*to play soccer*
jugar al fútbol americano	*to play football*
jugar al golf	*to play golf*
jugar al tenis	*to play tennis*
montar en bicicleta	*to ride a bike*
nadar	*to swim*
patinar	*to skate*
la pelota	*ball*
tocar un instrumento	*to play an instrument*
tomar el sol	*to sunbathe*
ver la televisión	*to watch television*

Emociones y estados	Emotions and states of being
aburrido/a	*bored (with* **estar***)*
cansado/a	*tired*
contento/a	*content; happy*
enfermo/a	*ill; sick*
enojado/a	*angry*
feliz	*happy*
nervioso/a	*upset; nervous*
preocupado/a	*worried*
triste	*sad*

Vista de Madrid, capital de España

3 Estamos en casa

From modern skyscrapers in large cities to the narrow streets of medieval towns and small farms in rural areas, homes in Spain reflect the varied climate, history, and lifestyles of the Spanish people. Homes in southern cities like Córdoba or Sevilla often have a Mediterranean feel, while in big cities like Madrid or Barcelona residents may opt to be in the middle of the action in a downtown apartment or choose a quieter, less expensive home on the outskirts of the city.

Preguntas

1. Is there Spanish-inspired architecture in the region where you live?
2. How do you think that geography and environment affect the design and construction of homes?
3. Observe the housing styles shown in the photos. How are these similar or different from those in your area?

¿Sabías que...?

Fifty percent of Spaniards between the ages of 20 and 25 live with their parents.

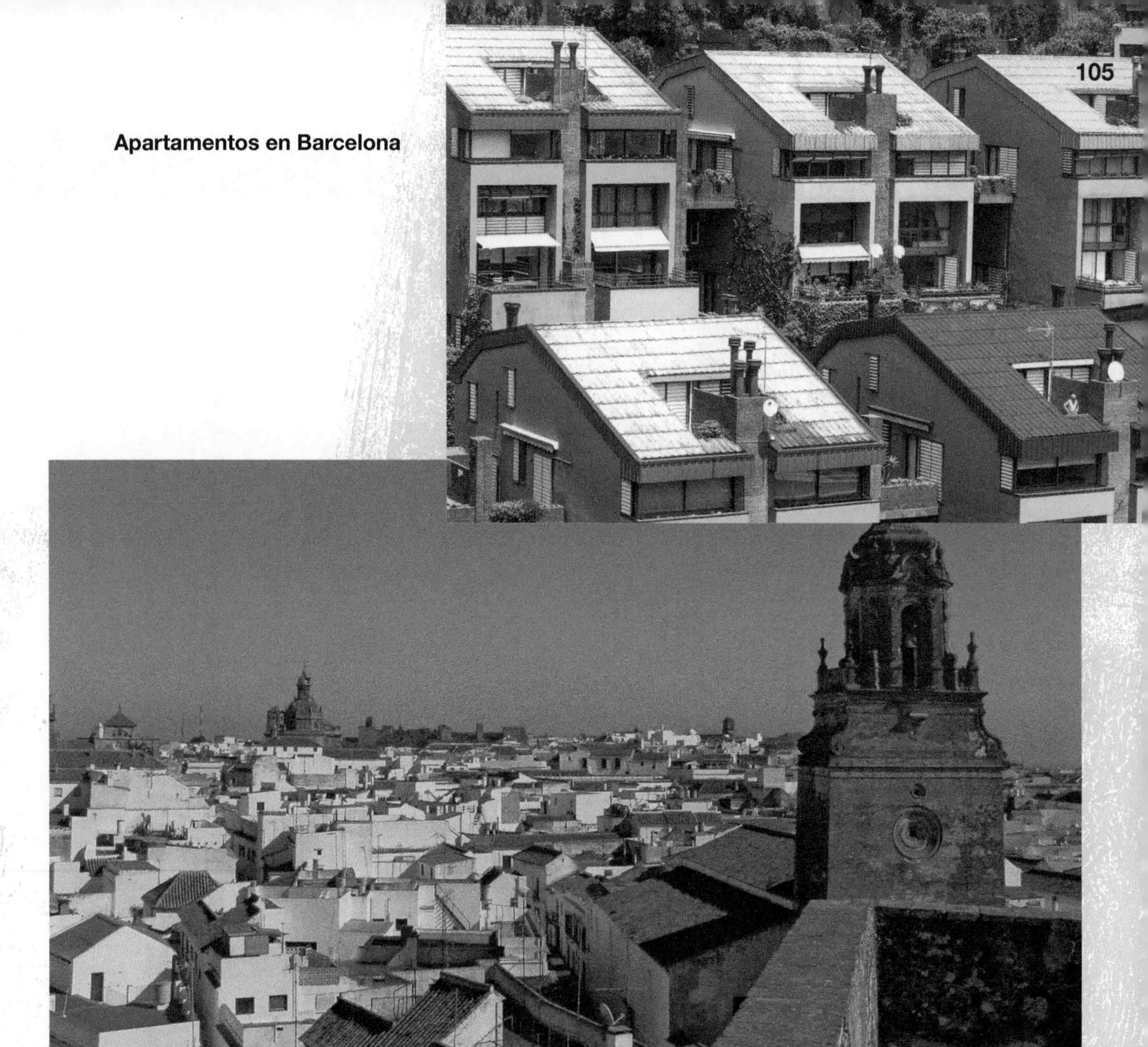

Apartamentos en Barcelona

Carmona, un pueblo del sur

Learning Outcomes

By the end of this chapter, you will be able to:

- ✔ describe homes and elaborate on their rooms.
- ✔ express actions.
- ✔ share information about household chores.
- ✔ depict states of being and state *there is / there are* and *it's necessary to…*
- ✔ create an ad.
- ✔ explore housing in Spain as well as other interesting facts about the country.
- ✔ read a blog and view contemporary video from Spain.

Comunicación I

1 VOCABULARIO

La casa Describing homes

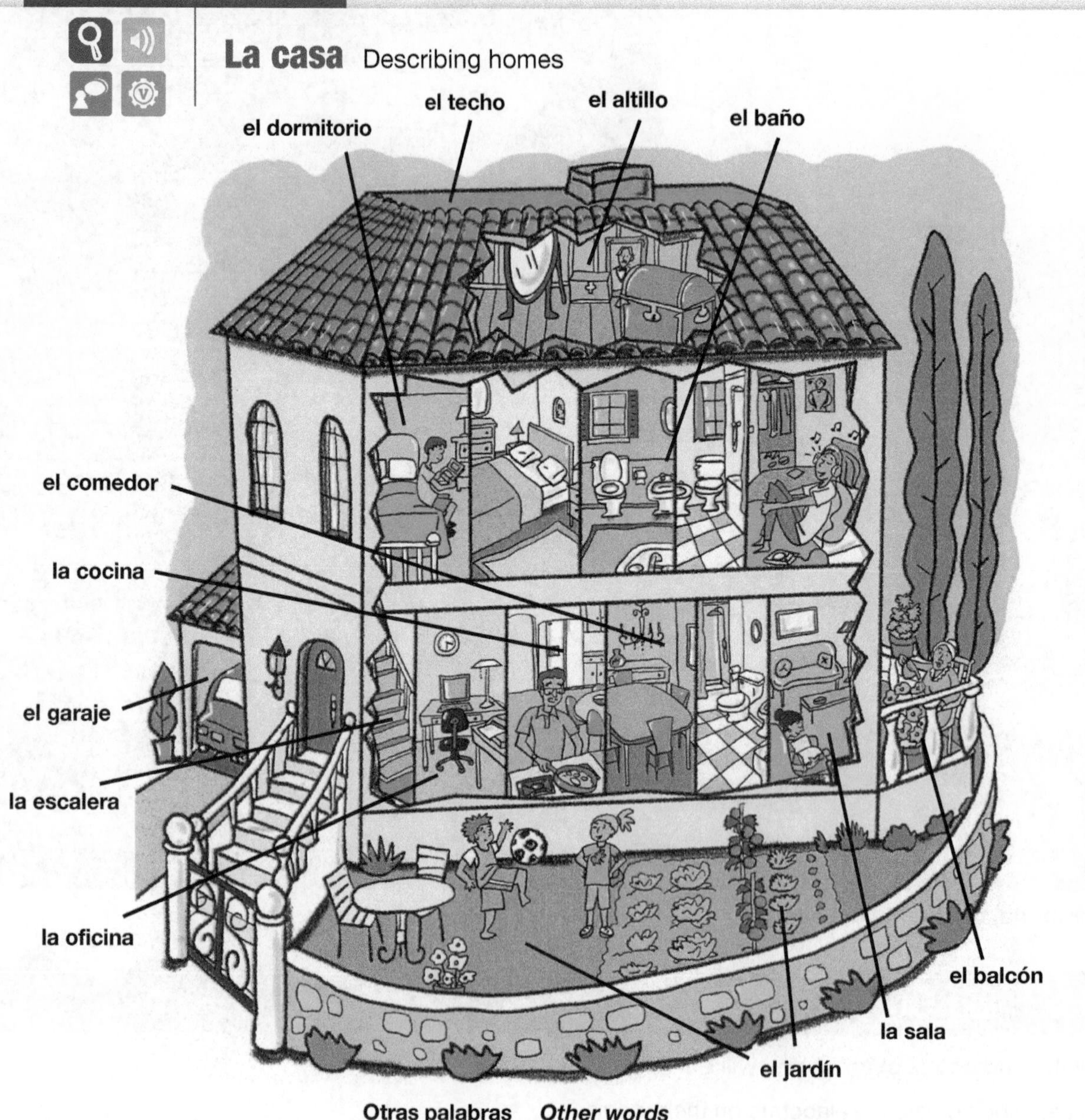

Otras palabras	*Other words*
el cuarto	*room*
el piso	*floor; story*
el sótano	*basement*
el suelo	*floor*
la planta baja	*ground floor*
el primer piso	*second floor*
el segundo piso	*third floor*
el tercer piso	*fourth floor*

¿? Now you are ready to complete the ***Preparación y práctica*** activities for this chunk online.

PRONUNCIACIÓN

The letters *h, j,* and *g*

Go to *¡Anda!* online to learn to pronounce the letters **h, j,** and **g.**

Capítulo 2. El verbo *estar*, pág. 83.

3-1 ¿Dónde están los cuartos?

Miren (*Look at*) el dibujo (*drawing*) de la casa en la página 106 y túrnense (*take turns*) para decir dónde están los siguientes (*following*) cuartos.

Estrategia

In *Capítulo 3* many of the directions for the activities are written in Spanish. New words that appear in the directions will be translated for you the first time they are used. Keep a list of those words to refer to; it helps you increase your vocabulary.

Fíjate

The first floor, or ground floor, is generally called *la planta baja; el primer piso* actually refers to the second floor. What is the third floor called?

MODELO E1: *el garaje*
E2: *El garaje está en la planta baja.*

	EN LA PLANTA BAJA	EN EL PRIMER PISO	EN EL SEGUNDO PISO
la sala			
el baño			
el dormitorio			
la cocina			
la oficina			
el altillo			

3-2 ¿Cierto o falso?

Look at the drawing on page 106. Then listen to Marta talking on the phone as she tells her friend where she thinks all of her family members are. Indicate **C** for **Cierto** (true) or **F** for **Falso** (false) for each statement you hear.

C	F	Miembro de la familia
☐	☐	1. hermanos Marco y Ana
☐	☐	2. mamá
☐	☐	3. hermano Gregorio
☐	☐	4. papá
☐	☐	5. abuela

3-3 Las partes de la casa

Dile (*Tell*) a tu compañero/a en qué parte de la casa haces (*you do*) las siguientes actividades.

Capítulo 2. Los deportes y los pasatiempos, pág. 89.

MODELO estudiar
E1: *Yo estudio en la oficina. ¿Y tú?*
E2: *Yo estudio en mi dormitorio.*

1. hablar por teléfono
2. leer un libro
3. ver la televisión
4. organizar papeles
5. preparar enchiladas
6. tocar un instrumento
7. escuchar música
8. tomar el sol

Fíjate

In the directions, words like *miren, túrnense, comparen,* and *usen* are plural—they refer to both you and your classmate.

3-34 ¿Y tu casa...? Túrnense para describir sus casas (o la de un miembro de su familia o de un amigo) y compararlas con la casa de la página 106. Usen el modelo para crear por lo menos (*at least*) **cinco** oraciones (*sentences*).

MODELO *En la casa del dibujo, la sala está en la planta baja y mi sala está en la planta baja también. En la casa del dibujo, el dormitorio está en el segundo piso, pero mi dormitorio está en la planta baja. No tenemos altillo...*

Capítulo 2. Presente indicativo de verbos regulares, pág. 71; Capítulo 1. El verbo *tener*, pág. 35

3-35 Es una casa interesante... Look at the following photos and, with a partner, create a short description of one of the houses. Imagine the interior, and the person(s) who may live there. Share your description with the class.

MODELO *La casa está en México y es grande y muy moderna. Tiene seis dormitorios, cuatro baños, una cocina grande y moderna, una sala grande y un balcón. Gastón y Patricia viven allí. Tienen tres hijos. Ellos trabajan en la ciudad...*

antiguo/a	*old*	**humilde**	*humble*
la calle	*street*	**moderno/a**	*modern*
el campo	*country*	**nuevo/a**	*new*
la ciudad	*city*	**tradicional**	*traditional*
contemporáneo/a	*contemporary*	**viejo/a**	*old*

1\.

Oviedo, España

2\.

México

3\.

Guanajuato, México

4\.

Cartagena, Colombia

5\.

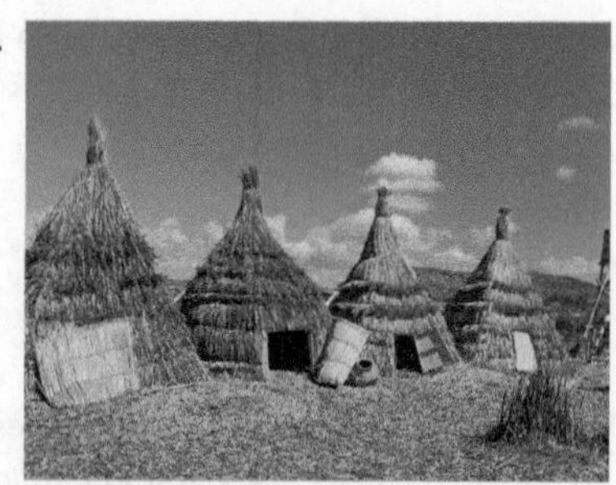

las islas flotantes de los Uros, Perú

6\.

Paracas, Perú

2 GRAMÁTICA

Algunos verbos irregulares Expressing actions

Estrategia

Memorizing information is easier to do when the information is arranged in chunks. You will notice that some of the *yo* forms end in *-go*, such as *salgo, traigo,* and *pongo*. Learning the information as a chunk of "*go*" verbs may make it easier to remember.

Look at the present tense forms of the following verbs. In the first group, note that they all follow the same patterns that you learned in **Capítulo 2** to form the present tense of regular verbs, *except* in the **yo** form.

Group 1

	conocer (*to be acquainted with*)	**dar** (*to give*)	**hacer** (*to do; to make*)	**poner** (*to put; to place*)
yo	conozco	doy	hago	pongo
tú	conoces	das	haces	pones
Ud.	conoce	da	hace	pone
él, ella	conoce	da	hace	pone
nosotros/as	conocemos	damos	hacemos	ponemos
vosotros/as	conocéis	dais	hacéis	ponéis
Uds.	conocen	dan	hacen	ponen
ellos/as	conocen	dan	hacen	ponen

Estrategia

Organize the new verbs you are learning in your notebook. Note whether each verb is regular or irregular, what it means in English, if any of the forms have accents, and if any other verbs follow this pattern. You might want to highlight or color code the verbs that follow patterns.

	salir (*to leave; to go out*)	**traer** (*to bring*)	**ver** (*to see*)
yo	salgo	traigo	veo
tú	sales	traes	ves
Ud.	sale	trae	ve
él, ella	sale	trae	ve
nosotros/as	salimos	traemos	vemos
vosotros/as	salís	traéis	veis
Uds.	salen	traen	ven
ellos/as	salen	traen	ven

In the second group, note that **venir** is formed similarly to **tener,** which you learned about in **Capítulo 1,** on p. 35.

Group 2

	venir (*to come*)
yo	vengo
tú	vienes
Ud.	viene
él, ella	viene
nosotros/as	venimos
vosotros/as	venís
Uds.	vienen
ellos/as	vienen

In the third group of verbs, note that all of the verb forms have a spelling change except in the **nosotros** and **vosotros** forms.

Group 3

	decir (*to say; to tell*)	**oír** (*to hear*)	**poder** (*to be able to*)	**querer** (*to want; to love*)
yo	digo	oigo	puedo	quiero
tú	dices	oyes	puedes	quieres
Ud.	dice	oye	puede	quiere
él, ella	dice	oye	puede	quiere
nosotros/as	decimos	oímos	podemos	queremos
vosotros/as	decís	oís	podéis	queréis
Uds.	dicen	oyen	pueden	quieren
ellos/as	dicen	oyen	pueden	quieren

Now you are ready to complete the ***Preparación y práctica*** activities for this chunk online.

3-6 La ruleta

How competitive are you? Listen as your instructor explains how to play this fast-paced game designed to practice the new verb forms. When you finish with this list, repeat the activity with different verbs and include **estar, ser,** and **tener.**

Capítulo A Para empezar. El verbo *ser,* pág. 13; Capítulo 1. El verbo *tener,* pág. 35; Capítulo 2. El verbo *estar,* pág. 83.

1. traer
2. hacer
3. oír
4. querer
5. conocer
6. dar
7. decir
8. venir
9. poder
10. poner
11. ver
12. salir

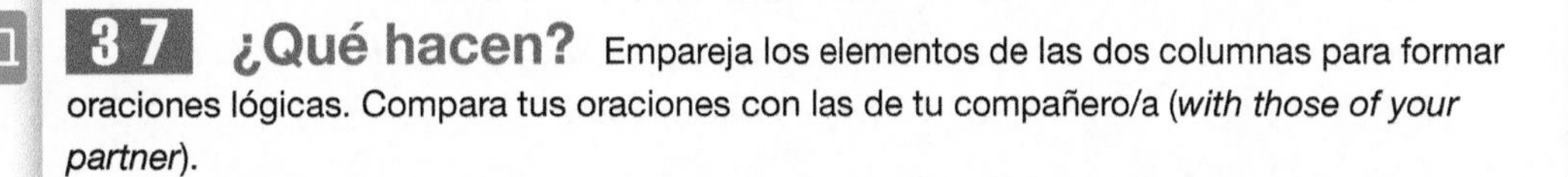

3-7 ¿Qué hacen?

Empareja los elementos de las dos columnas para formar oraciones lógicas. Compara tus oraciones con las de tu compañero/a (*with those of your partner*).

1. ______ Hoy mis hermanos…
2. ______ Mis amigos y yo…
3. ______ Mi abuelo…
4. ______ Yo…
5. ______ Mi perro (*dog*)…
6. ______ Mi profesor/a…
7. ______ Tú…

a. pone los recuerdos (*mementos*) de nuestra familia en el altillo.
b. conoce bien la arquitectura de España.
c. hacemos fiestas en el jardín.
d. ves la televisión en tu dormitorio.
e. no pueden salir de casa.
f. quiero una casa con dos pisos, tres baños y un garaje.
g. siempre viene a la cocina para comer.

3-8 Combinaciones

Completa los siguientes pasos.

Paso 1 Escribe una oración lógica con cada (*each*) verbo, combinando elementos de las tres columnas.

MODELO (A) nosotros, (B) hacer, (C) la tarea en el dormitorio
Nosotros hacemos la tarea en el dormitorio.

COLUMNA A	COLUMNA B	COLUMNA C
Uds.	(no) hacer	estudiar en el balcón
mamá y papá	(no) ver	programas interesantes en la televisión los domingos
yo	(no) conocer	de la casa
tú	(no) oír	la tarea en el dormitorio
el profesor	(no) querer	los libros al segundo piso
nosotros/as	(no) salir	ruidos (*noises*) en el altillo por la noche
ellos/ellas	(no) traer	bien el arte de España

Paso 2 En grupos de tres, lean las oraciones y corrijan (*correct*) los errores.

Paso 3 Escriban juntos (*together*) **dos** oraciones nuevas y compártanlas (*share them*) con la clase.

3-9 Confesiones Time for true confessions! Take turns asking each other how often you do the following things.

Capítulo 2. La formación de preguntas y las palabras interrogativas, pág. 75.

siempre	*always*
a menudo	*often*
a veces	*sometimes*
nunca	*never*

MODELO venir tarde (*late*) a la clase de español

E1: *¿Vienes tarde a la clase de español?*

E2: *Nunca vengo tarde a la clase de español. ¿Y tú?*

E1: *Yo vengo tarde a veces.*

1. querer estudiar
2. oír lo que (*what*) dice tu profesor/a
3. poder contestar las preguntas de tu profesor/a de español
4. escuchar música en la clase de español
5. hacer preguntas tontas en clase
6. traer tus libros a la clase
7. salir temprano (*early*) de tus clases
8. querer comer en la sala para ver la televisión

3-10 Firma aquí Complete the following steps.

Paso 1 Circulate around the room, asking your classmates appropriate questions using the cues provided. Ask those who answer **sí** to sign on the corresponding line in the chart.

MODELO venir a clase todos los días

E1: *Roberto, ¿vienes a clase todos los días?*

E2: *No, no vengo a clase todos los días.*

E1: *Amanda, ¿vienes a clase todos los días?*

E3: *Sí, vengo a clase todos los días.*

E1: *Muy bien. Firma aquí, por favor.* Amanda

Fíjate

Part of the enjoyment of learning another language is getting to know other people. Your instructor structures your class so that you have many opportunities to work with different classmates.

¿QUIÉN... ?	
1. ver la televisión todas las noches	______
2. hacer la tarea siempre	______
3. salir con los amigos los jueves por la noche	______
4. estar enfermo/a hoy	______
5. conocer Madrid	______
6. poder estudiar con música fuerte (*loud*)	______
7. querer ser arquitecto	______
8. tener una nota muy buena en la clase de español	______

Paso 2 Report some of your findings to the class.

MODELO *Joe ve la televisión todas las noches. Toni siempre hace la tarea. Chad está enfermo hoy...*

3-11 Entrevista Complete the following steps.

Paso 1 Ask a classmate you do not know the following questions. Then change roles.

1. ¿Haces ejercicio? ¿Con quién? ¿Dónde?
2. ¿Cuándo ves la televisión? ¿Cuál es tu programa favorito?
3. ¿Con quién(es) sales los fines de semana (*weekends*)? ¿Qué hacen ustedes?
4. ¿Qué días vienes a la clase de español? ¿A qué hora?
5. ¿Dónde pones tus libros?
6. ¿Siempre dices la verdad (*the truth*)?

Paso 2 Share a few of the things you have learned about your classmate with the class.

MODELO *Mi compañero sale los fines de semana con sus amigos y no hace ejercicio.*

Nota cultural ¿Dónde viven los españoles?

En Madrid, la capital de España, al igual que en Barcelona, una ciudad cosmopolita en el noreste del país, la vida es tan rápida y vibrante como en la ciudad de Nueva York y otras grandes ciudades. Muchas personas viven en pisos (apartamentos) en edificios grandes, mientras que muchas otras viven ahora en las afueras (*outskirts*) en complejos (grupos) de casas llamados "urbanizaciones", y van a la ciudad para trabajar. Para muchas personas, el costo de vivir en los centros urbanos resulta demasiado caro. Para otras, es preferible vivir donde la vida es un poco más tranquila y tener algo de naturaleza (*nature*) cerca de su vivienda.

Sin embargo (*Nevertheless*), en los pueblos pequeños y en el campo la vida es diferente. Generalmente, las casas son bajas y algunas (*some*) tienen corrales con animales. Muchas personas se dedican a la agricultura y la vida es más lenta (*slow*).

Preguntas

1. ¿Dónde viven generalmente las personas que residen en Barcelona y en Madrid? ¿Qué es una "urbanización"?
2. ¿Cómo es diferente la vida en el campo?
3. ¿Dónde prefieres vivir tú, en el campo o en la ciudad?

3 VOCABULARIO

Los muebles y otros objetos de la casa

Elaborating on rooms

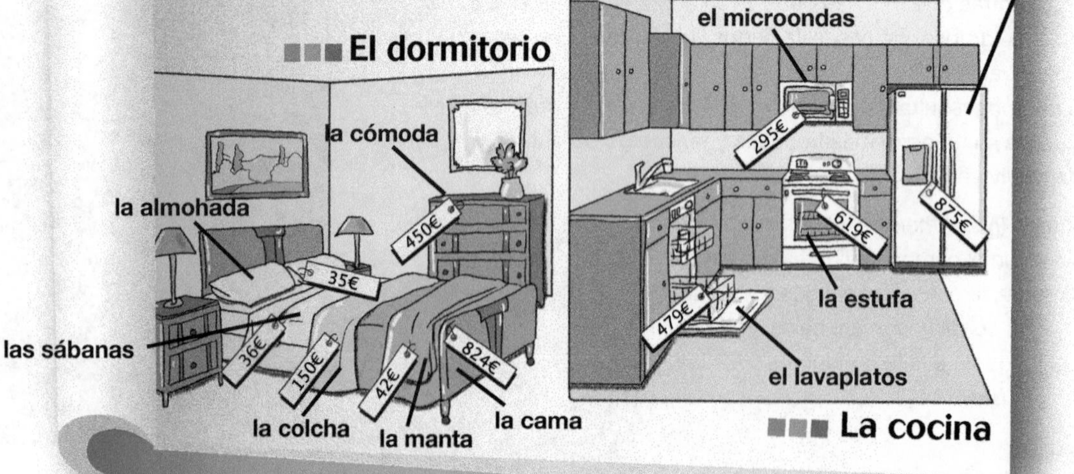

Otras palabras	*Other words*
el armario	*armoire; closet; cabinet*
la cosa	*thing*
el cuadro	*picture; painting*
el mueble	*piece of furniture*
los muebles	*furniture*
el objeto	*object*
amueblado/a	*furnished*

Now you are ready to complete the ***Preparación y práctica*** activities for this chunk online.

3-12 En mi casa

Túrnense para describir qué muebles y objetos tienen en sus casas.

Capítulo 1. El verbo *tener*, pág. 35.

MODELO E1: *Yo tengo una cama y dos sillas en mi dormitorio. ¿Qué tienes tú?*

E2: *Yo tengo una cama, un cuadro, una lámpara y una televisión. ¿Qué tienes en tu cocina?*

3-13 El dormitorio de Cecilia

Mira (*Look at*) la foto y con un/a compañero/a determina dónde está o no está cada objeto.

Fíjate

The preposition *de* combines with the masculine definite article *el* to form the contraction *del*. The feminine article *la* does not contract. Note the following examples.

La cómoda está a la derecha **de la** puerta.	*The dresser is to the right of the door.*
La cómoda está a la derecha **del** armario.	*The dresser is to the right right of the closet.*

a la derecha (de)	*to the right (of)*
a la izquierda (de)	*to the left (of)*
al lado (de)	*beside*
encima (de)	*on top (of)*
sobre	*on; on top (of); over*

MODELO E1: ¿Dónde está la manta?

E2: *La manta está sobre la cama.*

¿Dónde está(n)…?

1. la cama
2. el armario
3. la lámpara
4. la cómoda
5. las sábanas
6. los cuadros
7. las almohadas
8. la ventana

3-14 ¿Quieres un apartamento estupendo? You have received a grant to study abroad in Sevilla, Spain! Now you need to find a place to live. Look at the three apartment ads below, and select one of them. Give your partner at least **three** reasons for your choice. Use expressions like **Quiero..., Me gusta(n)...** or **Tiene un/a...** Be creative!

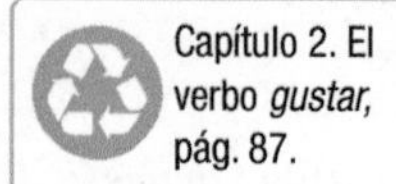

Capítulo 2. El verbo *gustar*, pág. 87.

MODELO *Me gusta el edificio nuevo y tiene un apartamento con muebles. No me gustan...*

Piso. Plaza de Cuba, Los Remedios. Edificio nuevo: dos dormitorios, baño, cocina, sala grande y balcón. Amueblado. 750€ al mes. Tel. 95 446 04 55.

Piso. Colonia San Luis. Sala, cocina, dormitorio y baño. Sin muebles. 400€ al mes. Tel. 95 448 85 32.

Alquilo piso de lujo en casa patio rehabilitada del siglo XVIII. Dos plantas, sala, cocina con zona de comedor, baño y dormitorio. Totalmente amueblado (junto a la Plaza Nueva, a dos minutos de la Catedral, Alcázar). Para más información por favor ponte en contacto con Teresa Rivas. Tel. 95 422 47 03.

¿Cómo andas? I

Having completed **Comunicación I,** I now can...	Feel confident	Need to review
• describe homes. (p. 106)	☐	☐
• pronounce the letters **h, j,** and **g.** (p. 107 and online)	☐	☐
• express actions. (p. 109)	☐	☐
• describe general differences in housing in Spain. (p. 113)	☐	☐
• elaborate on rooms. (p. 114)	☐	☐

Comunicación II

4 VOCABULARIO

Los quehaceres de la casa
Sharing information about household chores

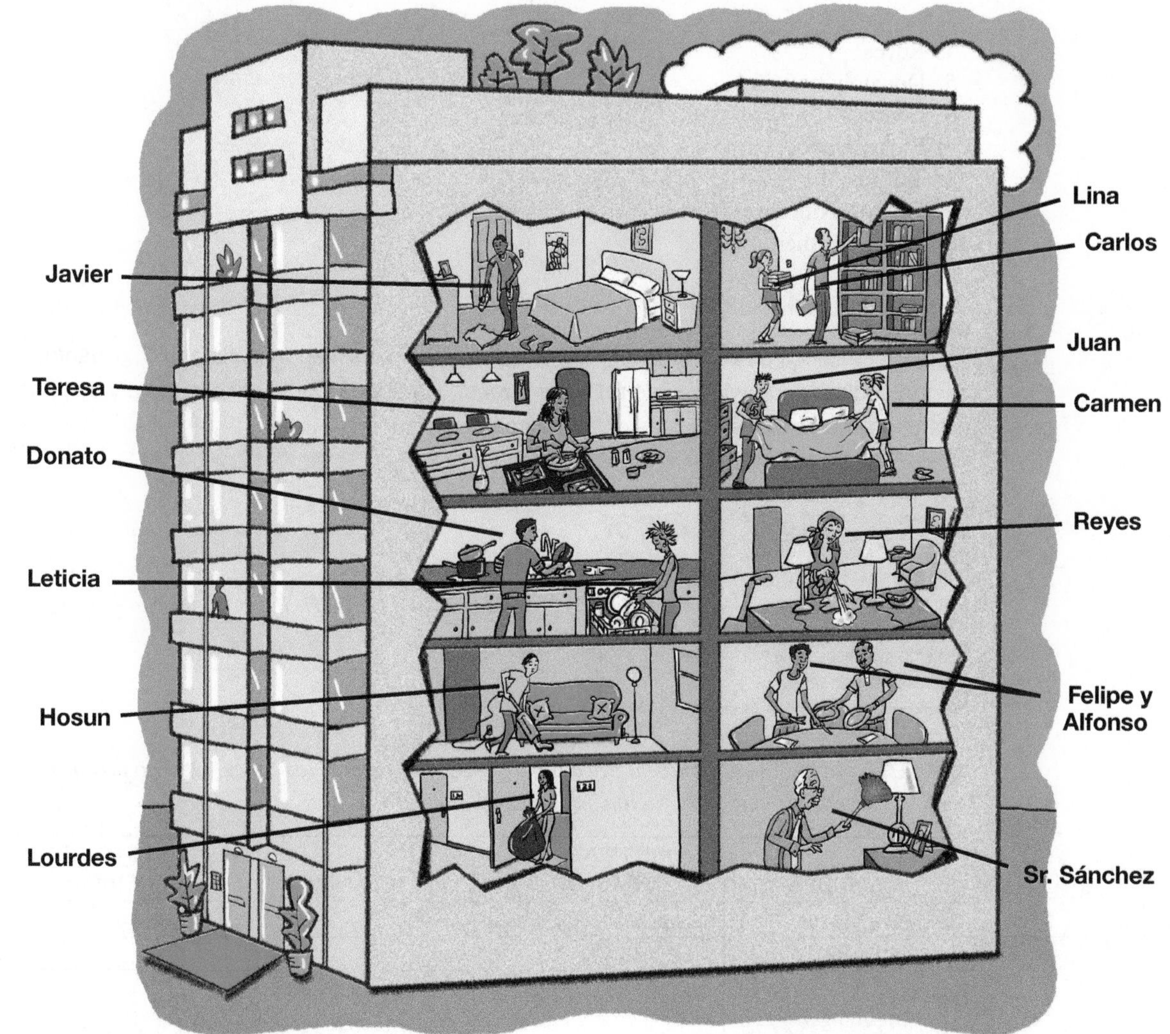

Otras palabras	Other words
arreglar	*to straighten up; to fix*
ayudar	*to help*
cocinar; preparar la comida	*to cook; to prepare a meal*
guardar	*to put away; to keep*
hacer la cama	*to make the bed*
lavar los platos	*to wash dishes*
limpiar	*to clean*
pasar la aspiradora	*to vacuum*
poner la mesa	*to set the table*
sacar la basura	*to take out the garbage*
sacudir los muebles	*to dust*
la ropa	*clothes; clothing*
desordenado/a	*messy*
limpio/a	*clean*
sucio/a	*dirty*

¿? Now you are ready to complete the ***Preparación y práctica*** activities for this chunk online.

3-15 ¡Mucho trabajo! Mira el dibujo en la página 117 y con un/a compañero/a determina qué hacen las siguientes personas.

MODELO E1: *Carmen*

E2: *Carmen hace la cama.*

1. El Sr. Sánchez
2. Hosun
3. Javier
4. Reyes
5. Donato y Leticia
6. Lourdes
7. Lina y Carlos
8. Teresa
9. Felipe y Alfonso
10. Juan y Carmen

3-16 Responsabilidades ¿Cuáles son tus responsabilidades? ¿Cuánto tiempo dedicas a (*do you devote to*) estas tareas? ¿Cuándo? Completa el cuadro y comparte (*share*) oralmente tus respuestas con un/a compañero/a.

Fíjate

The expression *tener que* + (infinitive) means "to have to do" something. *¿Qué tienes que hacer?* means "What do you have to do?" Later in this chapter you will learn more expressions with *tener*.

tener que + (***infinitive***) *to have to* + (*verb*)

MODELO *Tengo que limpiar mi dormitorio y sacar la basura los lunes. Dedico dos horas porque está muy sucio y tengo mucha basura.*

LUGAR	¿QUÉ TIENES QUE HACER?	¿CUÁNDO?	¿CUÁNTO TIEMPO DEDICAS?
1. mi dormitorio	limpiar mi dormitorio y sacar la basura	el lunes	dos horas
2. el baño			
3. la cocina			
4. la sala			
5. el garaje			
6. el comedor			

5 VOCABULARIO

Los colores Illustrating objects using colors

una casa sevillana

el Puerto de Ribadeo

los Picos de Europa

beige

una casa urbana española

la catedral en Bilbao

el mar al lado de Baiona

un viñedo en La Rioja

una casa privada

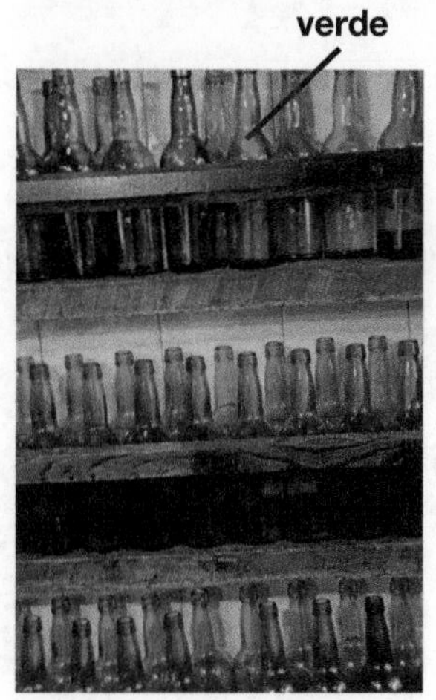

las botellas para la sidra

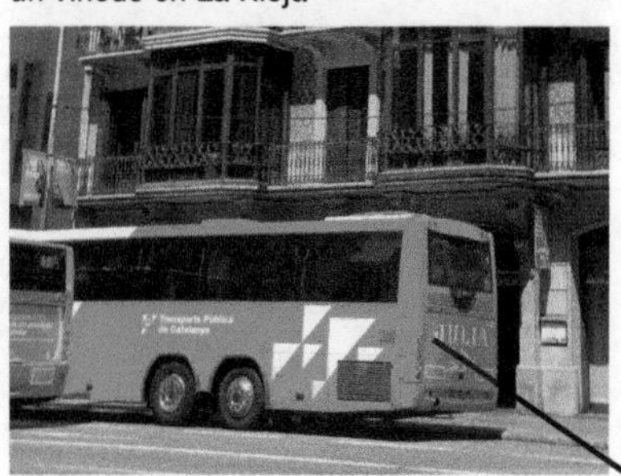

un autobús

Colors are descriptive adjectives, and as such, they must agree with the nouns they describe in number and gender.

Fíjate

You learned in *Capítulo 1* (p. 44) that adjectives normally follow nouns in Spanish, e.g. el coche *rojo*.

- Adjectives ending in **-o** have four forms.

  rojo roja rojos rojas

- Adjectives ending in a vowel other than **-o,** or in a consonant, have two forms.

  verde verdes

  azul azules

¿De qué color es…?	***What color is … ?***
La cas**a** es blanc**a** y tiene un tech**o** roj**o**.	*The house is white and has a red roof.*
Las cas**as** son blanc**as** y tienen tech**os** roj**os**.	*The houses are white and have red roofs.*
Tengo un armari**o** marró**n**.	*I have a brown armoire.*
Tengo una alfombr**a** marró**n**.	*I have a brown rug.*
Tengo dos sillon**es** marron**es**.	*I have two brown armchairs.*

How would you say "a black refrigerator," "a white sofa," "a green kitchen," and "some yellow chairs?"

Now you are ready to complete the ***Preparación y práctica*** activities for this chunk online.

3-17 La casa ideal Termina (*Finish*) las siguientes oraciones para describir tu casa ideal, incluyendo los colores. Comparte tus respuestas con un/a compañero/a.

MODELO E1: *Quiero una casa con… una cocina…*

E2: *Quiero una casa con una cocina amarilla.*

Quiero una casa con…

1. una alfombra…
2. una bañera…
3. un inodoro y un lavabo…
4. un refrigerador…
5. un comedor…
6. unos sillones…
7. un techo…
8. ¿?

3-18 ¿Cómo son? Túrnense para comparar la sala de Luis con la tuya (*yours*) o la sala de un/a amigo/a. Usen los verbos **ser** y **tener.**

Capítulo A Para empezar. El verbo *ser*, pág. 13; Capítulo 1. El verbo *tener*, pág. 35; Capítulo 2. El verbo *estar*, pág. 83.

MODELO E1: *Luis tiene una sala grande, pero yo tengo una sala pequeña.*

E2: *La sala de Luis es grande y mi sala es grande también.*

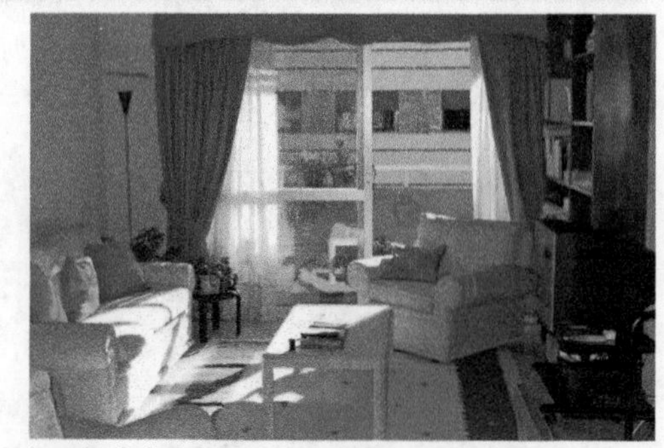
la sala de Luis

3-19 Buena memoria Bring in colorful pictures of a house or rooms in a house. Select one picture and take a minute to study it carefully. Turn it over and relate to a partner as much detail as you can remember about the picture, especially pertaining to colors. Then listen to your partner talk about his or her picture. Who remembers more?

3-20 En la casa de Dalí Go to the Internet to take a virtual tour of the home of a famous Spaniard, such as the house of the artist Salvador Dalí, the Castillo Gala Dalí in Púbol, Spain. While you are exploring his house, or the house of another Spaniard, answer the following questions. Then compare your answers with those of a classmate.

el Castillo Gala Dalí

1. ¿Qué ves en el jardín?
2. ¿Qué muebles ves o imaginas en cada cuarto?
3. ¿Cuáles son los colores principales de cada cuarto?
4. ¿Qué te gusta más de esta casa? ¿Qué te gusta menos?

6 GRAMÁTICA

Algunas expresiones con *tener*

Depicting states of being using *tener*

Susana tiene 19 años.

The verb **tener,** besides meaning *to have*, is used in a variety of expressions.

tener... años	*to be... years old*
tener calor	*to feel hot*
tener cuidado	*to be careful*
tener éxito	*to be successful*
tener frío	*to be cold*
tener ganas de + (*infinitive*)	*to feel like + (verb)*
tener hambre	*to be hungry*
tener miedo	*to be afraid*
tener prisa	*to be in a hurry*
tener que + (*infinitive*)	*to have to + (verb)*
tener razón	*to be right*
tener sed	*to be thirsty*
tener sueño	*to be sleepy*
tener suerte	*to be lucky*
tener vergüenza	*to be embarrassed*

Fíjate

When you use expressions like *tener frío* or *tener éxito*, please note that words like *frío* and *éxito* are nouns and do not change. For example: *Nosotras tenemos frío. Ellas tienen éxito.*

—Mamá, **tengo hambre.** ¿Cuándo comemos?
—**Tienes suerte,** hijo. Salimos para el restaurante Tío Tapas en diez minutos.

Mom, I'm hungry. When are we eating?
You are lucky, son. We are leaving for Tío Tapas Restaurant in ten minutes.

Now you are ready to complete the ***Preparación y práctica*** activities for this chunk online.

3 21 ¿Qué pasa? Mira los dibujos y, con un/a compañero/a, crea una oración para cada persona. Usa expresiones con **tener.**

MODELO

Susana tiene 19 años.

Rosario Alicia

Beatriz Julián

Pilar

Jorge Ramón Roberto

Carmen David

3 22 ¿Qué haces cuando...? ¿Qué haces en casa en las siguientes situaciones? Contesta la pregunta emparejando los elementos de las dos columnas de la forma más lógica. Compara tus respuestas con las de un/a compañero/a.

MODELO E1: tener ganas de descansar ver la televisión

E2: *Cuando tengo ganas de descansar, veo la televisión.*

Cuando...

1. _____ tener hambre	a. estar muy feliz
2. _____ tener suerte	b. preparar comida en la cocina
3. _____ tener cuidado	c. hacer una limonada
4. _____ tener prisa	d. no tener que limpiar la casa
5. _____ tener frío	e. ver la televisión
6. _____ tener éxito	f. salir rápidamente en mi carro
7. _____ tener sed	g. no hacer errores
8. _____ tener ganas de descansar	h. tomar el sol en el jardín

3-23 ¿Qué tengo yo?

Expresa cómo te sientes (*you feel*) en las siguientes ocasiones usando (*using*) expresiones con **tener.** Compara tus respuestas con las de un/a compañero/a.

Capítulo A Para empezar. Los días, los meses y las estaciones, pág. 21; Capítulo 2. Presente indicativo de verbos regulares, pág. 71.

MODELO E1: antes de comer
E2: *Antes de comer tengo hambre.*

1. temprano en la mañana
2. los viernes por la tarde
3. después de correr mucho
4. en el verano
5. en el invierno
6. cuando tienes tres minutos para llegar a clase
7. cuando sacas una "A" en un examen
8. cuando lees un libro de Stephen King o ves una película (*movie*) de terror

3-24 Pobre Pablo

Poor Pablo, our friend from Madrid, is having one of those days! With a partner, retell his story using **tener** expressions.

MODELO

El despertador de Pablo no funciona (*does not work*). Tiene una clase a las 8:00 y es tarde. Sale de casa a las 8:10.

Pablo tiene prisa.

1. Es invierno y Pablo no tiene abrigo (*coat*).

2. Pablo tiene un insuficiente (60% en los Estados Unidos) en un examen.

3. Pablo recibe una oferta (*offer*) de trabajo increíble.

4. Pablo ve que no tiene dinero para comer.

5. Pablo está en casa y quiere una botella de agua. En el refrigerador no hay ninguna (*none*).

3 25 Datos personales Túrnense para hacerse esta entrevista (*interview*).

1. ¿Cuántos años tienes?
2. ¿Qué tienes que hacer hoy?
3. ¿Tienes ganas de hacer algo diferente? ¿Qué?
4. ¿En qué clase tienes sueño?
5. ¿En qué clase tienes mucha suerte?
6. ¿Siempre tienes razón?
7. ¿Cuándo tienes hambre?
8. ¿Cuándo tienes sueño?
9. Cuando tienes sed, ¿qué tomas?
10. ¿En qué tienes éxito?

7 VOCABULARIO

Los números 1.000–100.000.000 y los números ordinales

Counting from 1,000 to 100,000,000 and ranking people and things

1.000	mil	**100.000**	cien mil
1.001	mil uno	**400.000**	cuatrocientos mil
1.010	mil diez	**1.000.000**	un millón
2.000	dos mil	**2.000.000**	dos millones
30.000	treinta mil	**100.000.000**	cien millones

1. **Mil** is never used in the plural form when counting.

   mil dos mil tres mil

2. To state numbers in the thousands (such as the following dates), use mil, followed by hundreds in the masculine form (if needed).

   1492 mil cuatrocientos noventa y dos
   1950 mil novecientos cincuenta
   2012 dos mil doce

Fíjate

To express "a/one thousand," use *mil*. Do not use the word *un* with *mil*.

3. The plural of **millón** is **millones** and when followed by a noun, both take the preposition **de.**

   un millón de autos cinco millones de personas

4. **Cien** is used before **mil** and **millones (de).**

   cien mil euros cien millones de euros

Fíjate

Note that *millón* has an accent mark in the singular form but loses the accent mark in the plural form, *millones*.

5. Decimal points are used instead of commas in some Hispanic countries to group three digits together, and commas are used to replace decimal points.

   1.000.000 (un millón) $2.000,00 (dos mil dólares)

6. **Ordinal numbers** indicate position in a series or order. The first ten ordinal numbers are listed below. Ordinal numbers beyond *décimo* are rarely used.

primer, primero/a	*first*	**sexto/a**	*sixth*
segundo/a	*second*	**séptimo/a**	*seventh*
tercer, tercero/a	*third*	**octavo/a**	*eighth*
cuarto/a	*fourth*	**noveno/a**	*ninth*
quinto/a	*fifth*	**décimo/a**	*tenth*

7. Ordinal numbers are adjectives and agree in number and gender with the nouns they modify. They usually *precede* nouns.

   el **cuarto** piso — *the fourth floor*
   la **quinta** casa — *the fifth house*

8. Before masculine, singular nouns, **primero** and **tercero** are shortened to **primer** and **tercer.**

   el **primer** coche — *the first car*
   el **tercer** curso — *the third course*

9. After *décimo,* a cardinal number is used and *follows* the noun.

   el piso **catorce** — *the fourteenth floor*
   el siglo **veintiuno** — *the 21st century*

Now you are ready to complete the ***Preparación y práctica*** activities for this chunk online.

3-26 ¿Cuánto cuesta?

Look at the ads for houses in Spain. Complete the following steps.

Paso 1: Take turns asking for the price and other details for each of the houses.

MODELO E1: *¿Cuánto cuesta la casa en Carmona?*
E2: *Cuesta* (It costs) *ochocientos noventa y cinco mil euros.*
E1: *¿Cuántos dormitorios tiene?*
E2: *Tiene dos dormitorios.*

Paso 2: Rank the houses from your first to fourth favorite.

MODELO E1: *Para mí, la primera es la casa en Costa Brava.*
E2: *Para mí, la primera es la casa en Los Gigantes.*
E1: *Para mí, la segunda es....*
E2: *Para mí...*

Casa en venta

2 dormitorios,
2 baños,
calefacción,
aire acondicionado.

Cerca de la calle Santa Ana.

Carmona, España.

Precio: 895.000€ Tel: (+34) 954 190 576

Casa independiente en venta

6 dormitorios, 3 baños, cocina amueblada, terrazas, piscina.

Los Gigantes, Tenerife, España.

Precio: 2.620.000€ Tel: (+34) 922 787 718

Casa independiente en venta

3 dormitorios, 2 baños, cocina amueblada, calefacción, terrazas, chimenea. Jardín grande. Posibilidad de ampliación de dormitorios.

Costa Brava, España.

Precio: 960.607€ Tel: (+34) 972 212 315

Casa unifamiliar en venta

Casa señorial de cuatro plantas.

La construcción data del año 1800.

En buen estado de conservación.

5 dormitorios,
2 baños, chimenea,
terrazas, jardín grande.

Oviedo, España.

Precio: 620.000€ Tel: (+34) 984 223 591

3-27 ¿Cuánto? Listen as Miguel, a real estate agent, tells you the prices of luxury homes available for purchase. Write the prices you hear.

1. ______________

2. ______________

3. ______________

4. ______________

3-28 ¿Cuál es su población? Lee las poblaciones de las siguientes ciudades de España mientras (*while*) tu compañero/a te escucha y corrige. Después, cambien de papel (*change roles*).

1. Madrid	2.824.000
2. Barcelona	1.454.000
3. Valencia	736.000
4. Sevilla	695.000
5. Granada	242.000

3-29 **¿Qué compras?** Your rich uncle left you an inheritance with the stipulation that you use the money to furnish your house. Refer to the pictures on page 114 to spend 5.500€ on your house. Make a list of what you want to buy, assigning prices to any items without tags. Then share your list with your partner, who will keep track of your spending. Did you overspend?

Fíjate

The sentence in the model includes two verbs; the second verb is an infinitive (*-ar, -er, -ir*).

Quiero compr**ar** un televisvor.	*I want to buy a television.*

MODELO *Quiero comprar una televisión por* (for) *ochocientos noventa y nueve euros.*

3-30 **Preguntas de trivia** Túrnense para hacerse las siguientes preguntas y contestarlas.

1. ¿En qué piso está tu clase de español?
2. ¿A qué hora es tu primera clase los lunes? ¿Y la segunda?
3. ¿Cuál es el tercer mes del año? ¿Y el sexto?
4. ¿Cuál es el séptimo día de la semana?
5. ¿Cuál es el nombre del primer presidente de los Estados Unidos?
6. ¿Cómo se llama la cuarta persona de la tercera fila (*row*) en la clase de español?

Nota cultural

Las casas "verdes"

El norte de España (Galicia, Asturias, Cantabria y el País Vasco) se llama "la España verde" a causa del color verde del paisaje (*countryside*). Hay suficiente lluvia y los árboles y la otra vegetación responden bien a la madre naturaleza.

Pero verde significa otra cosa también. España y otros países hispanohablantes tratan de (*try to*) vivir una vida verde. "Vivir una vida verde" significa valorar, cuidar (*care for*) y preservar los recursos naturales. Por ejemplo, usan el viento para producir energía. España produce entre 30 y 50 por ciento de su electricidad del viento. También hay casas con paneles solares.

En el sur de España, muchas casas son de color blanco. Es una tradición muy vieja. El color blanco refleja los rayos del sol y conserva la casa más fresca. Es aún otra manera para vivir una vida verde.

Preguntas

1. Explica los dos sentidos (*meanings*) de la palabra "verde".
2. ¿Dónde hay edificios o casas verdes en los Estados Unidos?

8 GRAMÁTICA

Hay y hay que + (infinitivo) Stating *There is / There are.* Stating what needs to be accomplished.

1. In **Capítulo 2,** you became familiar with **hay** when you described your classroom. To say *there is* or *there are* in Spanish you use **hay.** The irregular form **hay** comes from the verb **haber.**

Hay un baño en mi casa.	*There is one bathroom in my house.*
Hay cuatro dormitorios también.	*There are also four bedrooms.*
—¿**Hay** tres baños en tu casa?	*Are there three bathrooms in your house?*
—No, no **hay** tres baños.	*No, there aren't three bathrooms.*

2. Earlier in this chapter you learned that a form of *tener* + *que* + (infinitive) means *to have to do something.* Another way of expressing the idea of needing to do something is *hay que* + (infinitive).

Hay que limpiar el baño.	*It's necessary to clean the bathroom.*
Hay que poner la mesa.	*It's necessary to set the table.*
¿Hay que sacar la basura?	*Is it necessary to take out the garbage?*

Now you are ready to complete the ***Preparación y práctica*** activities for this chunk online.

¿Qué hay en ese cuarto?

3-31 ¡Escucha bien! Descríbele un cuarto de tu casa (real o imaginaria) a un/a compañero/a en **tres** oraciones. Él/Ella tiene que repetir las oraciones. Después, cambien de papel.

MODELO E1: *En mi dormitorio hay una cama, una lámpara y una cómoda. También hay dos ventanas. No hay una alfombra.*

E2: *En tu dormitorio hay una cama, una lámpara y una cómoda...*

3-32 ¿Qué hay en tu casa? Descríbele tu casa a un/a compañero/a. Usen todas las palabras que puedan (*you can*) del vocabulario de **La casa**, p. 106, y **Los muebles y otros objetos de la casa**, p. 114.

MODELO E1: *En mi casa hay un garaje. ¿Hay un garaje en tu casa?*

E2: *No, en mi casa no hay un garaje.*

E2: *En mi baño hay una bañera y una ducha. ¿Qué hay en tu baño?*

E1: *Hay una ducha, un inodoro y un lavabo grande.*

3-33 ¿Qué hay que hacer? Contesta las siguientes preguntas usando *hay que.*

MODELO ¿Tienes que limpiar el baño? *Sí, hay que limpiar el baño.*

1. ¿Tenemos que arreglar la sala?
2. ¿Tengo que pasar la aspiradora?
3. ¿Tiene Miguelito que guardar sus cosas?
4. ¿Tengo que sacar la basura?
5. ¿Tienen Uds. que poner la mesa?

3-34 ¿Cuántos hay? Túrnense para preguntar y contestar cuántos objetos y personas hay en su clase aproximadamente.

Capítulo A Para empezar. Los números 0–30, pág. 16; Capítulo 2. La formación de preguntas y las palabras interrogativas, pág. 75.

MODELO libros de español

E1: *¿Cuántos libros de español hay?*

E2: *Hay treinta libros de español.*

1. puertas
2. escritorios
3. mochilas azules
4. cuadernos negros
5. estudiantes contentos
6. estudiantes cansados
7. computadoras
8. estudiantes a quienes les gusta jugar al fútbol
9. estudiantes a quienes les gusta ir a fiestas (*parties*)
10. estudiantes a quienes les gusta estudiar

Escucha

Una descripción

Estrategia

Listening for specific information

To practice listening for specific information, first determine the context of the passage and then decide what information you need about that topic. For example, if you are listening to an ad about an apartment to rent, you may want to focus on size, location, and price. In ***¡Anda! Curso elemental,*** the **Antes de escuchar** section will provide you with tools for successfully listening to and comprehending each passage.

3-35 Antes de escuchar A real estate agent is describing one of the homes listed as a possibility to sell to the Garrido family. Mr. Garrido asks for a few details. Write a question Mr. Garrido might ask the agent.

3-36 A escuchar Listen to the passage and complete the following list based on the information the agent provides. Listen a second time to verify your answers.

1. Number of floors: _____
2. Number of bedrooms: _____
3. Number of bathrooms: _____
4. Size of kitchen: _____
5. Size of living room: _____
6. Price: __________

Los señores Garrido quieren comprar una casa.

3-37 Después de escuchar With a partner, play the roles of Mr. Garrido and a friend. The friend asks questions about the house, and Mr. Garrido describes the house using the information from **3-36**.

¡Conversemos!

3-38 Su casa Look at the drawing below, and create a story about the family who lives there. Your partner will ask you the following questions as well as additional ones he/she may have.

- When does your story take place?
- What is the weather?
- What is the name of the family?
- Describe furniture and household objects using colors.

Also make sure that your story includes the following components.

- Include at least *eight* different verbs.
- Use at least *three* new **tener** expressions (p. 121).

3-39 Mi casa ideal Describe tu casa ideal. Di por lo menos (*at least*) **diez** oraciones, usando palabras descriptivas (adjetivos) en cada oración. Tu compañero/a de clase va a hacer por lo menos **tres** preguntas sobre tu descripción.

Escribe

Un anuncio (*ad*)

Estrategia	
Noun → adjective agreement	Remember that most adjectives follow nouns, and that adjectives agree with their corresponding nouns in gender (*masculine/feminine*) and number (*singular/plural*). Keep this in mind when creating your ad.

3-40 Antes de escribir You have accepted a new job in a different town and you are uncertain regarding the permanence of the position. Therefore, you decide to sublet your apartment, listing it on the Internet. Before creating the posting, make a detailed list of the features you want to include.

3-41 A escribir Organize your list and create your ad, making it as informative and attractive as possible. The ad should include the following information:

- Location (city, country, street, etc.)
- Type of house or building
- Number and types of rooms
- Appliances in the kitchen
- Pieces of furniture included
- Colors
- Price and contact information
- Special features

3-42 Después de escribir Circulate among your classmates sharing your ads, and determine which you would most like to sublet.

¿Cómo andas? II

Having completed **Comunicación II**, I now can...	Feel confident	Need to review
• share information about household chores. (p. 117)	☐	☐
• illustrate objects using colors. (p. 119)	☐	☐
• depict states of being using **tener**. (p. 121)	☐	☐
• count from 1,000–100,000,000 and use ordinal numbers. (p. 124)	☐	☐
• discover green initiatives. (p. 127)	☐	☐
• state *There is / There are* and *It's necessary to...* (p. 128)	☐	☐
• listen for specific information. (p. 129)	☐	☐
• communicate about homes and life at home. (p. 130)	☐	☐
• create an ad. (p. 131)	☐	☐

Vistazo cultural

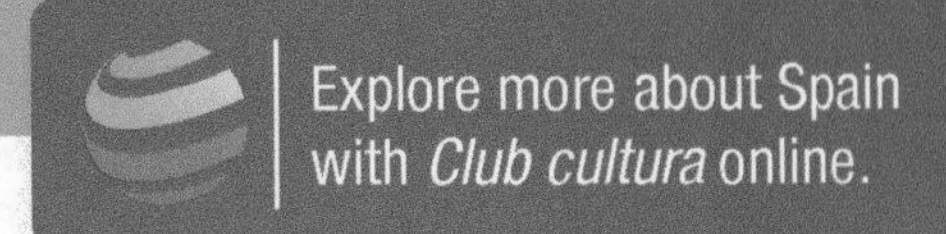

España

Les presento mi país

Mariela Castañeda Ropero

Mi nombre es Mariela Castañeda Ropero y soy de Madrid, la capital de España. Estudio literatura en la Universidad Complutense de Madrid y vivo con mis padres en un piso en el centro. **¿Dónde vives tú? ¿En una casa, en un apartamento o en una residencia estudiantil?** La vida en la capital es muy interesante porque hay mucha actividad. Me gusta salir con mis amigos por la tarde para comer tapas y tomar algo. La Plaza Mayor es nuestro lugar favorito. **¿Cuál es tu lugar favorito para conversar y pasar tiempo con tus amigos?** Frecuentemente, hablamos de las clases en la universidad o de nuestros pasatiempos favoritos. En mi tiempo libre, practico deportes, escucho música y salgo a bailar con amigos los fines de semana. Hay muchos lugares para bailar: ¡la vida nocturna es excelente en Madrid! **¿Qué haces en tu tiempo libre?**

El flamenco es un estilo de baile y música con orígenes en Andalucía, una comunidad autónoma en el sur del país.

La Plaza Mayor de Madrid es un lugar agradable para comer tapas, tomar una bebida y conversar con amigos.

Don Quijote y Sancho Panza son personajes del autor Miguel de Cervantes Saavedra.

El patio de los leones de La Alhambra muestra la influencia árabe en Granada.

Los *castells* —o castillos (*castles*) en español— son impresionantes construcciones humanas.

La tortilla española es una tapa (un aperitivo) muy típica y popular.

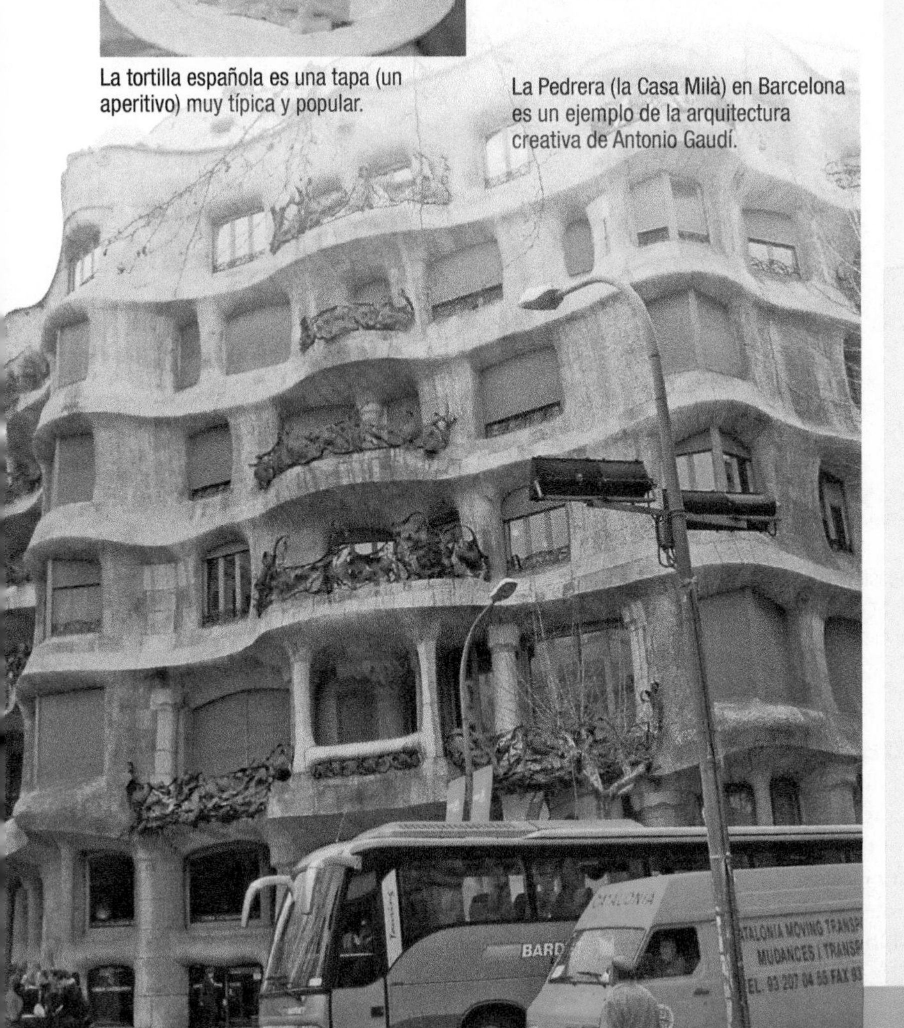

La Pedrera (la Casa Milà) en Barcelona es un ejemplo de la arquitectura creativa de Antonio Gaudí.

ALMANAQUE

Nombre oficial:	Reino de España
Gobierno:	Monarquía parlamentaria
Población:	46.505.963 (2010)
Idiomas oficiales:	español, catalán, gallego, euskera (vasco)
Moneda:	euro (€)

¿Sabías que...?

- España tiene una diversidad de culturas, regiones y arquitectura. Para un país que tiene el doble del tamaño (*size*) del estado de Oregon, tiene una gran variedad.
- Los *castells* forman parte de una tradición empezada en Cataluña en el siglo (*century*) XVIII que consiste en competir por hacer la torre (*tower*) humana más alta. ¡Actualmente el récord es un castillo de nueve pisos!

Preguntas

1. ¿Qué es una tapa?
2. ¿Qué región de España se asocia con el flamenco?
3. ¿Qué evidencia hay de la presencia histórica de los árabes en España?
4. ¿Por qué son impresionantes los *castells*? Nombra una competencia famosa de tu país.
5. Describe la arquitectura de Antonio Gaudí. ¿Te gusta? ¿Por qué?
6. ¿Qué tienen en común España y México? ¿Cómo son diferentes?

Lectura

Un blog de decoración

3-43 Antes de leer You will read a blog about decorating. Before you begin to read, consider the following questions.

1. ¿Te ayudan tu familia y tus amigos en la decoración de tu dormitorio en la residencia estudiantil, tu apartamento o tu casa?
2. ¿Miras programas de televisión sobre decoración? ¿Lees o escribes blogs de decoración?

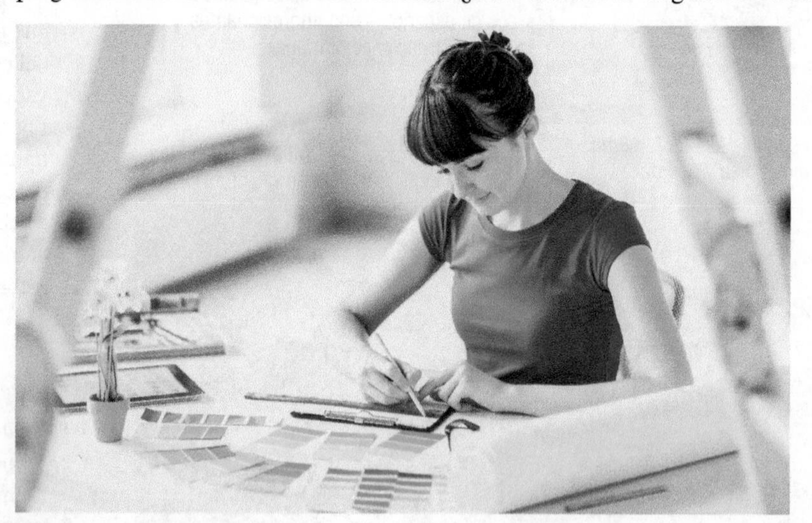

Estrategia

Scanning

To enhance comprehension, you can scan or search a reading passage for specific information. When skimming you read quickly to get the gist of the passage, the main ideas. With scanning, you already know what you need to find out, so you concentrate on searching for that information.

3-44 Mientras lees Complete the following steps.

1. Scan the first paragraph, looking for specific information:
   a. the location of the apartment
   b. why the location of the apartment is important
   c. why Ana María is unable to decorate the room
2. Read the entire blog post to determine Ana María's style preferences and the decorator's response.

DECORADORES, ¡NECESITO AYUDA!

Me llamo Ana María Jiménez. Ahora hago mi residencia médica en el hospital general universitario. Puedo llegar al trabajo en quince minutos en autobús. No tengo tiempo para decorar porque trabajo turnos° de doce horas en el hospital. Tengo suerte porque vivo en un apartamento antiguo en el centro de la ciudad°. Mi compañera es una modelo de ropa° que tiene el apartamento decorado de estilo moderno. Ella me dice que puedo redecorar mi dormitorio. La habitación no tiene espacio. Los muebles en la habitación son muy anticuados, feos y muy grandes. Hay una cama horrible. ¡Es marrón! No me gustan los colores fuertes, especialmente el marrón y el negro. Quiero ver los colores transparentes del mar Mediterráneo en mi cuarto. Tengo un presupuesto° de 3.500 euros. A mí me gusta la música, el cine y el arte moderno. Necesito ayuda porque no sé dónde hay tiendas de muebles en el centro de la ciudad.
¿Qué me recomiendan?

shifts
city
fashion model
budget

Comentarios

¡Ay, qué horror! ¡No puedo creer lo que veo!
Ana María, aquí tienes mi recomendación. Primero, necesitas dar los muebles a un centro de caridad°. Segundo, puedes pintar las paredes con una combinación de blanco y azul. Tercero, tienes suerte porque conozco varias tiendas de muebles baratos° como *Compra aquí, Muebles baratos y Todo moderno,* y están en el centro.
Si quieres mi ayuda, llámame al 1-800-DECORAS.
Marisa López

charity
inexpensive

3-45 Después de leer Contesta las siguientes preguntas.

1. ¿Dónde trabaja Ana María?
2. ¿Cómo es la habitación de Ana María?
3. ¿Por qué no puede decorar su habitación?
4. ¿Cuánto dinero tiene para decorar su habitación?
5. ¿Qué colores le gustan a Ana María?
6. Según Marisa López, ¿qué tiene que hacer Ana María?

3-46 ¡A decorar! Imagina que tú trabajas para una compañía de decoradores. Describe en detalle tus recomendaciones para Ana María.

Media Share

3-47 Muebles gratis (*free*) Ganas (*You win*) la lotería y compras un apartamento. Quieres comprar todo nuevo y quieres dar tus cosas. Necesitas crear una presentación en la que describes las cosas que quieres dar gratis.

For additional *Lectura* activities, go to *¡Anda!* online.

Y por fin, ¿cómo andas?

Having completed this chapter, I now can...	Feel confident	Need to review
Comunicación I		
• describe homes. (p. 106)	☐	☐
• pronounce the letters **h, j,** and **g**. (p. 107 and online)	☐	☐
• express actions. (p. 109)	☐	☐
• elaborate on rooms. (p. 114)	☐	☐
Comunicación II		
• share information about household chores. (p. 117)	☐	☐
• illustrate objects using colors. (p. 119)	☐	☐
• depict states of being using **tener.** (p. 121)	☐	☐
• count from 1,000–100,000,000 and use ordinal numbers. (p. 124)	☐	☐
• state *There is / There are* and *It is necessary to...* (p. 128)	☐	☐
• listen for specific information. (p. 129)	☐	☐
• communicate about homes and life at home. (p. 130)	☐	☐
• create an ad. (p. 131)	☐	☐
Cultura		
• describe general differences in housing in Spain. (p. 113)	☐	☐
• discover green initiatives. (p. 127)	☐	☐
• share information about Spain. (p. 132)	☐	☐
Lectura		
• scan a blog about decoration. (p. 134)	☐	☐
Comunidades		
• use Spanish in real-life contexts. (online)	☐	☐

Vocabulario **activo**

La casa	*The house*
el altillo	*attic*
el balcón	*balcony*
el baño	*bathroom*
la cocina	*kitchen*
el comedor	*dining room*
el cuarto	*room*
el dormitorio	*bedroom*
la escalera	*staircase*
el garaje	*garage*
el jardín	*garden*
la oficina	*office*
el piso	*floor; story*
la sala	*living room*
el sótano	*basement*
el suelo	*floor*
el techo	*roof*
la planta baja	*ground floor*
el primer piso	*second floor*
el segundo piso	*third floor*
el tercer piso	*fourth floor*

Los verbos	*Verbs*
conocer	*to be acquainted with*
dar	*to give*
decir	*to say; to tell*
hacer	*to do; to make*
oír	*to hear*
poder	*to be able to*
poner	*to put; to place*
querer	*to want; to love*
salir	*to leave; to go out*
traer	*to bring*
venir	*to come*
ver	*to see*

Los muebles y otros objetos de la casa	*Furniture and other objects in the house*
La sala y el comedor	*The living room and dining room*
la alfombra	*rug; carpet*
el estante	*bookcase*
la lámpara	*lamp*
el sillón	*armchair*
el sofá	*sofa*
La cocina	*The kitchen*
la estufa	*stove*
el lavaplatos	*dishwasher*
el microondas	*microwave*
el refrigerador	*refrigerator*
El baño	*The bathroom*
la bañera	*bathtub*
el bidé	*bidet*
la ducha	*shower*
el inodoro	*toilet*
el lavabo	*sink*
El dormitorio	*The bedroom*
la almohada	*pillow*
la cama	*bed*
la colcha	*bedspread; comforter*
la cómoda	*dresser*
la manta	*blanket*
las sábanas	*sheets*
Otras palabras	*Other words*
el armario	*armoire; closet; cabinet*
la cosa	*thing*
el cuadro	*picture; painting*
el mueble	*piece of furniture*
los muebles	*furniture*
el objeto	*object*
la ropa	*clothes*
amueblado/a	*furnished*

Los quehaceres de la casa	Household chores
arreglar	*to straighten up; to fix*
ayudar	*to help*
cocinar, preparar la comida	*to cook; to prepare a meal*
guardar	*to put away; to keep*
hacer la cama	*to make the bed*
lavar los platos	*to wash dishes*
limpiar	*to clean*
pasar la aspiradora	*to vacuum*
poner la mesa	*to set the table*
sacar la basura	*to take out the garbage*
sacudir los muebles	*to dust*
desordenado/a	*messy*
limpio/a	*clean*
sucio/a	*dirty*

Expresiones con tener	Expressions with tener
tener... años	*to be . . . years old*
tener calor	*to be hot*
tener cuidado	*to be careful*
tener éxito	*to be successful*
tener frío	*to be cold*
tener ganas de + (*infinitive*)	*to feel like + (verb)*
tener hambre	*to be hungry*
tener miedo	*to be afraid*
tener prisa	*to be in a hurry*
tener que + (*infinitive*)	*to have to + (verb)*
tener razón	*to be right*
tener sed	*to be thirsty*
tener sueño	*to be sleepy*
tener suerte	*to be lucky*
tener vergüenza	*to be embarrassed*

Los colores	Colors
amarillo	*yellow*
anaranjado	*orange*
azul	*blue*
beige	*beige*
blanco	*white*
gris	*gray*
marrón	*brown*
morado	*purple*
negro	*black*
rojo	*red*
rosado	*pink*
verde	*green*

Los números 1.000–100.000.000 y los números ordinales	Numbers 1,000–100,000,000 and ordinal numbers
1.000	*mil*
1.001	*mil uno*
1.010	*mil diez*
2.000	*dos mil*
30.000	*treinta mil*
100.000	*cien mil*
400.000	*cuatrocientos mil*
1.000.000	*un millón*
2.000.000	*dos millones*
100.000.000	*cien millones*
primer, primero/a	*first*
segundo/a	*second*
tercer, tercero/a	*third*
cuarto/a	*fourth*
quinto/a	*fifth*
sexto/a	*sixth*
séptimo/a	*seventh*
octavo/a	*eighth*
noveno/a	*ninth*
décimo/a	*tenth*

Un verbo	A verb
hay	*There is / There are.*
hay que + (*infinitive*)	*It's necessary to…*

Sacatepéquez, Guatemala

4 Nuestra comunidad

No importa si vivimos en el campo (*countryside*), en un pueblo (*town*), en una ciudad o en otro país: tenemos mucho en común. Todos comemos, trabajamos, hacemos compras, pasamos tiempo con la familia y los amigos y ayudamos a los demás (*others*). Nuestra vida en comunidad es similar.

Preguntas

1. Adónde van las personas de tu comunidad para divertirse (*to have fun*)? ¿Dónde hacen las compras? ¿Hay muchas o pocas opciones donde vives?
2. Piensa en tu país. ¿Dónde prefiere vivir la gente: en el campo, los pueblos o las ciudades grandes? ¿Cómo se compara con la tendencia en Centroamérica?
3. ¿Conoces a personas de otros países o culturas? ¿Cuáles son sus actividades típicas? ¿Qué tienes en común con las personas de otros países?

¿Sabías que...?

Más del 25% de los residentes urbanos de Honduras, Guatemala y El Salvador vive en la capital de su país.

Cartagena, Colombia

Plaza de Mayo y la Casa Rosada, Buenos Aires, Argentina

Learning Outcomes

By the end of this chapter, you will be able to:

- ✔ identify places in and around town.
- ✔ relate actions, where you and others are going, and what will happen in the future.
- ✔ impart information about service opportunities.
- ✔ articulate concepts and ideas both affirmatively and negatively.
- ✔ communicate about different aspects of your town.
- ✔ write a postcard and proofread it for accuracy.
- ✔ exchange interesting facts about Honduras, Guatemala, and El Salvador.
- ✔ read a volunteer brochure.

Comunicación I

1 VOCABULARIO

Los lugares Identifying places in and around town

El centro y sus lugares

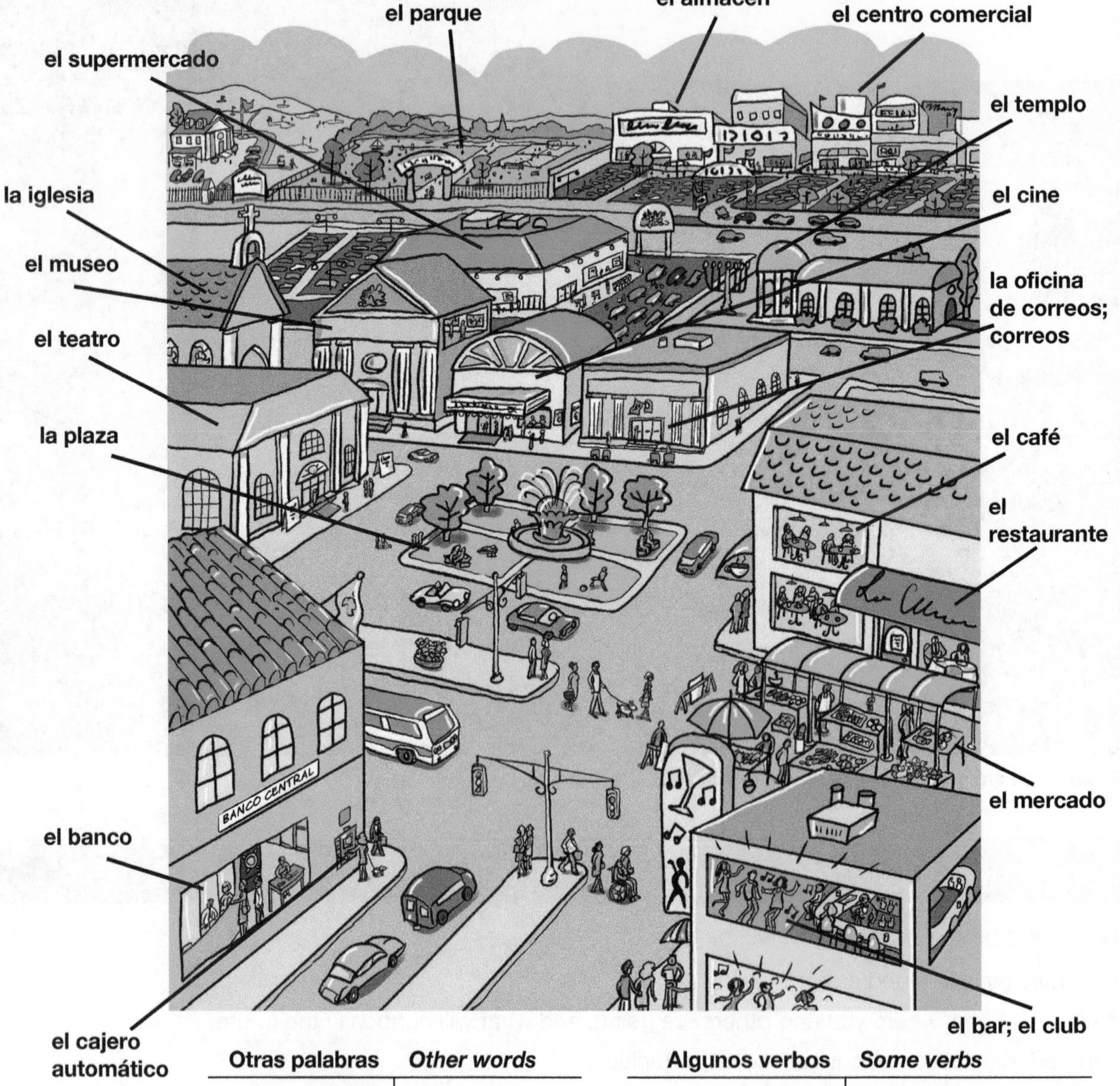

Otras palabras	*Other words*
el cibercafé	*Internet café*
la ciudad	*city*
la cuenta	*bill; account*
la película	*movie; film*
el pueblo	*town; village*

Algunos verbos	*Some verbs*
buscar	*to look for*
mandar una carta	*to send / mail a letter*

¿? Now you are ready to complete the ***Preparación y práctica*** activities for this chunk online.

PRONUNCIACIÓN

The letters *c* and *z*

Go to *¡Anda!* online to learn how to pronounce the letters *c* and *z*.

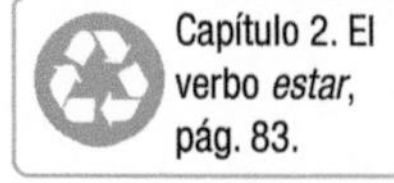

4-1 ¿Dónde está?

Tu amigo está muy ocupado. Túrnate con un/a compañero/a para decir dónde está en este momento.

MODELO E1: Quiere mandar una carta.
E2: *Está en la oficina de correos.*

1. Quiere ver una película.
2. Necesita dinero para la cuenta.
3. Quiere comer algo (*something*).
4. Quiere ver una exposición de arte.
5. Quiere caminar y hacer ejercicio.
6. Tiene sed y quiere tomar algo.
7. Quiere mandar un e-mail.
8. Tiene que ir a una boda (*wedding*).

Fíjate

Note that you use a form of *querer* + *infinitive* to express "to want to _____." For example:

Quiero mandar... = I want to send...

Queremos ver... = We want to see...

4-2 Ciudad Fantasía

Marco visita la Ciudad Fantasía que vemos en la página 142. Escucha e indica el lugar que él visita.

1. a. el club
   b. el banco
   c. el centro comercial
2. a. el almacén
   b. el cine
   c. el supermercado
3. a. el correos
   b. el mercado
   c. el banco
4. a. la plaza
   b. la iglesia
   c. el cajero automático
5. a. el restaurante
   b. el museo
   c. el centro comercial

Capítulo A Para empezar. El verbo *ser*, pág. 13; Capítulo 2. El verbo *estar*, pág. 83.

4-3 El mejor de los mejores

¿Cuáles son, en tu opinión, los mejores lugares en tu comunidad? Completa los siguientes pasos.

Paso 1 Haz (*Make*) una lista de los mejores lugares de tu pueblo o ciudad según las siguientes categorías.

MODELO E1: restaurante
E2: *El mejor restaurante es The Lantern.*

a la derecha (de)	*to the right (of)*	**enfrente (de)**	*in front (of)*
a la izquierda (de)	*to the left (of)*	**estar de acuerdo**	*to agree*
al lado (de)	*next (to)*	**mejor**	*best*
detrás (de)	*behind*	**peor**	*worst*

1. almacén
2. banco
3. centro comercial
4. cine
5. café
6. teatro
7. tienda
8. restaurante
9. supermercado

El mejor de los mejores
Las mejores TIENDAS
Los mejores CINES
Los mejores RESTAURANTES

Paso 2 Compara tu lista con las listas de los otros estudiantes de la clase. ¿Están de acuerdo?

MODELO E1: *En mi opinión, el mejor restaurante es The Lantern. ¿Estás de acuerdo?*
E2: *No, no estoy de acuerdo. El mejor restaurante es The Cricket.*

Paso 3 Túrnense para explicar dónde están los mejores lugares.

MODELO E1: *Busco el mejor restaurante.*
E2: *El mejor restaurante es The Lantern.*
E1: *¿Dónde está?*
E2: *Está al lado del Banco Nacional.*

Fíjate

A reminder from *Capítulo 3*: The preposition *de* combines with the masculine singular definite article *el* to form the contraction *del*. The feminine article *la* does not contract.

4-4 Chiquimula y mi ciudad...

Chiquimula es una ciudad de aproximadamente 41.000 personas que está en el este de Guatemala. Completa los siguientes pasos.

Paso 1 Túrnense para describir el centro del pueblo. Mencionen dónde están los edificios principales.

MODELO *El Hotel Victoria está al lado del Restaurante el Dorado…*

Paso 2 Ahora dibuja (*draw*) un mapa del centro de tu pueblo o ciudad. El dibujo debe incluir los edificios principales. Después, túrnense para describirlo oralmente.

Paso 3 Túrnense para describir sus dibujos mientras tu compañero/a dibuja lo que dices.

Actividades cotidianas: Las compras y el paseo

En los Estados Unidos, la gente hace gran parte de las compras en los centros comerciales. En los países hispanohablantes, también se hacen las compras en los centros comerciales, especialmente en las ciudades grandes. En Guatemala, Honduras y El Salvador algunos de los más conocidos son Miraflores, Altara y Centro Comercial Basilea.

En los pueblos pequeños la gente va al centro de la ciudad. En el centro están los supermercados y el mercado al aire libre, y hay muchas tiendas además de la oficina de correos, el banco y los restaurantes. Se puede encontrar gente de todas las clases sociales y muchos vendedores ambulantes (*roving*).

Otro lugar importante en el centro de los pueblos es la plaza. Allí se encuentra la gente (*people meet*) para conversar, pasear, ir de compras o ir a la iglesia. Además, los lugareños (*locals*) pasean a diario por las calles principales y los parques del pueblo. En los pueblos hispanos siempre hay mucho bullicio (*hubbub*) y actividad, especialmente los fines de semana.

Preguntas

1. En los países hispanohablantes, ¿qué hay en las ciudades grandes? ¿Cómo son los pueblos pequeños? ¿Qué hace la gente todos los días?
2. ¿Dónde prefieres comprar, en las tiendas pequeñas o en los centros comerciales? ¿Por qué?

Fíjate

Note that the word *gente*, unlike the word *people* in English, is singular: *La gente* ***va*** *al centro de la ciudad. Gente*, although made up of more than one person, is considered a collective noun like the singular nouns *la clase, el equipo*, and *la familia*.

2 GRAMÁTICA

Saber y conocer Stating whom and what is known

In **Capítulo 3,** you learned that **conocer** means *to know*. Another verb, **saber,** also expresses *to know*.

> **Fíjate**
>
> Note that *conocer* and *saber* both have irregular *yo* forms: *conozco* and *sé* respectively.

saber (*to know*)

Singular		Plural	
yo	**sé**	nosotros/as	**sabemos**
tú	**sabes**	vosotros/as	**sabéis**
Ud.	**sabe**	Uds.	**saben**
él, ella	**sabe**	ellos/as	**saben**

The verbs are not interchangeable. Note when to use each.

Conocer

- Use **conocer** to express ***being familiar or acquainted with people, places, and things.***

Ellos **conocen** los mejores restaurantes de la ciudad.	*They know the best restaurants in the city.*
Yo **conozco** a tu hermano, pero no muy bien.	*I know your brother, but not very well.*

Note:

1. When expressing that *a person* is known, you must use the personal **a**. For example: **Conozco *a* tu hermano**…
2. When **a** is followed by **el, a + el = al**. For example: **Conozco *al* señor (a + el señor)**…

Saber

- Use **saber** to express ***knowing facts, pieces of information,*** or ***how to do something.***

¿Qué **sabes** sobre la música de Guatemala?	*What do you know about Guatemalan music?*
Yo **sé** tocar la guitarra.	*I know how to play the guitar.*

> **Fíjate**
>
> A form of *saber* + *infinitive* expresses knowing how to do something. For example:
> *Sé nadar.* = I know how to swim.
> *Sabemos tocar la guitarra.* = We know how to play the guitar.

Now you are ready to complete the ***Preparación y práctica*** activities for this chunk online.

45 ¿Sabes o conoces?

Completa las preguntas usando **sabes** o **conoces**. Después, túrnate con un/a compañero/a para hacer y contestar las preguntas.

MODELO E1: *¿Conoces San Salvador?*
E2: *Sí, conozco San Salvador. / No, no conozco San Salvador.*

1. ¿ ______ usar una computadora?
2. ¿ ______ al presidente del Banco Central?
3. ¿ ______ dónde hay un cajero automático?
4. ¿ ______ Tegucigalpa, Honduras?
5. ¿ ______ el mejor restaurante mexicano?
6. ¿ ______ llegar a la oficina de correos?
7. ¿ ______ las películas de James Cameron?
8. ¿ ______ cuál es el mejor café de esta ciudad?

46 ¿Qué sabemos de Honduras?

Completen juntos el diálogo con las formas correctas de **saber** y **conocer**.

PROF. DOMÍNGUEZ: ¿Qué (1) _________ ustedes sobre Honduras?

DREW: Yo (2) _________ que la capital de Honduras es Tegucigalpa.

DREW Y TANYA: Nosotros (3) _________ mucho sobre el país.

PROF. DOMÍNGUEZ: ¿Y (4) _________ ustedes cómo se llaman las personas de Honduras?

TANYA: Sí, se llaman *hondureños*. (5) _________ la cultura hondureña bastante bien. Nuestra hermana, Gina, es una estudiante de intercambio allí este año y nos manda muchas fotos y cartas. Ella (6) _________ a mucha gente interesante, incluso al hijo del Presidente.

PROF. DOMÍNGUEZ: ¡No me digan! (*No way!*) ¿Estudia allí su hermana? ¿(7) _________ ustedes que hay dos universidades muy buenas en Tegucigalpa?

TANYA: Sí, el novio de Gina estudia allí, pero yo no (8) _________ en qué universidad. Él es salvadoreño y nuestros padres no lo (9) _________ todavía. Gina dice que no quiere volver a los Estados Unidos. Yo (10) _________ que mis padres van a estar (*they are going to be*) muy tristes si ella no vuelve.

PROF. DOMÍNGUEZ: Yo (11) _________ a tu hermana y (12) _________ que es una mujer inteligente. Va a pensarlo bien antes de tomar una decisión.

47 ¿Me puedes ayudar?

Sofía acaba de llegar a San Salvador y se siente un poco perdida (*she is feeling a little lost*). Túrnense para hacer y contestar sus preguntas de manera creativa. Luego, creen (*create*) y contesten **dos** preguntas más usando **saber** y **conocer**.

MODELO SOFÍA: *¿Sabes dónde hay una iglesia?*
TÚ: *Sí, sé que hay una iglesia en la plaza.*

1. ¿Conoces un buen restaurante típico?
2. ¿Sabes dónde está el restaurante?
3. ¿Sabes qué tipo de comida (*food*) sirven en el restaurante?
4. ¿Conoces al cocinero (*chef*)?
5. ¿?
6. ¿?

3 VOCABULARIO

Actividades y acciones cotidianas

Relating common everyday activities and occurrences

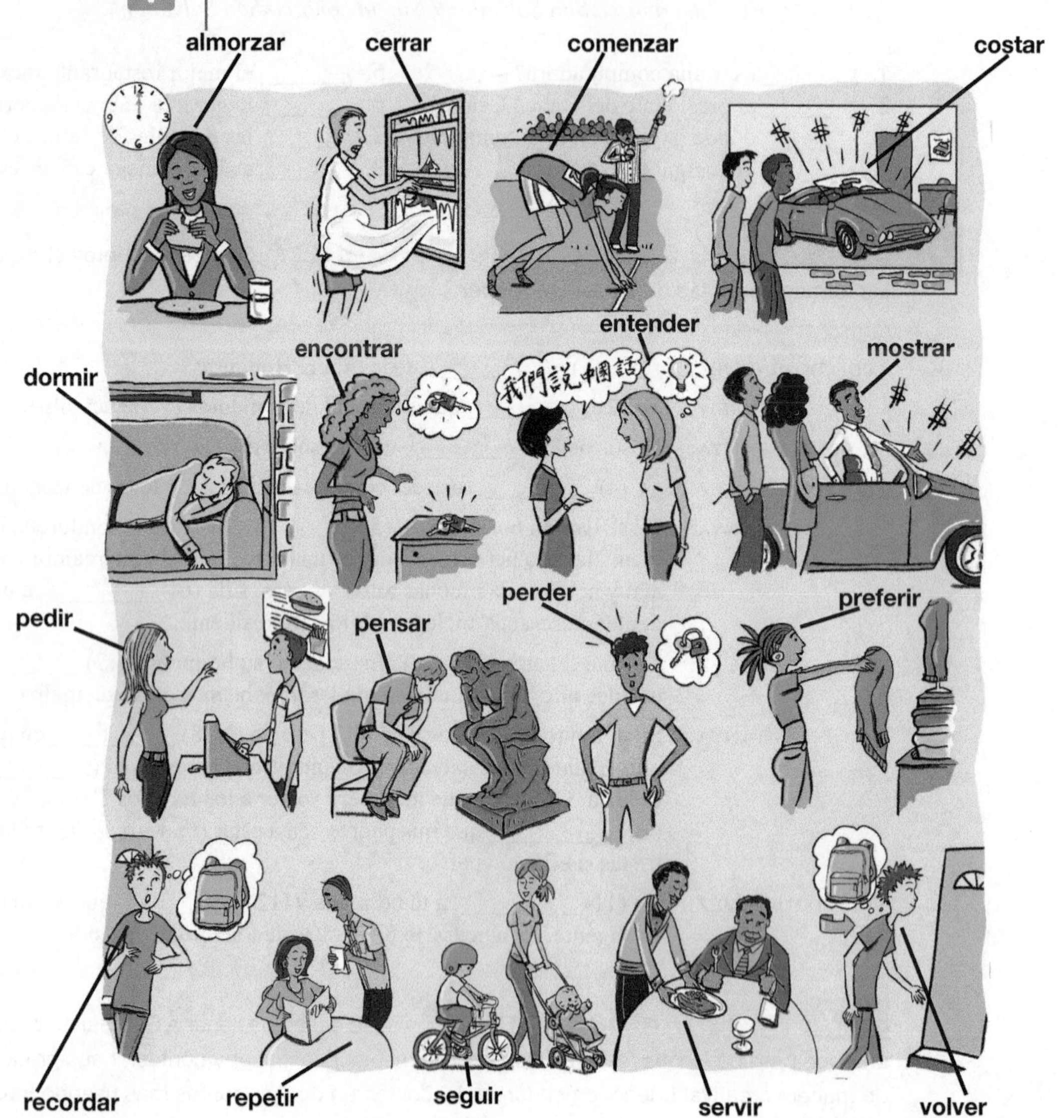

Now you are ready to complete the ***Preparación y práctica*** activities for this chunk online.

4-8 Tres en línea

Escucha mientras tu instructor/a explica el juego del *tic-tac-toe*.

Capítulo 1. El verbo *tener*, pág. 35.

MODELO E1: *¿Tienes "volver"?*

E2: *Sí, tengo "volver". / No, no tengo "volver".*

4-9 ¿Y lo opuesto?

Decidan juntos qué verbo expresa lo opuesto (*opposite*) de cada una de las palabras o expresiones de la siguiente lista.

MODELO E1: no comer por la tarde
E2: *almorzar*

repetir	encontrar	volver	entender	pedir
perder	comenzar	querer	cerrar	almorzar

1. salir
2. terminar
3. abrir
4. perder
5. decir una vez (*once*)
6. dar
7. encontrar
8. no comprender

4-10 ¿Qué tienen que hacer?

Terminen las oraciones de manera lógica para expresar qué tienen que hacer.

Estrategia

Make an attempt to work with a different partner in every class. This enables you to help and learn from a variety of your peers, an important and highly effective learning technique.

Fíjate

Remember that in *Capítulo 3* you learned that *tener* + *que* + *infinitive* means "to have to do something."

MODELO Tengo que encontrar...
E1: *Tengo que encontrar mi libro de español.*
E2: *Tengo que encontrar los apuntes para la clase de español.*

1. Tengo que comenzar...
2. Tengo que repetir...
3. Tengo que pedir...
4. Tengo que recordar...
5. Tengo que almorzar...
6. Tengo que dormir...

4-11 Entrevistas

Entrevista a tres compañeros para averiguar si (*to find out whether*) hacen cosas similares. Después, comparte la información con la clase. ¿Qué tienen ustedes en común?

Capítulo 2. La sala de clase, pág. 69; Presente indicativo de verbos regulares, pág. 71.

1. ¿Qué tienes que hacer para prepararte bien para las clases?
2. ¿Qué tienes que hacer durante la clase de español para sacar buenas notas (*to get good grades*)?
3. Generalmente, ¿qué tienes que hacer cuando terminas con tus clases?

4 GRAMÁTICA

Los verbos con cambio de raíz

Expressing actions

In **Capítulo 3,** you learned a variety of common verbs that are irregular. Two of those verbs were **querer** and **poder,** which are irregular due to some changes in their stems. Look at the following verb groups and answer the questions regarding each group.

Change e → ie

cerrar (*to close*)

Singular		Plural	
yo	cierro	nosotros/as	cerramos
tú	cierras	vosotros/as	cerráis
Ud.	cierra	Uds.	cierran
él, ella	cierra	ellos/as	cierran

¡Explícalo tú!

1. Which verb forms look like the infinitive **cerrar**?
2. Which verb forms have a spelling change that differs from the infinitive **cerrar**?

✓ Check your answers to the preceding questions in Appendix 1.

Other verbs like **cerrar** (**e → ie**) are:

comenzar	*to begin*	**mentir**	*to lie*	**preferir**	*to prefer*
empezar	*to begin*	**pensar**	*to think*	**recomendar**	*to recommend*
entender	*to understand*	**perder**	*to lose; to waste*		

Change e → i

pedir (*to ask for*)

Singular		Plural	
yo	pido	nosotros/as	pedimos
tú	pides	vosotros/as	pedís
Ud.	pide	Uds.	piden
él, ella	pide	ellos/as	piden

¡Explícalo tú!

1. Which verb forms look like the infinitive **pedir**?
2. Which verb forms have a spelling change that differs from the infinitive **pedir**?

✓ Check your answers to the preceding questions in Appendix 1.

Other verbs like **pedir** (e → **i**) are:

repetir *to repeat* **seguir*** *to follow; to continue (doing something)* **servir** *to serve*

*Note: The **yo** form of **seguir** is **sigo**.

Change o → ue

encontrar (*to find*)

Singular		Plural	
yo	encuentro	nosotros/as	encontramos
tú	encuentras	vosotros/as	encontráis
Ud.	encuentra	Uds.	encuentran
él, ella	encuentra	ellos/as	encuentran

¡Explícalo tú!

1. Which verb forms look like the infinitive **encontrar**?
2. Which verb forms have a spelling change that differs from the infinitive **encontrar**?

 Check your answers to the preceding questions in Appendix 1.

Other verbs like **encontrar** (**o** → **ue**) are:

almorzar *to have lunch* **dormir** *to sleep* **mostrar** *to show* **volver** *to return*
costar *to cost* **morir** *to die* **recordar** *to remember*

Change u → ue

jugar (*to play*)

Singular		Plural	
yo	juego	nosotros/as	jugamos
tú	juegas	vosotros/as	jugáis
Ud.	juega	Uds.	juegan
él, ella	juega	ellos/as	juegan

¡Explícalo tú!

1. Which verb forms look like the infinitive **jugar**?
2. Which verb forms have a spelling change that differs from the infinitive **jugar**?
3. Why does **jugar** not belong with the verbs like **encontrar**?

Check your answers to the preceding questions in Appendix 1.

¡Explícalo tú!

To summarize…

1. What rule can you make regarding all four groups of stem-changing verbs and their forms?
2. With what group of stem-changing verbs would you put **querer**?
3. With what group of stem-changing verbs would you put each of the following verbs?
   demostrar *to demonstrate* **encerrar** *to enclose*
   devolver *to return (an object)* **perseguir** *to chase*

Check your answers to the preceding questions in Appendix 1.

Now you are ready to complete the ***Preparación y práctica*** activities for this chunk online.

4-12 Categorías

Complete the following steps.

Paso 1 With a partner, write the stem-changing verbs that were just presented on individual slips of paper. Next, make a chart with four categories: **e → ie, e → i, o → ue,** and **u → ue.**

Paso 2 Join another pair of students. When your instructor says **¡Empiecen!**, place each verb under the correct category (**e → ie, e → i, o → ue**, or **u → ue**). Do several rounds of this activity, playing against different doubles partners.

4-13 Nuestras preferencias

Averigua cuáles son las preferencias de tu compañero/a. Luego, comparte tus respuestas con la clase.

MODELO el cine o el teatro

E1: *¿Qué prefieres, el cine o el teatro?*

E2: *Prefiero el cine.*

¿Qué prefieres,...?

1. correr en el parque o en el gimnasio
2. comer en un restaurante o en un café
3. visitar un gran almacén o un centro comercial
4. comprar comida (*food*) en un supermercado o en un mercado al aire libre (*open-air*)
5. trabajar en un banco o en una oficina de correos
6. conversar con amigos en un bar o en una plaza

4-14 ¿Quién hace qué?

Túrnense para decir qué personas que ustedes conocen hacen las siguientes cosas.

MODELO E1: siempre perder la tarea

E2: *Mi hermano Tom siempre pierde la tarea.*

1. pensar ser profesor/a
2. almorzar en McDonald's a menudo
3. querer visitar Sudamérica
4. siempre entender al/a la profesor/a de español
5. preferir dormir hasta el mediodía
6. volver tarde a casa a menudo
7. perder dinero
8. pensar que Santa Claus existe
9. nunca mentir
10. comenzar a hacer la tarea de noche

4-15 ¿Quién eres? Escribe las respuestas a las siguientes preguntas en forma de párrafos.

Capítulo A Para empezar. La hora, pág. 18; Capítulo 2. Las materias y las especialidades, pág. 66; La formación de preguntas y las palabras interrogativas, pág. 75; Los deportes y los pasatiempos, pág. 89.

Primer párrafo

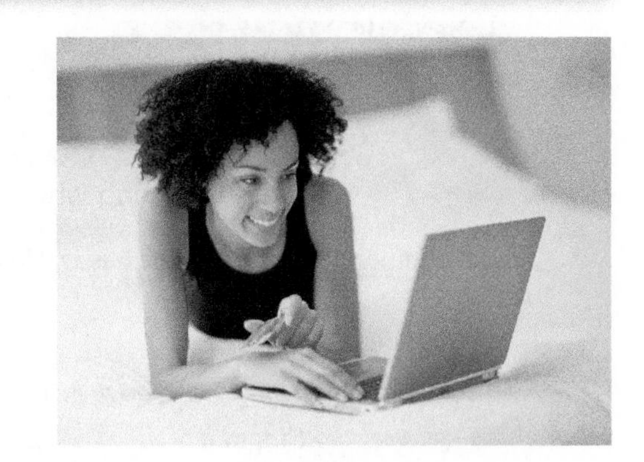

1. ¿Qué clases tienes este semestre?
2. ¿A qué hora empieza tu clase preferida? ¿Cuándo termina?
3. ¿Qué prefieres hacer si (*if*) tienes tiempo entre (*between*) tus clases?
4. ¿A qué hora vuelves a tu dormitorio/apartamento/casa?

Segundo párrafo

1. ¿Qué carro tienes (o quieres tener)? ¿Cuánto cuesta un carro nuevo?
2. ¿Cómo vienes a la universidad? (Por ejemplo, ¿vienes en carro?)
3. ¿Dónde prefieres vivir, en una residencia estudiantil, en un apartamento o en una casa?
4. ¿Dónde quieres vivir después de graduarte?

Tercer párrafo

1. ¿Qué deporte o pasatiempo prefieres?
2. Si es un deporte, ¿juegas a ese deporte? ¿Ves ese deporte en la televisión?
3. Normalmente, ¿cuándo y con quién(es) juegas el deporte / disfrutas (*enjoy*) el pasatiempo?
4. ¿Qué otros deportes y pasatiempos te gustan?

¿Cómo andas? I

Having completed **Comunicación I**, I now can…	Feel confident	Need to review
• identify places in and around town. (p. 142)	☐	☐
• pronounce the letters *c* and *z*. (p. 143 and online)	☐	☐
• describe shopping and other daily activities in Spanish-speaking countries. (p. 145)	☐	☐
• state whom and what is known. (p. 146)	☐	☐
• relate common everyday activities and occurrences. (p. 148)	☐	☐
• express actions. (p. 150)	☐	☐

Comunicación II

5 GRAMÁTICA

El verbo *ir*

Sharing where you and others are going

Another important verb in Spanish is **ir**. Note its irregular present tense forms.

ir (*to go*)

Singular		Plural	
yo	voy	nosotros/as	vamos
tú	vas	vosotros/as	vais
Ud.	va	Uds.	van
él, ella	va	ellos/as	van

Voy al parque. ¿**Van** ustedes también? — *I'm going to the park. Are you all going too?*

No, no **vamos** ahora. Preferimos **ir** más tarde. — *No, we're not going now. We prefer to go later.*

Now you are ready to complete the ***Preparación y práctica*** activities for this chunk online.

4 16 ¿Adónde vas? Túrnense para completar la conversación que tienen Memo y Esteban al salir de la clase de música. Usen las formas correctas del verbo **ir**.

Fíjate

In *Capítulo 2* you learned two words for the question word "Where?" Use *¿Adónde?* with *ir*.

Fíjate

Remember that *a* + *el* = *al*.

MEMO: Hola, Esteban. ¿Adónde (1) __________ ahora?

ESTEBAN: ¿Qué hay? Pues, (2) __________ a la clase de física.

MEMO: Ah sí. Bueno, mi compañero de cuarto y yo (3) __________ al gimnasio. Tenemos un torneo *(tournament)* de tenis.

ESTEBAN: Buena suerte. Oye, ¿tú (4) __________ a la fiesta de Isabel esta noche?

MEMO: No sé. ¿Quiénes (5) __________? Creo que (yo) (6) __________ al cine para ver la película nueva de Steven Spielberg.

ESTEBAN: ¿Por qué no (7) __________ primero a la fiesta y después al cine?

MEMO: Buena idea. ¿(8) __________ (tú y yo) juntos?

ESTEBAN: Muy bien. Mi amigo Roberto (9) __________ también. Hablamos después del torneo.

MEMO: Bueno, hasta luego.

4 17 Los "¿porqués?" Esperanza tiene una sobrina que está en la etapa de los "¿porqués?" Tiene muchas preguntas. Túrnense para darle las respuestas de Esperanza a Rosita.

MODELO ROSITA: ¿Por qué va mi papá al gimnasio?

ESPERANZA: *Tu papá va al gimnasio porque quiere hacer ejercicio.*

1. ¿Por qué va mi mamá al mercado?
2. ¿Por qué va mi hermana a la oficina de correos?
3. ¿Por qué van mis hermanos al parque?
4. ¿Por qué vas a la universidad?
5. ¿Por qué no vamos al cine ahora?

4 18 ¿Adónde van? Miren los horarios de las siguientes personas. Túrnense para decir adónde van, a qué hora y qué hacen en cada (*each*) lugar.

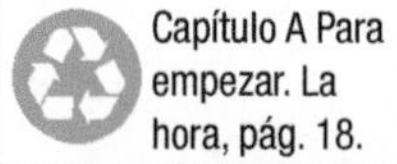
Capítulo A Para empezar. La hora, pág. 18.

Mis padres

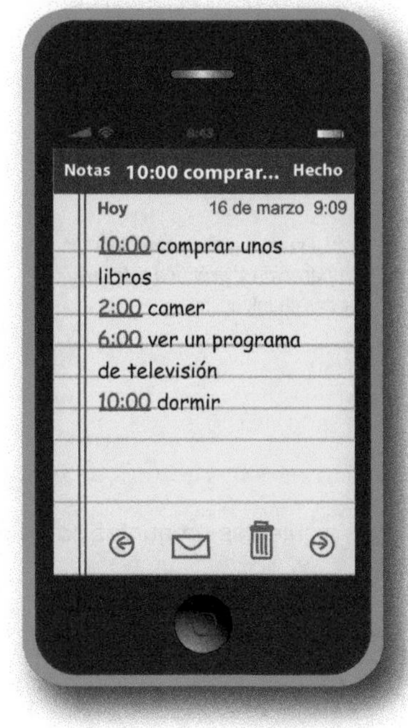

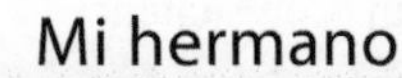

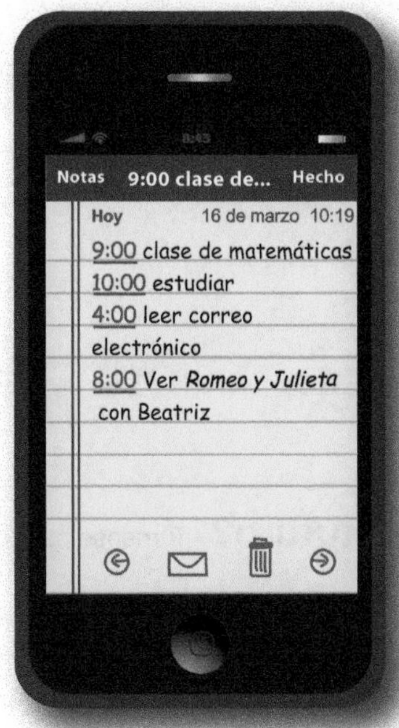

Yo

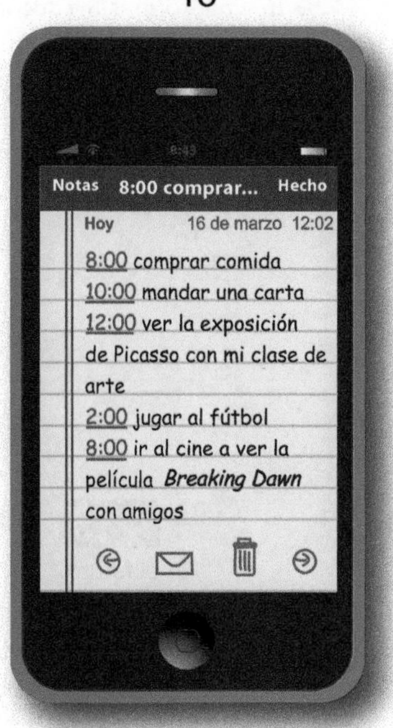

MODELO *A las diez mis padres van a la librería para comprar unos libros. Luego…*

GRAMÁTICA 6

Ir + *a* + infinitivo Conveying what will happen in the future

Study the following sentences and then answer the questions that follow.

—**Voy a mandar** esta carta. ¿Quieres ir?	*I'm going to mail this letter. Do you want to go?*
—Sí. Luego, **¿vas a almorzar?**	*Yes. Then, are you going to have lunch?*
—Sí, **vamos a comer** comida guatemalteca.	*Yes, we are going to eat Guatemalan food.*
—¡Perfecto! **Voy a pedir** unos tamales.	*Perfect! I am going to order some tamales.*
—Pero primero, **¡vamos a ir** al banco!	*But first we are going to the bank!*

¡Explícalo tú!

1. When do the actions in the previous sentences take place: in the *past*, *present*, or *future*?
2. What is the first bold type verb you see in each sentence?
3. In what form is the second bolded verb?
4. What word comes between the two verbs? Does this word have an equivalent in English?
5. What is your rule, then, for expressing future actions or statements?

Check your answers to the preceding questions in Appendix 1.

Now you are ready to complete the ***Preparación y práctica*** activities for this chunk online.

4-19 ¿Y en el futuro? Túrnense para contestar las siguientes preguntas sobre el futuro.

1. ¿Vas a dedicar más tiempo a tus estudios?
2. Después de terminar con tus estudios, ¿vas a vivir en una ciudad, un pueblo pequeño o en el campo?
3. ¿Vas a comprar una casa grande?
4. ¿Tus amigos y tú van a visitar Honduras u otro país en Centroamérica?
5. ¿Van los científicos a encontrar la cura para el cáncer?
6. ¿Vamos a poder acabar con (*end*) el terrorismo?

4-20 Mi agenda

¿Qué planes tienes para la semana que viene? Termina las siguientes frases sin (*without*) repetir las actividades.

Capítulo A Para empezar. Los días de la semana, los meses y las estaciones, pág. 21.

MODELO E1: El lunes…

E2: *El lunes voy a ir al cajero automático.*

1. El lunes…
2. El martes…
3. El miércoles…
4. El jueves…
5. El viernes…
6. El sábado…
7. El domingo…
8. El fin de semana…

4-21 El futuro…

¿Qué tiene el futuro para ti, tus amigos y tu familia? Escribe **cinco** predicciones de lo que va a ocurrir en el futuro.

MODELO *Mi primo va a ir a la Universidad Autónoma el año que viene. Mis padres van a limpiar el armario y el altillo este fin de semana. Yo voy a estudiar en Sudamérica…*

7 VOCABULARIO

Servicios a la comunidad

Imparting information about service opportunities

Al aire libre

trabajar como consejero/a

viajar en canoa

trabajar en el campamento de niños

hacer una hoguera

montar una tienda de campaña

Para el bienestar

trabajar como voluntario/a en la residencia de ancianos

ayudar a las personas mayores/los mayores

hacer artesanía

dar un paseo

repartir comidas

llevar a alguien al médico

ir de excursión

Para la política

participar en una campaña política

apoyar a un/a candidato/a

organizar

circular una petición

Algunos verbos	*Some verbs*
deber	*ought to; should*
ir de camping	*to go camping*
trabajar en política	*to work in politics*

Otras palabras	*Other words*
el deber	*obligation; duty*
el voluntariado	*volunteerism*

Now you are ready to complete the ***Preparación y práctica*** activities for this chunk online.

4-22 Definiciones Túrnense para leer las definiciones y decir cuál de las palabras o expresiones del vocabulario de **Servicios a la comunidad** corresponde a cada una.

MODELO E1: personas que tienen muchos años
E2: *las personas mayores*

1. salir en un bote (*boat*) para una o dos personas
2. dar un documento a personas para obtener firmas (*signatures*)
3. "construir" una estructura portátil (no permanente) que se usa para dormir fuera de casa
4. acompañar a una persona a una cita (*appointment*) con el médico
5. trabajar con niños en un campamento
6. servir a las personas sin recibir dinero a cambio (*in exchange*)
7. disfrutar de (*enjoy*) un tipo de arte que puedes crear con materiales diversos
8. un lugar donde van los niños, en el verano, para hacer muchas actividades diferentes
9. trabajar para un candidato político
10. un lugar donde viven las personas mayores

4-23 En tu opinión... Termina las siguientes oraciones sobre el voluntariado. Después, comparte tus respuestas con un/a compañero/a.

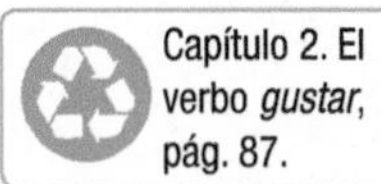
Capítulo 2. El verbo *gustar*, pág. 87.

MODELO *Yo soy una consejera perfecta porque me gustan los niños. También sé escuchar muy bien...*

1. Yo (no) soy un/a consejero/a perfecto/a porque...
2. Dos trabajos (*jobs*) voluntarios que me gustan son...
3. Hay muchas residencias de ancianos en los Estados Unidos porque...
4. Yo apoyo al candidato _______ porque...
5. Cuando repartes comidas, puedes...

4-24 Elaborando el tema En grupos de tres o cuatro, discutan las siguientes preguntas.

1. ¿Cuáles son las actividades más interesantes en los campamentos de niños?
2. ¿Cuáles son las oportunidades de voluntariado que existen en tu universidad/iglesia/templo?
3. ¿Cuáles son los trabajos voluntarios que se asocian más con apoyar a un candidato?
4. ¿Crees que servir a la comunidad es un deber y por qué?

Nota cultural La conciencia social

Tanto en los Estados Unidos como en los países hispanohablantes, la gente se interesa cada día más en servir a la comunidad. Su conciencia social se puede manifestar tanto en un trabajo remunerado (*paid*) como en trabajos voluntarios: por ejemplo, ser entrenadores de deportes, llevar a los ancianos a pasear por los centros comerciales, trabajar para los congresistas, etc. En los Estados Unidos muchos trabajos voluntarios tienen que ver con (*are related to*) las personas mayores o con los jóvenes.

Preguntas

1. ¿Cuáles son algunos trabajos voluntarios comunes en los Estados Unidos?
2. ¿Cómo sirves a tu comunidad?

Fíjate

Tanto... como means "as much... as."

8 GRAMÁTICA

Las expresiones afirmativas y negativas

Articulating concepts and ideas both affirmatively and negatively

In the previous chapters, you have seen and used a number of the affirmative and negative expressions listed on the following page. Study the list, and learn the ones that are new to you.

Expresiones afirmativas		Expresiones negativas	
a veces	*sometimes*	**jamás**	*never; not ever* (emphatic)
algo	*something; anything*	**nada**	*nothing*
alguien	*someone*	**nadie**	*no one; nobody*
algún	*some; any*	**ningún**	*none*
alguno/a/os/as	*some; any*	**ninguno/a/os/as**	*none*
o… o	*either… or*	**ni… ni**	*neither… nor*
siempre	*always*	**nunca**	*never*

Look at the following sentences, paying special attention to the position of the negative words, and answer the questions that follow.

—¿Quién llama?	*Who is calling?*
—**Nadie** llama. (**No** llama **nadie**.)	*No one is calling.*
—¿Vas al gimnasio todos los días?	*Do you go to the gym every day?*
—No, **nunca** voy. (No, **no** voy **nunca**.)	*No, I never go.*

Fíjate

Unlike English, Spanish can have two or more negatives in the same sentence. A double negative is actually quite common. For example, *No tengo nada que hacer* means *I don't have anything to do.*

¡Explícalo tú!

1. When you use a negative word (**nadie, nunca,** etc.) in a sentence, does it come before or after the verb?
2. When you use the word **no** and then a negative word in the same sentence, does **no** come before or after the verb? Where does the negative word come in these sentences?
3. Does the meaning change depending on where you put the negative word (e.g., **Nadie llama** *vs.* **No llama nadie**)?

Check your answers to the preceding questions in Appendix 1.

Algún and *ningún*

1. Forms of **algún** and **ningún** need to agree in gender and number with the nouns they modify.
2. **Alguno** and **ninguno** are shortened to **algún** and **ningún** when they are followed by *masculine, singular nouns.*
3. When no noun follows, use **alguno** or **ninguno** when referring to masculine, singular nouns.
4. The plural form **ningunos** is rarely used.

Study the following sentences.

MARÍA: ¿Tienes **alguna** clase fácil este semestre?
JUAN: No, no tengo **ninguna**. ¡Y **ningún** profesor es simpático!
MARÍA: Vaya (*Wow*), ¿y puedes hacer **algún** cambio (*change*)?
JUAN: No, no puedo hacer **ninguno**. (No, no puedo tomar **ningún** otro curso.)

¿? Now you are ready to complete the ***Preparación y práctica*** activities for this chunk online.

4 25 ¿Con qué frecuencia?

Entrevista a tus compañeros/as de clase para saber con qué frecuencia hacen las siguientes actividades. Escribe el nombre de cada compañero/a debajo de la columna apropiada y comparte los resultados con la clase.

MODELO ir de excursión con niños
A veces Josefina va de excursión con niños.

	SIEMPRE	A VECES	NUNCA
1. ir de excursión con niños		Josefina	
2. participar en una campaña política			
3. hacer una hoguera			
4. circular una petición			
5. firmar una petición			
6. repartir comidas a los mayores			
7. visitar una residencia de ancianos			
8. trabajar en un campamento para niños			
9. trabajar como voluntario/a en un hospital o una clínica			
10. dormir en una tienda de campaña			

4 26 El/La profesor/a ideal

Túrnense para decir si las siguientes características son ciertas (*true*) o no en un/a profesor/a ideal.

Capítulo 2. La sala de clase, pág. 69; En la universidad, pág. 80.

MODELO
E1: a veces duerme en su trabajo
E2: *No. Un profesor ideal nunca duerme en su trabajo.*
E1: jamás va a clase sin sus apuntes
E2: *Sí, un profesor ideal jamás va a clase sin sus apuntes.*

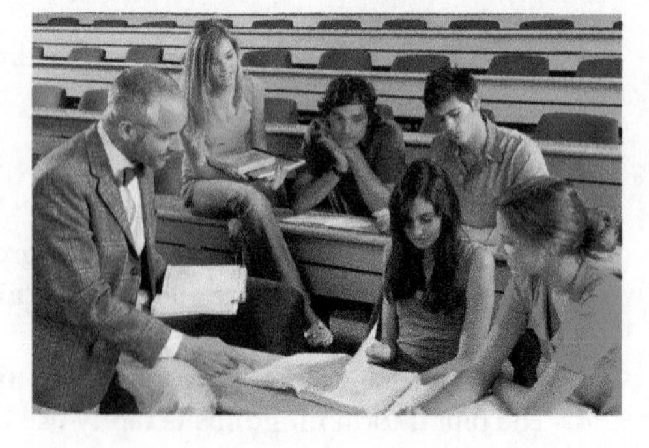

Un/a profesor/a ideal…

1. siempre está contento/a en su trabajo.
2. a veces llega a clase cinco minutos tarde.
3. prepara algo interesante para cada clase.
4. piensa que sabe más que nadie.
5. falta (*misses*) a algunas clases.
6. nunca pone a los estudiantes en grupos.
7. jamás asigna tarea para la clase.
8. siempre prefiere leer sus apuntes.
9. no pierde nada (la tarea, los exámenes, etc.).
10. no habla con nadie después de la clase.

4-27 Siempre/A veces/Nunca Gloria nos habla de sus servicios a la comunidad. Escucha e indica si ella hace los siguientes servicios a la comunidad **siempre, a veces** o **nunca**.

SERVICIO A LA COMUNIDAD	SIEMPRE	A VECES	NUNCA
1. repartir comidas			
2. hacer artesanías			
3. participar en campañas políticas			
4. viajar en canoa y montar una tienda			
5. hacer una hoguera			

4-28 ¿Sí o no? Túrnense para contestar las siguientes preguntas.

MODELO E1: *¿Siempre almuerzas a las cuatro de la tarde?*

E2: *No, nunca almuerzo a las cuatro de la tarde. / No, no almuerzo nunca/ jamás a las cuatro de la tarde.*

1. ¿Pierdes algo cuando vas de vacaciones?
2. ¿Siempre encuentras las cosas que pierdes?
3. ¿Siempre montas una tienda de campaña cuando vas de camping?
4. ¿A veces vas de excursión con tus amigos?
5. ¿Prefieres almorzar en un restaurante elegante o en casa?
6. ¿Conoces a alguien de El Salvador?
7. ¿Siempre piensas en el amor (*love*)?
8. ¿Hay algo más importante que el dinero?

4-29 No tienes razón Tu amigo/a es muy idealista. Túrnense para decirle (*tell him/her*) que debe ser más realista, usando expresiones negativas.

MODELO

1. Tengo que buscar una profesión sin estrés.
2. Quiero el carro perfecto.
3. Voy a tener hijos perfectos.
4. Pienso que no voy a estudiar la semana que viene.
5. Voy a encontrar unos muebles muy baratos (*cheap*) y elegantes.

9 GRAMÁTICA

Un repaso de *ser* y *estar*

Describing states of being, characteristics, and location

You have learned two Spanish verbs that mean ***to be*** in English. These verbs, **ser** and **estar,** are contrasted here.

Ser

Ser is used:

- **To describe physical or personality characteristics that remain relatively constant**

Gregorio **es** inteligente.	*Gregorio is intelligent.*
Yanina **es** guapa.	*Yanina is pretty.*
Su tienda de campaña **es** amarilla.	*Their tent is yellow.*
Las casas **son** grandes.	*The houses are large.*

- **To explain what or who someone or something is**

El Dr. Suárez **es** profesor de literatura.	*Dr. Suárez is a literature professor.*
Marisol **es** mi hermana.	*Marisol is my sister.*

- **To tell time, or to tell when or where an event takes place**

¿Qué hora **es**?	*What time is it?*
Son las ocho.	*It's eight o'clock.*
Mi clase de español **es** a las ocho y **es** en Peabody Hall.	*My Spanish class is at eight o'clock and is in Peabody Hall.*

- **To tell where someone is from and to express nationality**

Somos de Honduras.	*We are from Honduras.*
Somos hondureños.	*We are Honduran.*
Ellos **son** de Guatemala.	*They are from Guatemala.*
Son guatemaltecos.	*They are Guatemalan.*

Estar

Estar is used:

- **To describe physical or personality characteristics that can change, or to indicate a change in condition**

María **está** enferma hoy.	*María is sick today.*
Jorge y Julia **están** tristes.	*Jorge and Julia are sad.*
La cocina **está** sucia.	*The kitchen is dirty.*

- **To describe the locations of people, places, and things**

El museo **está** en la calle Quiroga.	*The museum is on Quiroga Street.*
Estamos en el centro comercial.	*We're at the mall.*
¿Dónde **estás** tú?	*Where are you?*

¡Explícalo tú!

Compare the following sentences and answer the questions that follow.

Su hermano **es** simpático.

Su hermano **está** enfermo.

1. Why do you use a form of **ser** in the first sentence?
2. Why do you use a form of **estar** in the second sentence?

✓ Check your answers to the preceding questions in Appendix 1.

Estrategia

Review the forms of *ser* (p. 13) and *estar* (p. 83).

You will learn several more uses for **ser** and **estar** by the end of ***¡Anda! Curso elemental.***

Now you are ready to complete the ***Preparación y práctica*** activities for this chunk online.

4-30 **¿Y Margarita?** Ester y Margarita son estudiantes de la Universidad Francisco Marroquín en la ciudad de Guatemala. Ellas tienen clase ahora, pero Margarita no llega. Completen juntos el siguiente párrafo con las formas correctas de **ser** o **estar** para saber qué pasó.

Paso 1

(1) __________ las siete y media de la mañana. Nuestra clase de física (2) __________ a las ocho y siempre vamos juntas. Bueno, ¿dónde (3) __________ Margarita? Es raro porque ella (4) __________ muy puntual y no le gusta llegar tarde. Yo (5) __________ su mejor amiga y sé que (6) __________ preocupada por sus abuelos.

Ellos (7) __________ mayores y a veces (8) __________ enfermos. Margarita (9) __________ muy responsable y ayuda mucho a sus abuelos. Toda su familia (10) __________ de la ciudad de Antigua y siempre piensa en ellos. Aquí viene Margarita, ¡menos mal (*thank goodness*)!

Paso 2 Expliquen por qué usaron (*you used*) **ser** o **estar** en **Paso 1**.

MODELO 1. (*Son*) telling time

4-31 Nuestro conocimiento

¿Qué sabes de Guatemala, Honduras y El Salvador? Túrnense para hacer y contestar las siguientes preguntas.

1. ¿Dónde están estos países: en Norteamérica, Centroamérica o Sudamérica?
2. ¿Cuál está más cerca de México? ¿Cuál está más cerca de Panamá?
3. ¿Son países grandes o pequeños?
4. ¿Cuáles son sus capitales?

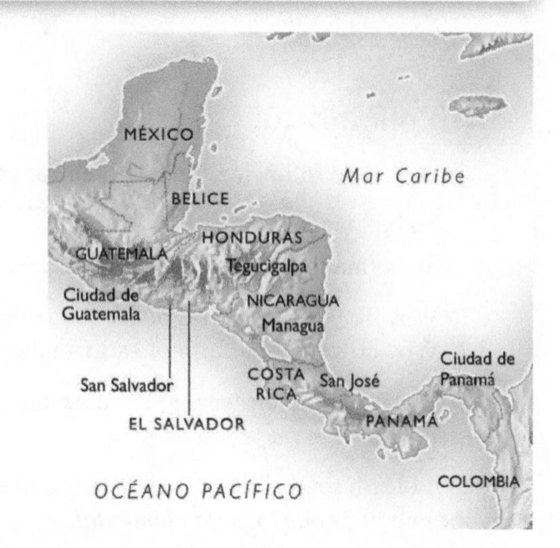

4-32 ¡A jugar!

Vamos a practicar **ser** y **estar**. Completa los siguientes pasos.

Paso 1 Draw two columns on a piece of paper labeling one **ser** and the other **estar**. Write as many sentences as you can in the three minutes you are given.

Paso 2 Form groups of four to check your sentences and uses of the verbs.

4-33 Somos iguales

Completa los siguientes pasos.

Paso 1 Draw **three** circles, as per the model below, and ask each other questions to find out what things you have in common and what sets you apart. In the center circle write sentences using **ser** and **estar** about things you have in common, and in the side circles write sentences about things that set you apart.

MODELO E1: *¿Cuál es tu color favorito?*
E2: *Mi color favorito es el negro.*
E1: *Mi color favorito es el negro también.*
E2: *Hoy estoy nerviosa. ¿Cómo estás tú?*
E1: *Yo estoy cansado.*

Paso 2 Share your diagrams with the class. What are some of the things that all of your classmates have in common?

Escucha

El voluntariado

Estrategia	
Paraphrasing what you hear	When you know the context and listen carefully, you can repeat or paraphrase what you hear. Start by saying one or two words about what you hear and work up to complete sentences.

4-34 Antes de escuchar Do you volunteer? What service opportunities exist in your city/town? You are going to hear a conversation between Marisol and Lupe, in which Marisol shares her experiences with volunteering. Think of three Spanish words dealing with volunteering that you might hear.

4-35 A escuchar After listening to the conversation for the first time, note three main points, words, or topics. After listening a second time, paraphrase their conversation with at least **three** complete sentences. You may use the following questions to guide your listening.

1. ¿Quién hace trabajo voluntario?
2. ¿Qué trabajo hace ella en la escuela? ¿Qué más quiere hacer?
3. ¿Adónde va a ir mañana? ¿Con quién?

4-36 Después de escuchar Form **three** sentences about your volunteering experiences, and tell them to your classmate. Your classmate will paraphrase what you have said.

¡Conversemos!

4-37 Mi comunidad You and a partner are on the planning commission of your town. Take turns sharing your ideas with the other commissioners, stating at least **five** positive aspects of your town and **five** areas that could be improved. You should also respond to your partner's ideas, agreeing or disagreeing. Use vocabulary words from *Los lugares,* on page 142, and verbs from page 148, *Actividades y acciones cotidianas.*

4-38 Servicio a nuestra comunidad Your college has a community service component, and you are a coordinator for these services. With a partner, take turns describing the opportunities available to fellow students in your town(s) or school community. Create at least **ten** sentences using the vocabulary from *Servicios a la comunidad* on page 158.

Escribe

Una tarjeta postal (*A postcard*)

Estrategia

Proofreading

It is important to always carefully read over what you have written to check for meaning and accuracy. You want to minimally:

- verify spelling.
- check all verb forms.
- confirm that subjects and verbs, as well as nouns and adjectives, agree in number and gender.
- review for appropriate meaning.

4-39 Antes de escribir Escribe una lista de los lugares importantes o interesantes de tu pueblo o ciudad. Luego escribe por qué son importantes o interesantes. Usa el vocabulario de este capítulo y de **También se dice**… en el Apéndice (*Appendix*) 3.

4-40 A escribir Organiza tus ideas usando las siguientes preguntas como guía. Escribe por lo menos **cinco** oraciones completas. Puedes consultar el modelo.

1. ¿Qué lugares hay en tu pueblo o ciudad?
2. ¿Por qué son importantes o interesantes?
3. Normalmente, ¿qué haces allí?
4. ¿Adónde vas los fines de semana?
5. ¿Qué te gusta de tu pueblo?

Querido/a__________:

Tienes que conocer mi pueblo, Roxborough. Hay _________. Me gusta(n) __________. Es interesante porque _______. Los fines de semana _____________.

Con cariño,
(Tu nombre)

4-41 Después de escribir Tu profesor/a va a recoger las tarjetas y "mandárselas" (*mail them*) a otros miembros de la clase para leerlas. Luego, la clase tiene que escoger (*to choose*) los lugares que desean visitar.

¿Cómo andas? II

Having completed **Comunicación II**, I now can…	Feel confident	Need to review
• share where I and others are going. (p. 154)	☐	☐
• convey what will happen in the future. (p. 156)	☐	☐
• impart information about service opportunities. (p. 158)	☐	☐
• discuss the concept of social consciousness. (p. 160)	☐	☐
• articulate concepts and ideas both affirmatively and negatively. (p. 160)	☐	☐
• describe states of being, characteristics, and location. (p. 164)	☐	☐
• paraphrase what I hear. (p. 167)	☐	☐
• communicate about ways to serve the community. (p. 168)	☐	☐
• write a postcard and proofread it for accuracy. (p. 169)	☐	☐

Vistazo cultural

Honduras

Les presento mi país

César Alfonso Ávalos

Mi nombre es César Alfonso Ávalos y soy de La Ceiba, Honduras, una ciudad en el Mar Caribe. Mi lugar favorito para visitar es Utila, una isla bella (*beautiful*) y bien conocida en el mundo por el buceo (*scuba diving*). **¿Te gusta bucear?** Mi país tiene una diversidad cultural muy rica. Los garífunas son una comunidad de herencia africana e indígena que vive en la costa caribeña del país. También, los mayas y los lencas son grupos indígenas con mucha presencia. En Copán tenemos las ruinas mayas más importantes. **¿Hay ruinas importantes cerca de tu pueblo?**

La playa de Utila, Islas de la Bahía

Los garífunas preservan su cultura, música y lengua hoy en día.

Las ruinas de Copán

ALMANAQUE

Nombre oficial:	República de Honduras
Gobierno:	República democrática constitucional
Población:	7.989.415 (2010)
Idiomas:	español (oficial); miskito, garífuna, otros dialectos amerindios
Moneda:	Lempira (L)

¿Sabías que...?

- Al llegar a la costa norteña, Cristóbal Colón nombra la región *Honduras* a causa de la profundidad del agua en la bahía.
- Honduras tiene una diversidad de vida animal impresionante: en sus bosques viven más de 210 especies de mamíferos, más de 95 especies de anfibios y 715 especies de pájaros tropicales.

Preguntas

1. ¿Qué significa *Honduras*? ¿De dónde viene el nombre?
2. ¿Quiénes son los garífunas? ¿Dónde viven?
3. ¿Qué semejanzas (*similarities*) hay entre Honduras y México?

Vistazo cultural

Explore more about Guatemala with *Club cultura* online.

Guatemala

Les presento mi país

Luis Pedro Aguirre Maldonado

Mi nombre es Luis Pedro Aguirre Maldonado y soy de Antigua, Guatemala. Muchas personas vienen a mi ciudad para estudiar en nuestras excelentes escuelas de lengua española. **¿Visitan muchas personas tu ciudad o pueblo?** Mi país es montañoso (*mountainous*) con muchos volcanes, como el Pacaya y el gran Tajumulco. Además, es muy fácil conocer la cultura y arquitectura maya aquí. Tenemos varios sitios arqueológicos mayas como las ruinas de Tikal en el norte, y algunas de nuestras pirámides son las más altas de las Américas. **¿En qué otros lugares encuentras pirámides?**

Muchos descendientes de los mayas conservan sus lenguas y tradiciones.

El volcán de Pacaya está en constante erupción y es uno de los más visitados por turistas de todo el mundo.

Antigua, la primera capital de Guatemala

ALMANAQUE

Nombre oficial:	República de Guatemala
Gobierno:	República democrática constitucional
Población:	13.550.440 (2010)
Idioma:	español (oficial); idiomas amerindios (23 reconocidos oficialmente)
Moneda:	Quetzal (Q)

¿Sabías que...?

- Los mayas tienen un calendario civil, *El Haab*. Consiste en 18 "meses" de 20 días cada uno. Los últimos cinco días del año, conocidos como *el Wayeb*, se consideran de muy mala suerte.
- El volcán Tajumulco es el más alto de Centroamérica y la montaña más alta de Guatemala.

Preguntas

1. Nombra dos cosas que sabes de la geografía guatemalteca.
2. ¿Cuántos idiomas se hablan en Guatemala?
3. ¿Qué otros países tienen herencia maya?

Vistazo cultural

El Salvador

Claudia Figueroa Barrios

Les presento mi país

Mi nombre es Claudia Figueroa Barrios. Soy de La Libertad, al sur de nuestra capital San Salvador. Mi ciudad está en la costa del Pacífico donde hay muchas playas buenas para practicar los deportes acuáticos, como el buceo, el snorkeling y especialmente el surf. **¿Te gustan los deportes acuáticos?** El Salvador es el único país de Centroamérica que no tiene costa caribeña. En mi casa nos gusta mucho la comida típica salvadoreña, como los mariscos (*shellfish*) frescos o las pupusas. **¿Cuál es tu comida favorita?**

Las pupusas son la comida nacional de El Salvador.

En la antigüedad, los mayas usaron (*used*) granos de cacao como dinero.

Las playas salvadoreñas son unas de las mejores del mundo para hacer surf.

ALMANAQUE

Nombre oficial:	República de El Salvador
Gobierno:	República democrática constitucional
Población:	6.052.064 (2010)
Idiomas:	español (oficial)
Moneda:	Dólar estadounidense

¿Sabías que...?

- Algunos salvadoreños, sobre todo los que viven en las partes rurales del país, van a los curanderos (*folk healers*) para buscar ayuda médica.

Preguntas

1. ¿Qué importancia tiene el cacao en la historia maya?
2. ¿Qué deportes son populares en El Salvador? ¿Por qué?
3. ¿Qué cosas de El Salvador son únicas o diferentes a las de otros países hispanos?

Lectura

Trabajo voluntario en Honduras

4-42 Antes de leer Contesta las siguientes preguntas.

1. ¿Hay parques nacionales en donde vives?
2. ¿Qué servicios a la comunidad tiene tu ciudad?

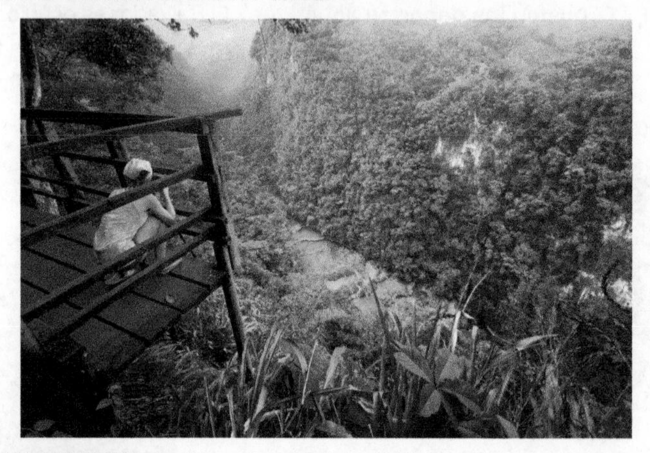

Estrategia

Skimming and Scanning (II)

Continue to practice focusing on main ideas and important information. Remember, when you *skim* a passage you read quickly to get the gist of the passage. When you *scan* a passage you already know what you need to find out, so you concentrate on searching for that particular information.

4-43 Mientras lees Complete the following steps.

1. *Skim* the first paragraph, looking for the answers to the following questions.
   a. What is the paragraph about?
   b. Which of the following best describes the purpose of the program?
      Protection of wildlife
      Following international laws
      Eliminate sales of exotic animals
2. Now *scan* the reading, looking for the following information:
   a. What can people study through this program?
   b. Where can they live in the park?
   c. What is the closest city to the park?

El Parque Nacional Pico Bonito necesita voluntarios

El parque

Pico Bonito es un gran parque que empieza a nivel del mar° y va hasta los 7.500 pies de alto. Está en La Ceiba, la ciudad principal del ecoturismo en Honduras. Al parque llegan animales salvajes° que vienen de los traficantes ilegales de animales exóticos. El centro es una colaboración entre Estados Unidos y Honduras para proteger a estos animales. Estos dos países tienen un acuerdo° en el que es ilegal capturar y comercializar animales salvajes.

El parque es un centro de rehabilitación de aves°. Después de su recuperación, el centro los libera en su hábitat natural. El centro tiene un gran problema financiero, es decir, siempre necesita dinero para ayudar a los animales. Por eso prefieren ofrecer un programa de voluntariado nacional e internacional.

Programa de voluntarios

El programa está diseñado para estudiantes que quieren aprender español y a quienes les interesa la rehabilitación de animales.

El programa puede ser de una a cuatro semanas y cuesta aproximadamente 800 dólares por semana. Los estudiantes siguen un horario estricto. Por la mañana toman clases de español y ciencias durante 55 minutos. Después de las clases, los estudiantes salen al parque a explorar y a ayudar a limpiar el parque, estudiar la naturaleza, tomar notas y catalogar a los animales salvajes. Por la tarde organizan sus notas y las ponen en el banco de datos del centro.

Incluido en el precio

Los estudiantes de voluntariado viven en una cabaña central en el parque y reciben tres comidas al día. El precio también incluye el transporte de La Ceiba al parque, un examen de nivel de español, seguro médico, el certificado de realización de curso° y una o dos actividades organizadas.

sea level

wild life

agreement

birds

course completion

4.44 Después de leer Contesta las siguientes preguntas.

1. ¿Qué tipo de parque es?
2. ¿Qué servicios ofrece el parque?
3. ¿Qué ofrece el parque para financiar su programa?
4. ¿Cuánto cuesta el programa? Además de (*Besides*) la residencia y la comida, ¿qué incluye el precio?
5. ¿Participas en servicios a la comunidad? ¿Cuáles? Si no lo haces, ¿por qué no?

Fíjate

In the *Escribe* section of this chapter, you learned how to open and close an informal message. In more formal writing, such as a letter or e-mail, use *Estimado/a____:* (Dear) to address the person at the beginning and *Atentamente* (Sincerely) to close your message.

4.45 Voluntarios en Pico Bonito Quieres solicitar (*to apply*) entrar al programa de voluntarios del Parque Nacional Pico Bonito. Escríbele un e-mail al director del programa para expresar tu interés. Explica por qué quieres trabajar con ellos y cuáles son los aspectos del programa que consideras más interesantes. También debes hacer una o dos preguntas adicionales sobre el trabajo o los cursos.

4.46 En el campamento de niños Vas a trabajar en un campamento de niños en el verano. Después de la entrevista de trabajo envías (*you send*) un mensaje a tu familia. En este mensaje describes en detalle qué vas a hacer en el campamento de niños.

For additional *Lectura* activities, go to *¡Anda!* online.

Y por fin, ¿cómo andas?

Having completed this chapter, I now can...	Feel confident	Need to review
Comunicación I		
• identify places in and around town. (p. 142)	☐	☐
• pronounce the letters *c* and *z*. (p. 143 and online)	☐	☐
• state whom and what is known. (p. 146)	☐	☐
• relate common everyday activities and occurrences. (p. 148)	☐	☐
• express actions. (p. 150)	☐	☐
Comunicación II		
• share where I and others are going. (p. 154)	☐	☐
• convey what will happen in the future. (p. 156)	☐	☐
• impart information about service opportunities. (p. 158)	☐	☐
• articulate concepts and ideas both affirmatively and negatively. (p. 160)	☐	☐
• describe states of being, characteristics, and location. (p. 164)	☐	☐
• paraphrase what I hear. (p. 167)	☐	☐
• communicate about ways to serve the community. (p. 168)	☐	☐
• write a postcard and proofread it for accuracy. (p. 169)	☐	☐
Cultura		
• describe shopping and other daily activities. (p. 145)	☐	☐
• discuss the concept of social consciousness. (p. 160)	☐	☐
• share information about Honduras, Guatemala, and El Salvador. (pp. 171–173)	☐	☐
Lectura		
• read a brochure for volunteer work in Honduras. (p. 174)	☐	☐
Comunidades		
• use Spanish in real-life contexts. (online)	☐	☐

Vocabulario activo

Los lugares	Places
el almacén	*department store*
el banco	*bank*
el bar; el club	*bar; club*
el café	*café*
el cajero automático	*ATM machine*
el centro	*downtown*
el centro comercial	*mall; business/shopping district*
el cibercafé	*Internet café*
el cine	*movie theater*
la iglesia	*church*
el mercado	*market*
el museo	*museum*
la oficina de correos; correos	*post office*
el parque	*park*
la plaza	*town square*
el restaurante	*restaurant*
el supermercado	*supermarket*
el teatro	*theater*
el templo	*temple*

Algunos verbos	Some verbs
buscar	*to look for*
ir	*to go*
mandar una carta	*to send/mail a letter*
saber	*to know*

Otras palabras	Other words
la ciudad	*city*
la cuenta	*bill; account*
la película	*movie; film*
el pueblo	*town; village*

Actividades y acciones cotidianas	Common everyday activities and occurrences
(Verbos con cambio de raíz)	*(Stem-changing verbs)*
almorzar (ue)	*to have lunch*
cerrar (ie)	*to close*
comenzar (ie)	*to begin*
costar (ue)	*to cost*
demostrar (ue)	*to demonstrate*
devolver (ue)	*to return (an object)*
dormir (ue)	*to sleep*
empezar (ie)	*to begin*
encerrar (ie)	*to enclose*
encontrar (ue)	*to find*
entender (ie)	*to understand*
jugar (ue)	*to play*
mentir (ie)	*to lie*
morir (ue)	*to die*
mostrar (ue)	*to show*
pedir (i)	*to ask for*
pensar (ie)	*to think*
perder (ie)	*to lose; to waste*
perseguir (i)	*to chase*
preferir (ie)	*to prefer*
recomendar (ie)	*to recommend*
recordar (ue)	*to remember*
repetir (i)	*to repeat*
seguir (i)	*to follow; to continue (doing something)*
servir (i)	*to serve*
volver (ue)	*to return*

Servicios a la comunidad	Community service
apoyar a un/a candidato/a	*to support a candidate*
ayudar a las personas mayores/los mayores	*to help elderly people*
circular una petición	*to circulate a petition*
dar un paseo	*to go for a walk*
deber	*ought to; should*
el deber	*obligation; duty*
hacer artesanía	*to make arts and crafts*
hacer una hoguera	*to light a campfire*
ir de camping	*to go camping*
ir de excursión	*to take a short trip*
llevar a alguien al médico	*to take someone to the doctor*
montar una tienda de campaña	*to put up a tent*
organizar	*to organize*
participar en una campaña política	*to participate in a political campaign*
repartir comidas	*to hand out/deliver food*
trabajar como consejero/a	*to work as a counselor*
trabajar como voluntario/a en la residencia de ancianos	*to volunteer at a nursing home*
trabajar en el campamento de niños	*to work in a summer camp*
trabajar en política	*to work in politics*
viajar en canoa	*to canoe*
el voluntariado	*volunteerism*

Expresiones afirmativas y negativas	Affirmative and negative expressions
a veces	*sometimes*
algo	*something; anything*
alguien	*someone*
algún	*some; any*
alguno/a/os/as	*some; any*
o… o	*either… or*
siempre	*always*
jamás	*never; not ever* (emphatic)
nada	*nothing*
nadie	*no one; nobody*
ni… ni	*neither… nor*
ningún	*none*
ninguno/a/os/as	*none*
nunca	*never*

El conductor Gustavo Dudamel de Venezuela

5 ¡A divertirse!

En el mundo hispanohablante la gente trabaja pero también sabe divertirse (*enjoy themselves*). La música, el baile y el cine son formas de expresión y de distracción comunes. Estos pasatiempos, además de otros como los deportes o leer un buen libro, nos hacen la vida muy agradable. Sobre todo (*Above all*), es importante buscar maneras de relajarse y aliviar el estrés.

Preguntas

1. ¿Qué haces cuando no estudias? ¿Qué hacen tus amigos y tú para relajarse y aliviar el estrés?
2. ¿Vas a conciertos, obras de teatro (*plays*) o películas (*movies*) con frecuencia? ¿Participas en producciones en la universidad?
3. ¿Qué sabes de la música hispana?

¿Sabías que…?

Los Goyas son los premios (*awards*) cinematográficos más importantes del mundo hispano.

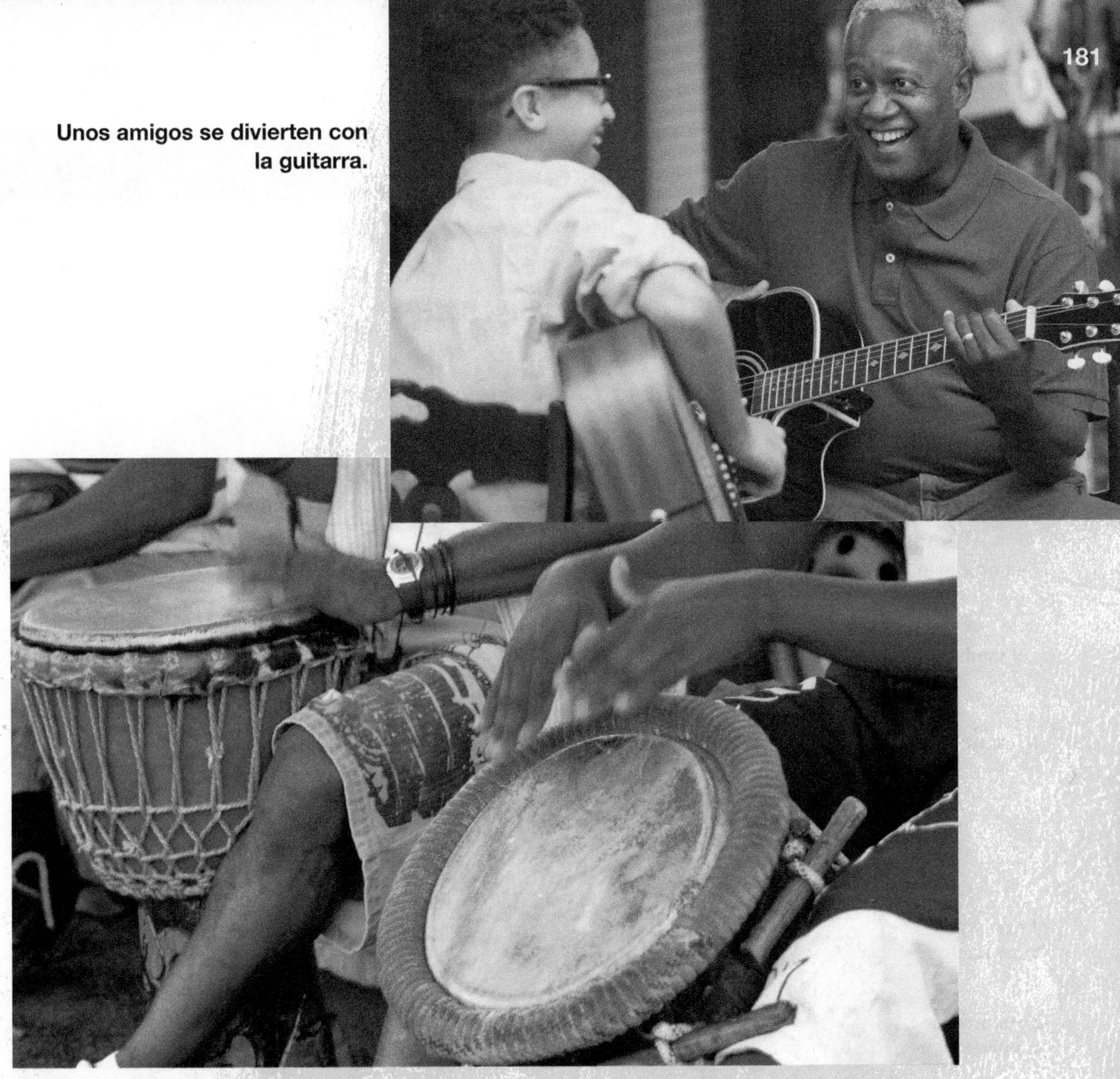

Unos amigos se divierten con la guitarra.

Tambores del Caribe

Learning Outcomes

By the end of this chapter, you will be able to:

- ✔ share information about music, movies, and television programs.
- ✔ identify people and things, and express *what* or *whom*.
- ✔ explain how something is done.
- ✔ describe things that happened in the past.
- ✔ write a movie review.
- ✔ exchange interesting facts about Nicaragua, Costa Rica, and Panama.
- ✔ read a cultural events guide.

Comunicación I

1 VOCABULARIO

El mundo de la música Discussing music

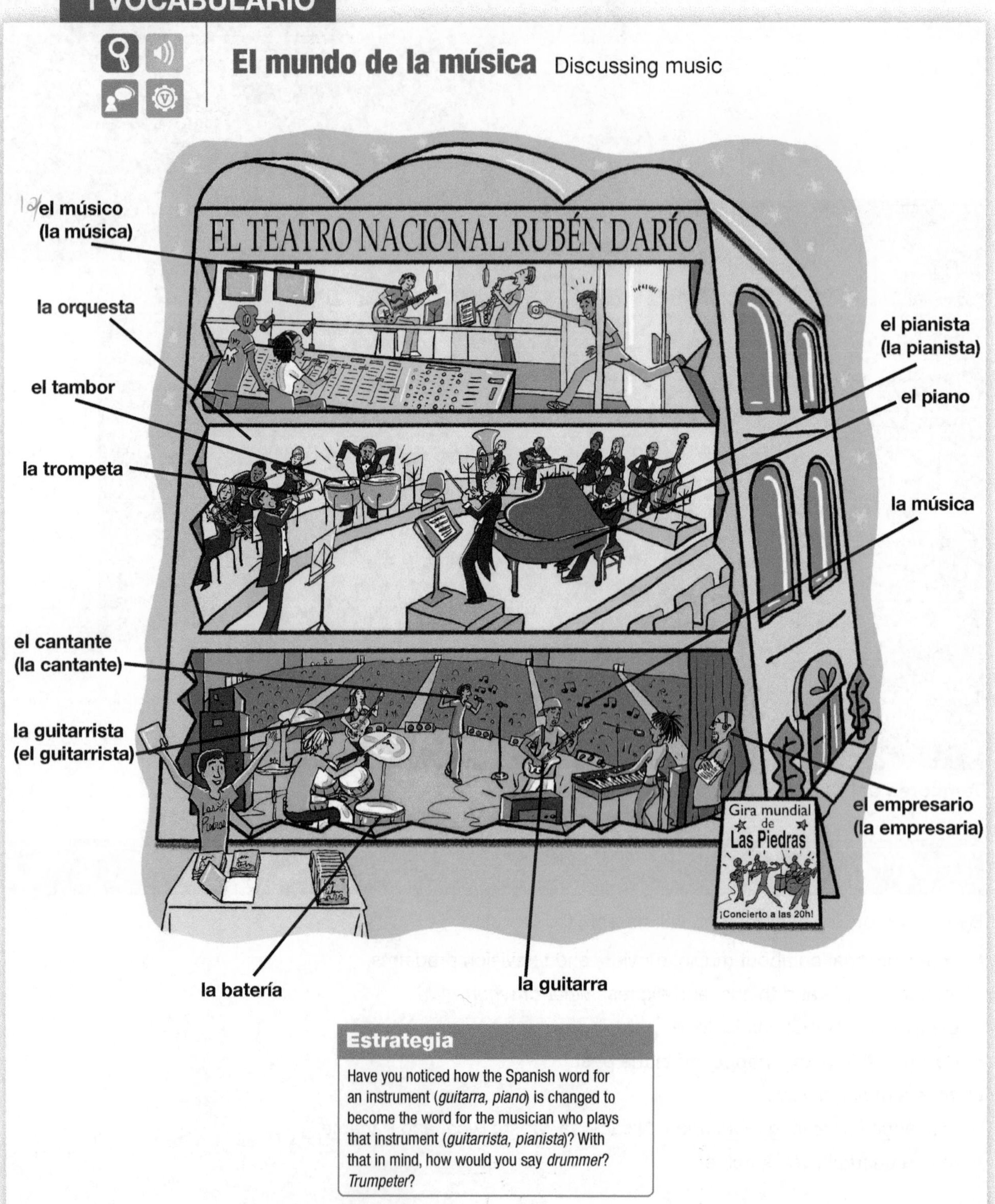

Estrategia

Have you noticed how the Spanish word for an instrument (*guitarra, piano*) is changed to become the word for the musician who plays that instrument (*guitarrista, pianista*)? With that in mind, how would you say *drummer*? *Trumpeter*?

Algunos géneros musicales	*Some musical genres*
el jazz	*jazz*
la música clásica	*classical music*
la música folklórica	*folk music*
la música popular	*pop music*
la música rap	*rap music*
la ópera	*opera*
el rock	*rock*
la salsa	*salsa*

Algunos adjetivos	*Some adjectives*
apasionado/a	*passionate*
fino/a	*fine; delicate*
lento/a	*slow*
suave	*smooth*

Algunos verbos	*Some verbs*
cantar	*to sing*
dar un concierto	*to give / perform a concert*
ensayar	*to practice / rehearse*
grabar	*to record*
hacer una gira	*to tour*
sacar una canción	*to release a song*

Otras palabras	*Other words*
el/la aficionado/a	*fan*
el/la artista	*artist*
el concierto	*concert*
el conjunto	*group; band*
la fama	*fame*
el género	*genre*
la gira	*tour*
la habilidad	*ability; skill*
la letra	*lyrics*
el ritmo	*rhythm*
la voz	*voice*

Now you are ready to complete the ***Preparación y práctica*** activities for this chunk online.

PRONUNCIACIÓN

Diphthongs and linking

Go to *¡Anda!* online to learn about diphthongs and linking.

5-1 Dibujemos Escuchen mientras su profesor/a les da (*gives you*) las instrucciones de esta actividad.

5-2 Listas Túrnense con un/a compañero/a para decir y escribir todas las palabras del vocabulario nuevo que recuerden (*you both remember*) de las categorías en el modelo. ¿Cuántas palabras pueden recordar?

MODELO

Personas	Tipos de música	Instrumentos	Adjetivos	Verbos

5-3 Para conocerte mejor Hazle las siguientes preguntas a un/a compañero/a. Toma apuntes y luego comparte las respuestas con otros dos compañeros.

1. ¿Con qué frecuencia vas a conciertos?
2. ¿Qué género de música prefieres?
3. ¿Cuál es tu grupo favorito?
4. ¿Cuál es tu cantante favorito/a? ¿Cómo es su voz?
5. ¿Qué instrumento te gusta?
6. ¿Cuál es tu canción favorita?
7. ¿Sabes tocar un instrumento? ¿Cuál?
8. ¿Sabes cantar bien? ¿Te gusta cantar? ¿Cuándo y dónde cantas?
9. ¿En qué tienes mucha habilidad o talento?
10. ¿Conoces algún conjunto o cantante hispano? ¿Cuál?

Fíjate

For a list of additional instruments, refer to *También se dice*.

Estrategia

When reporting your information, make complete sentences, and remember to use the *él* or *ella* form of the verb. Also, simply refer to your notes; do not read from them. This technique will help you to speak more fluidly and will help you speak in paragraphs, an important skill to perfect when learning a language.

5-4 Los famosos Completa los siguientes pasos.

Capítulo 2. La formación de preguntas y las palabras interrogativas, pág. 75.

Paso 1 Como reportero/a de la revista *Rolling Stone* tienes la oportunidad de entrevistar a los hermanos Mejía, dos músicos populares de Nicaragua. Escribe por lo menos **cinco** preguntas que vas a hacerles.

Paso 2 Haz una investigación en Internet para ver si puedes descubrir las respuestas a tus preguntas y para escuchar la música de Luis Enrique y Ramón Mejía. Después, comparte tus resultados y tu opinión con la clase; diles (*tell them*) qué canción te gusta más y por qué.

Fíjate

Remember that if you are interviewing people whom you don't know, use the *usted/ustedes* form.

5-5 ¿Cierto o falso? Paco y Lucía son muy buenos amigos. Escucha mientras ellos hablan de un concierto de Juanes. Después, indica si las oraciones son ciertas (**C**) o falsas (**F**).

C	F	
☐	☒	1. El concierto de Juanes es el sábado a las tres de la tarde.
☐	☒	2. El concierto es en el teatro de la universidad.
☑	☐	3. Paco tiene una entrada (*ticket*) extra.
☐	☒	4. Lucía quiere ir aunque (*even though*) no le gustan mucho las canciones de Juanes.
☑	☐	5. Paco prefiere la música rap.
☑	☐	6. El primo de Lucía conoce a Pitbull personalmente.
☐	☒	7. Paco dice que Pitbull es un hombre muy simpático.
☐	☒	8. Lucía no puede ir al concierto porque tiene que trabajar.

2 GRAMÁTICA

Los adjetivos y los pronombres demostrativos

Identifying people and things

Los adjetivos demostrativos

When you want to point out a specific person, place, thing, or idea, you use a ***demonstrative adjective***. In Spanish, they are:

DEMONSTRATIVE ADJECTIVES	MEANING	FROM THE PERSPECTIVE OF THE SPEAKER, IT REFERS TO...
este, esta, estos, estas	*this, these*	something nearby
ese, esa, esos, esas	*that, those over there*	something farther away
aquel, aquella, aquellos, aquellas	*that, those (way) over there*	something even farther away in distance and/or time... perhaps not even visible

Since forms of **este, ese,** and **aquel** are adjectives, they must agree in gender and number with the nouns they modify. Note the following examples.

Este conjunto es fantástico.	*This group is fantastic.*
Esta orquesta es fenomenal.	*This orchestra is phenomenal.*
Estos conjuntos son fantásticos.	*These groups are fantastic.*
Estas orquestas son fenomenales.	*These orchestras are phenomenal.*
Ese conjunto es fantástico.	*That group is fantastic.*
Esa orquesta es fenomenal.	*That orchestra is phenomenal.*
Esos conjuntos son fantásticos.	*Those groups are fantastic.*
Esas orquestas son fenomenales.	*Those orchestras are phenomenal.*
Aquel conjunto es fantástico.	*That group (over there) is fantastic.*
Aquella orquesta es fenomenal.	*That orchestra (over there) is phenomenal.*
Aquellos conjuntos son fantásticos.	*Those groups (over there) are fantastic.*
Aquellas orquestas son fenomenales.	*Those orchestras (over there) are phenomenal.*

¡Explícalo tú!

In summary:

1. When do you use **este, ese,** and **aquel**?
2. When do you use **esta, esa,** and **aquella**?
3. When do you use **estos, esos,** and **aquellos**?
4. When do you use **estas, esas,** and **aquellas**?

 Check your answers to the preceding questions in Appendix 1.

Los pronombres demostrativos

Demonstrative pronouns take the place of nouns. They are identical in form and meaning to demonstrative adjectives.

Masculino	Femenino	*Meaning*
este	**esta**	*this one*
estos	**estas**	*these*
ese	**esa**	*that one*
esos	**esas**	*those*
aquel	**aquella**	*that one (way over there/not visible)*
aquellos	**aquellas**	*those (way over there/not visible)*

A demonstrative pronoun must agree in gender and number with the noun it replaces. Observe how demonstrative adjectives and demonstrative pronouns are used in the following sentences.

Yo quiero ir a **este concierto,** pero mi hermana quiere ir a **ese.** — *I want to go to this concert, but my sister wants to go to that one.*

—¿Te gusta **esa guitarra**? — *Do you like that guitar?*

—No, a mí me gusta **esta.** — *No, I like this one.*

Estos instrumentos son interesantes, pero prefiero tocar **esos.** — *These instruments are interesting, but I prefer to play those.*

En **esta** calle hay varios cines. ¿Quieres ir a **aquel**? — *There are several movie theaters on this street. Do you want to go to that one over there?*

Now you are ready to complete the ***Preparación y práctica*** activities for this chunk online.

5-6 En el centro estudiantil Completen el diálogo de Lola y Tina con las formas correctas de **este, ese** y **aquel**.

LOLA: Tina, mira (1) __________ (*those*) estudiantes que acaban de (*have just*) entrar.

TINA: ¿Cuál de (2) __________ (*those*)? Creo que conozco a (3) __________ (*that*) hombre alto. Es guitarrista del trío de jazz Ritmos.

LOLA: Tienes razón. Y (4) __________ (*this*) mujer rubia es pianista en la orquesta de la universidad.

TINA: ¿Quiénes son (5) __________ (*those*) dos mujeres morenas (*dark-haired*)?

LOLA: Están en nuestra clase de química. ¿No las conoces? Y (6) __________ (*those, over there*) dos hombres de las camisas rojas ¡son muy guapos!

5-7 Amiga, tienes razón Tu amigo/a te da su opinión y tú respondes con una opinión similar. Túrnense para dar la opinión (usando el adjetivo demostrativo) y para responder (usando el pronombre demostrativo). Sigue el modelo.

MODELO E1 (EL/LA AMIGO/A): Esta música es muy suave.
E2 (TÚ): *Sí, y esa es suave también.*

1. Este grupo es fenomenal.
2. Estos cantantes son muy jóvenes.
3. Esta gira empieza en enero.
4. Esta canción sale ahora.
5. Estas canciones son muy apasionadas.
6. Estos pianistas tocan muy bien.

5-8 ¿Qué opinas? Miren el dibujo y expresen sus opiniones sobre las casas. Usen las formas apropiadas de **este, ese** y **aquel**.

Capítulo 2. El verbo *gustar*, pág. 87; Capítulo 3. La casa, pág. 106; Los colores, pág. 119; Capítulo 4. Los verbos con cambios de raíz, pág. 150.

MODELO *Me gusta esta casa blanca, pero prefiero esa porque es beige. Pienso que aquella es fea porque no me gustan las casas rojas. También creo que este jardín de la casa blanca es bonito.*

5-9 **¿Qué prefieres?** Tu compañero/a te propone (*proposes*) una cosa, pero tú siempre prefieres otra (*another one*). Responde a sus comentarios usando las formas correctas de los adjetivos y pronombres demostrativos.

MODELO E1: ¿Quieres comprar este tambor?
E2: *No, quiero comprar ese/aquel.*

1. ¿Quieres tocar esa guitarra?
2. ¿Te gustan esas trompetas?
3. ¿Prefieres este piano?
4. ¿Tus amigos van a tocar aquellas flautas (*flutes*)?
5. ¿Prefieres escuchar esos instrumentos?
6. ¿Estos instrumentos son tus favoritos?

5-10 **¡Vamos a un concierto!** ¡Qué suerte! Tienes dos entradas gratis (*free tickets*) para ir a un concierto.

Paso 1 Escucha en Internet la música de Molotov, Marc Anthony, Enrique Iglesias y Calle 13.

Paso 2 Tu compañero/a y tú tienen que decidir a qué concierto quieren ir. Túrnense para describir a quién prefieren escuchar y por qué. Usen **este, ese** y **aquel** en sus descripciones.

MODELO *Prefiero ir al concierto de Enrique Iglesias. ¡Él canta muy bien! Pero es difícil decidir porque Marc Anthony es muy bueno también. Estos saben tocar y cantar muy bien. Y aquellos...*

Nota cultural

La música latina en los Estados Unidos

La música latina abarca (*encompasses*) muchos géneros, estilos e intérpretes (músicos, cantantes). Entre los géneros más populares en los Estados Unidos se encuentran la salsa, el merengue, el Tex-Mex o norteño y otros. Algunos intérpretes de estos tipos de música son El Gran Combo, Marc Anthony, Juan Luis Guerra y Los Tigres del Norte.

Shakira

Pitbull

El rock y el jazz son influencias que están presentes en la música latina en los Estados Unidos, aunque esta ha evolucionado (*has evolved*) y producido nuevos géneros como el rock latino, el pop latino, el rap en español, el jazz latino, la música urbana, el reggaetón y otros. De estos géneros algunos de los más conocidos son los grupos Molotov y Calle 13, Shakira, Enrique Iglesias, Juanes, Pitbull y Daddy Yankee, entre muchos otros.

La influencia de los países hispanohablantes del Caribe —Cuba, Puerto Rico y la República Dominicana— y su herencia africana forman parte de los ritmos, las melodías y la instrumentación de la música y los bailes latinos. También les dan vida (*they give life*) a géneros como la plena, la cumbia y la bachata.

Juan Luis Guerra

Preguntas

1. ¿Cuáles son cuatro de los géneros de la música latina? ¿Cuáles conoces tú?
2. ¿Quiénes son los artistas latinos más conocidos en este momento?

3 GRAMÁTICA

Los adverbios

Explaining how something is done

Este baterista toca horriblemente.

An **adverb** usually describes a verb and **answers the question "how."** Many Spanish adverbs end in **-mente,** which is equivalent to the English *-ly*. These Spanish adverbs are formed as follows:

1. Add **-mente** to the ***feminine singular*** form of an ***adjective***.

Adjetivos			**Adverbios**
Masculino		**Femenino**	
rápido	→	*rápida* + -mente →	**rápidamente**
lento	→	*lenta* + -mente →	**lentamente**
tranquilo	→	*tranquila* + -mente →	**tranquilamente**

2. If an ***adjective*** ends in a ***consonant*** or in **-e,** simply add **-mente.**

Adjetivos			**Adverbios**
fácil	→	*fácil* + -mente →	**fácilmente**
suave	→	*suave* + -mente →	**suavemente**

NOTE: If an adjective has a written accent, it is retained when **-mente** is added.

Now you are ready to complete the ***Preparación y práctica*** activities for this chunk online.

5-11 Lógicamente

Túrnense para transformar en adverbios los siguientes adjetivos.

Capítulo 1. Los adjetivos descriptivos, pág. 44.

MODELO E1: normal
E2: *normalmente*

1. interesante
2. perezoso
3. feliz
4. nervioso
5. fuerte
6. claro (*clear*)
7. seguro (*sure*)
8. apasionada
9. difícil
10. débil
11. rápida
12. paciente

Estrategia

Remember to first determine the *feminine singular* form of the adjective and then add *-mente.*

5-12 Para conocerte

Túrnense para hacerse y contestar las siguientes preguntas. Pueden usar los adjetivos de la lista.

Capítulo 2. Presente indicativo de verbos regulares, pág. 71; Capítulo 2. La formación de preguntas y las palabras interrogativas, pág. 75.

alegre	constante	difícil	divino	fácil
horrible	paciente	perfecto	rápido	tranquilo

MODELO entender a tu profesor/a de español

E1: ¿Cómo entiendes a tu profesor/a de español?

E2: *Entiendo a mi profesor/a perfectamente.*

Estrategia

Answer in complete sentences when working with your partner. Even though it may seem mechanical at times, it leads to increased comfort speaking Spanish.

1. cantar
2. bailar
3. tocar el piano
4. aprender la letra de una canción
5. hablar español
6. dormir
7. jugar al béisbol
8. limpiar la casa
9. lavar los platos
10. manejar (*to drive*)

5-13 Di la verdad

Hazle (*Ask*) a tu compañero/a las siguientes preguntas. Después, cambien de papel.

MODELO E1: ¿Qué haces diariamente (todos los días)?

E2: *Limpio mi dormitorio, voy a clase, estudio, como, hago ejercicio y duermo.*

1. ¿Qué haces perfectamente?
2. ¿Qué haces horriblemente?
3. ¿Qué haces fácilmente?
4. ¿Qué debes hacer rápidamente?
5. ¿Qué debes hacer lentamente?

¿Cómo andas? I

Having completed **Comunicación I,** I now can...	Feel confident	Need to review
• discuss music. (p. 182)	☐	☐
• practice pronouncing diphthongs and linking words. (p. 183 and online)	☐	☐
• identify people and things. (p. 186)	☐	☐
• discuss Hispanic music in the United States. (p. 190)	☐	☐
• explain how something is done. (p. 191)	☐	☐

Comunicación II

4 VOCABULARIO

El mundo del cine Sharing information about movies and television programs

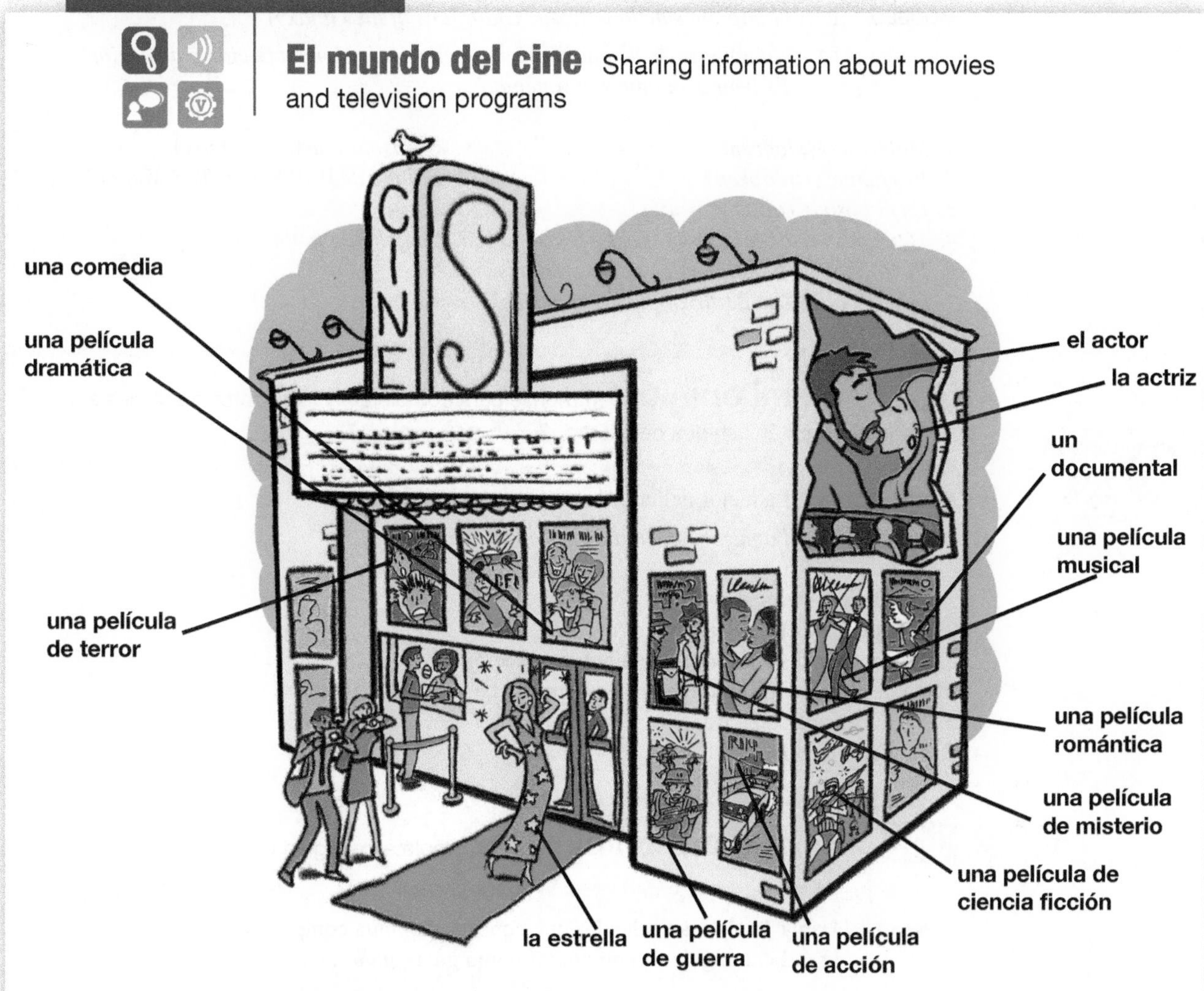

Otras palabras	*Other words*
la entrada	*ticket*
el estreno	*opening*
la pantalla	*screen*
una película...	*a ... movie*
aburrida	*boring*
animada	*animated*
conmovedora	*moving*
creativa	*creative*
deprimente	*depressing*
emocionante	*moving*
entretenida	*entertaining*
épica	*epic*
de espanto	*scary*
estupenda	*stupendous*
imaginativa	*imaginative*
impresionante	*impressive*
sorprendente	*surprising*
de suspenso	*suspenseful*
trágica	*tragic*

Algunos verbos	*Some verbs*
estrenar una película	*to release a film/movie*
presentar una película	*to show a film/movie*

¿? Now you are ready to complete the ***Preparación y práctica*** activities for this chunk online.

5-14 ¿Cuál es el género? Clasifiquen las siguientes películas según su género y usen el mayor (*the largest*) número de palabras posibles para describirlas.

MODELO E1: *Guardianes de la galaxia (Guardians of the Galaxy)*

E2: Guardianes de la galaxia *es una película de ciencia ficción y de acción. Es impresionante y entretenida…*

1. *Maléfica (Maleficent)*
2. *Invencible (Unbroken)*
3. *En el bosque (Into the Woods)*
4. *¿Qué pasó anoche? (About Last Night)*
5. *El Hobbit: La batalla de los cinco ejércitos (The Hobbit: The Battle of the Five Armies)*
6. *Corazones de acero (Fury)*
7. *El lobo de Wall Street (The Wolf of Wall Street)*
8. *(tu película favorita)*

5-15 En mi opinión Túrnense para completar las siguientes oraciones sobre las películas. ¿Están ustedes de acuerdo?

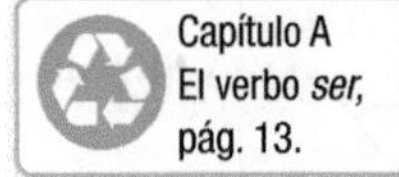

Capítulo A El verbo *ser*, pág. 13.

MODELO E1: La mejor película de terror…

E2: *La mejor película de terror es* The Shining.

1. Las mejores comedias…
2. Una película épica deprimente…
3. Mis actores favoritos de las películas de acción…
4. La película de misterio que más me gusta…
5. Unas películas creativas…
6. El mejor documental…

5-16 En nuestra opinión… Completa los siguientes pasos.

Paso 1 Habla de algunas películas que conoces con un/a compañero/a, usando las siguientes preguntas como guía (*guide*).

1. ¿Cuáles son las películas que más te gustan? ¿Por qué?
2. ¿Quiénes son tus actores y actrices favoritos?
3. ¿Qué películas que van a estrenar pronto quieres ver?

Paso 2 Ahora hablen sobre programas de televisión.

5-17 Mis preferencias

Lee la información de las tres películas. Después, túrnate con un/a compañero/a para describir la película que prefieres ver y por qué.

MODELO *Prefiero ver __________. Es una película __________ y __________. Me gusta porque __________ ...*

En el cine

Infiltrados en la universidad (2014, EE. UU.)
Género: Comedia, Acción
Director: Philip Lord y Christopher Miller
Interpretación: Channing Tatum, Jonah Hill
Los agentes de policía Jenko y Schmidt se infiltran encubiertos (*undercover*) en un campus universitario por una operación contra el narcotráfico.

El francotirador (2014, EE. UU.)
Género: Guerra, Drama
Director: Clint Eastwood
Interpretación: Bradley Cooper, Sienna Miller
Adaptación de la autobiografía del Navy SEAL Chris Kyle, el francotirador más letal del ejército americano.

El código Enigma (2014, EE. UU.)
Género: Drama
Director: Morten Tyldum
Interpretación: Benedict Cumberbatch, Keira Knightley
Basada en la biografía de Andrew Hodges sobre Alan Turing, un matemático, analista y héroe de guerra quien descifra, junto con su equipo, el código de la máquina Enigma de los alemanes durante la Segunda Guerra Mundial.

5-18 ¿Vemos una película?

Paul y Sara celebran su aniversario de dos años de novios. Quieren ir al cine pero... Escucha la conversación entre ellos y después indica si las oraciones son ciertas (**C**) o falsas (**F**).

C	F	
☐	☐	1. Para Paul, el cine es más importante que la película que presenta.
☐	☐	2. Es difícil para Sara decidir qué película ver porque no hay muchas películas buenas en los cines ahora.
☐	☐	3. Paul prefiere las películas de terror.
☐	☐	4. A Sara le gustan las películas románticas.
☐	☐	5. Paul decide ir a la película que Sara quiere ver.
☐	☐	6. Es cierto que Sara y Paul van a ir al cine esta noche.

Nota cultural La influencia hispana en el cine norteamericano

La influencia hispana en el cine estadounidense empieza a tener importancia en los años 50. Actores como Gilbert Roland, Anthony Quinn y Ricardo Montalbán se destacan (*stand out*) en películas de habla inglesa. Les siguen más tarde estrellas del cine y de la televisión como Raquel Welch y Rita Moreno y continúan hasta el presente con Antonio Banderas, Javier Bardem, Sofía Vergara, Jennifer López, John Leguizamo, Edward James Olmos, Benicio del Toro, Salma Hayek, Zoe Saldaña, Cameron Díaz, Diego Luna y Penélope Cruz, entre muchos otros. Su presencia en la industria representa el cambio demográfico de los Estados Unidos.

Javier Bardem

Preguntas

1. De los actores mencionados, ¿a cuáles conoces? ¿Qué sabes de ellos?
2. ¿Quiénes son los actores hispanos más populares en este momento?

Cameron Díaz

Benicio del Toro

Jennifer López

5 GRAMÁTICA

El pretérito: los verbos regulares *-ar*

Describing things that happened in the past

Up to this point, you have been expressing ideas or actions that take place in the present and future. To talk about something you did or something that occurred in the past, you can use the **pretérito** (*preterit*). Below are the endings for regular -ar verbs in the **pretérito**.

Los verbos regulares *-ar*

Note the endings for regular **-ar** verbs in the **pretérito** below and answer the questions that follow.

-ar: escuchar	
yo	escuché
tú	escuchaste
Ud.	escuchó
él, ella	escuchó
nosotros/as	escuchamos
vosotros/as	escuchasteis
Uds.	escucharon
ellos/as	escucharon

—¿Dónde están las entradas que **compré** ayer?
—Mis primitos las **llevaron**.
—¿Ah, sí? ¿Las **llevaron** a su casa?
—No, las **llevaron** al colegio. ¡Las **regalaron** a su maestra!

Where are the tickets that I bought yesterday?
My little cousins took them.
Really? Did they take them home?
No, they took them to school. They gave them to their teacher!

Estrategia

Remember that there are two types of grammar presentations in *¡Anda!*:

1. You are given the grammar rule.
2. You are given guiding questions to help *you* construct the grammar rule, and state the rule in your own words.

¡Explícalo tú!

1. What do you notice about the endings?
2. Where are accent marks needed?

 Check your answers to the preceding questions in Appendix 1.

Now you are ready to complete the ***Preparación y práctica*** activities for this chunk online.

5 19 De la teoría a la práctica Write these six infinitives on small pieces of paper: **cantar, escuchar, grabar, hablar,** and **presentar**. Next, write six different subject pronouns on different small pieces of paper. Take turns selecting a paper from each pile and give the correct **pretérito** form of the verb. Play several rounds.

5 20 ¡Una fiesta! Tu compañero/a y tú preparan una fiesta para después de un concierto. Para saber si todo está preparado, túrnense para contestar las siguientes preguntas usando el pretérito.

MODELO mandar las invitaciones

E1: *¿Mandaste las invitaciones?*

E2: *Sí, mandé las invitaciones.* o *No, no mandé las invitaciones.*

1. comprar las bebidas (*drinks*)
2. preparar la comida (*food*)
3. lavar los platos
4. limpiar la casa
5. encontrar música buena
6. guardar la ropa
7. hablar con los vecinos
8. abrir las ventanas

5-21 Creaciones Completen los siguientes pasos.

Paso 1 Combinen elementos de las tres columnas para escribir **ocho** oraciones que describan lo que hicieron las siguientes personas (*what the following people did*).

MODELO mis padres comprar muchos instrumentos
Mis padres compraron muchos instrumentos.

Yolanda	escuchar	el concierto para sus padres
Ud.	comprar	la película nueva de Bradley Cooper
los estudiantes	preparar	siete niños a la tienda de música
yo	bailar	las entradas para la orquesta sinfónica
mi mejor amigo y yo	limpiar	música clásica antes de comer
tú	estrenar	siete películas nuevas el mes pasado
el Cine Cósmico	llevar	salsa en la fiesta
el empleado (*employee*)	presentar	el cine después del estreno

Paso 2 Túrnense para preguntarse cuándo ocurrió cada actividad mencionada en **Paso 1**.

E1: *¿Cuándo compraron muchos instrumentos tus padres?*

E2: *Compraron muchos instrumentos el año pasado.*

anoche	*last night*
anteayer	*the day before yesterday*
ayer	*yesterday*
el año pasado	*last year*
el fin de semana pasado	*last weekend*
el martes/viernes/domingo, etc. pasado	*last Tuesday/Friday/Sunday, etc.*
la semana pasada	*last week*

5-22 El hermano de Clara Escribe la forma correcta del verbo apropiado para saber qué hicieron (*did*) Tina y Tomás anoche.

conversar hablar pasar preparar

El hermano de Clara se llama Antonio y tiene siete años. Anoche Tina y yo (1) _______________ cuatro horas con él porque Clara y sus padres fueron *(went)* al teatro para ver *Les Miserables*. Primero yo (2)_______________ unos sándwiches para todos. Después comimos y (3) _______________ con él sobre la escuela. Antonio (4) _______________ de su equipo de fútbol. Nos dijo *(he told us)* que le gusta el fútbol más que sus clases.

ayudar guardar lavar limpiar mirar terminar

A las siete yo (5) _______________ los platos, (6) _______________ la comida que sobró *(was left over)* y (7) _______________ la cocina en general. Tina (8) _______________ a Antonio con su tarea. Cuando nosotros (9) _______________, (10) _______________ la tele hasta las diez.

6 GRAMÁTICA

El pretérito: los verbos regulares *-er* e *-ir*

Describing things that happened in the past

You have just practiced verbs that end in **-ar** that are regular in the preterit. Now note the endings for regular **-er/-ir** verbs below and answer the questions that follow.

-er: aprender		**-ir: escribir**	
yo	aprendí	yo	escribí
tú	aprendiste	tú	escribiste
Ud.	aprendió	Ud.	escribió
él, ella	aprendió	él, ella	escribió
nosotros/as	aprendimos	nosotros/as	escribimos
vosotros/as	aprendisteis	vosotros/as	escribisteis
Uds.	aprendieron	Uds.	escribieron
ellos/as	aprendieron	ellos/as	escribieron

—¿Cuándo **aprendiste** a tocar la guitarra? *When did you learn to play the guitar?*
—**Aprendí** a tocar la guitarra el año pasado. *I learned to play the guitar last year.*
—¿Ah, sí? ¿Y tú **escribiste** la letra de aquella canción? *Really? And did you write the lyrics to that song?*
—No, mi novia **escribió** aquella. Ella **insistió** en escribir esa canción para nuestra boda. *No, my girlfriend wrote that one. She insisted on writing that song for our wedding.*

Now you are ready to complete the ***Preparación y práctica*** activities for this chunk online.

5-23 Tres en línea Make a grid, like one for tic-tac-toe. With a partner, select one regular **-ar/-er/-ir** verb. Write a different preterit form of the verb in each blank space on your grid. Each of you should write each preterit form with a different pronoun. Do not show your partner what you have written. Take turns randomly selecting pronouns and say the corresponding verb forms. When you say a form of the verb that your partner has, your partner marks an X over the word. The first person to get three X's either vertically, horizontally, or diagonally wins the round. After doing a round with **-er** and **-ir** verbs, repeat with **-ar** verbs.

MODELO E1: *tú comiste*
E2: (marks X over *tú comiste*)

~~tú comiste~~	ellos comieron	Ud. comió
yo comí	Uds. comieron	nosotros comimos
él comió	ellas comieron	ella comió

5-24 Emparejar Juntos emparejen los elementos de las dos columnas para decidir dónde estuvieron (*were*) estas personas cuando realizaron las actividades.

Capítulo 4. Los lugares, p. 142.

_____ 1. Fania mandó una carta.
_____ 2. Los estudiantes aprendieron mucho sobre las pinturas de Salvador Dalí.
_____ 3. Mis amigas y yo corrimos tres millas.
_____ 4. Yo tomé un café y escribí varios e-mails.
_____ 5. Los chicos compraron papel y lápices.
_____ 6. Ud. comió una pizza.
_____ 7. Tú cambiaste dinero.
_____ 8. Mis padres insistieron en ver *Twelfth Night* de Shakespeare.

a. la librería
b. el teatro
c. el parque
d. el restaurante
e. la oficina de correos
f. el banco
g. el museo
h. el cibercafé

5-25 ¿Sí o no? Entrevista a tres compañeros/as para saber si hicieron las siguientes cosas y cuándo.

MODELO comprar las entradas

E1: *¿Cuándo compraste las entradas?*

E2: *Compré las entradas el sábado pasado.*

o

E2: *No compré las entradas. / Nunca compré las entradas.*

¿Cuándo…?	E1	E2	E3
1. escuchar la música de Shakira			
2. comprender una película en español			
3. escribir una reseña (*review*) de una película			
4. comer palomitas (*popcorn*) en el cine			
5. insistir en ver una película de terror			
6. mirar todos los episodios de una serie en una noche			
7. bailar en un concierto			

5 26 ¡Qué curioso! Termina las oraciones con la forma correcta del pretérito del verbo apropiado de las listas para terminar la historia de Catalina. Después compara tus respuestas con un/a compañero/a.

aprender	comer	conocer	conversar	estudiar	volver

El mes pasado (1) ____________ a un hombre muy interesante en un restaurante en San José, Costa Rica. Según él, el verano pasado (2) ____________ el ecoturismo por seis semanas y este verano (3) ____________ a Costa Rica para filmar. Me dijo (*he told me*) que es director de cine y televisión. Juntos él y yo (4) ____________ en un café y (5) ____________ sobre muchas películas. Yo (6) ____________ mucho de él, sobre todo de la vida de un director.

estrenar	ganar	hablar	insistir	pasar	salir	terminar

El señor (7) ____________ en que, en este momento de su vida, está más interesado en documentales y series de televisión. (8) ____________ el documental *Cathedrals of Culture* recientemente y el año pasado él y su equipo (9) ____________ premios (*awards*) por las series *Death Row Stories* y *Chicagoland.* Cuando por fin (nosotros) (10) ____________ de comer, él (11) ____________ del café antes que yo. Cuando pagué (*paid*) la cuenta, una mujer me dijo: ¡Qué suerte! (12) ____________ mucho tiempo con ese actor tan famoso… ¡(tú) (13) ____________ por más de una hora con Robert Redford!

5 27 Conversaciones rápidas Túrnense para hacerse y contestar las siguientes preguntas. Después de tres preguntas, cambien de pareja y hagan tres preguntas más. Sigan hasta que hayan hablado (*continue until you have spoken*) con por lo menos tres personas diferentes. Contesten siempre en oraciones completas.

Fíjate

Remember that if you did none of the things in 8 last night, your response would be *Ni miré la tele, ni estudié, ni salí con amigos anoche.*

1. ¿Qué película te gustó más el año pasado?
2. ¿Qué concierto te gustó más en los últimos dos o tres años?
3. ¿Aprendiste a tocar un instrumento de niño/a? ¿Cuál?
4. ¿En qué clases estudiaste más el semestre pasado?
5. ¿En qué clase recibiste la mejor nota el semestre pasado?
6. ¿Cuándo conociste a tu mejor amigo/a?
7. ¿Cuándo hablaste en español por primera vez?
8. ¿Miraste la tele, estudiaste o saliste con amigos anoche?

7 GRAMÁTICA

Los pronombres de complemento directo y la *a* personal Expressing *what* or *whom*

Direct objects receive the action of the verb and answer the questions ***What?*** or ***Whom?*** Note the following examples.

A: I need to do *what?*
B: You need to buy *the concert tickets* by Monday.
A: Yes, I do need to buy *them.*

A: I have to call *whom*?
B: You have to call *your agent.*
A: Yes, I do have to call *him.*

Note the following examples of *direct objects* in Spanish.

María toca **dos instrumentos** muy bien.	*María plays two instruments very well.*
Sacamos **una canción nueva** el primero de septiembre.	*We are releasing a new song on September first.*
¿Tienes **las entradas**?	*Do you have the tickets?*
No conozco a **Benicio del Toro.**	*I do not know Benicio del Toro.*
Siempre veo a **Selena Gómez** en la televisión.	*I always see Selena Gómez on television.*

NOTE: In Capítulo 4, you learned that to express knowing a person, you put **a** after the verb (*conocer* + *a* + person). Now that you have learned about direct objects, a more global way of stating the rule is: When direct objects refer to *people,* you must use the personal **a.** Review the following examples.

People	Things
¡Veo **a** *Cameron Díaz*!	¡Veo *el coche* de Cameron Díaz!
Hay que ver **a** *mis padres*.	Hay que ver *la película*.
¿**A** qué *actores* conoces?	¿Qué *ciudades* conoces?

As in English, we can replace direct object nouns with ***direct object pronouns***. Note the following examples.

María **los** toca muy bien.	*María plays them very well.*
La sacamos el primero de septiembre.	*We are releasing it September first.*
¿**Las** tienes?	*Do you have them?*
No **lo** conozco.	*I do not know him.*
Siempre **la** veo en la televisión.	*I always see her on television.*

In Spanish, direct object pronouns ***agree in gender and number with the nouns they replace***. The following chart lists the direct object pronouns.

Singular		Plural	
me	*me*	**nos**	*us*
te	*you*	**os**	*you all*
lo, la	*you*	**los, las**	*you all*
lo, la	*him, her, it*	**los, las**	*them*

Placement of direct object pronouns

Direct object pronouns are:

1. Placed before the verb.
2. Attached to *infinitives*.

¿Tienes los tambores? → Sí, **los** tengo.
Tengo que traer los guiones. → **Los** tengo que traer. / Tengo que traer**los.**
Tiene que llevar su guitarra. → **La** tiene que llevar. / Tiene que llevar**la.**

¿? Now you are ready to complete the ***Preparación y práctica*** activities for this chunk online.

5-28 ¿Estás listo/a? ¿Te preparaste bien para el estreno de la nueva película de Bradley Cooper anoche? Túrnate con un/a compañero/a para confirmar que hiciste (*you did*) todas las actividades de la lista usando el pretérito y **lo, la, los** o **las**.

MODELO confirmar *la hora* del estreno

E1: ¿Confirmaste la hora del estreno?

E2: *Sí, la confirmé.*

1. comprar *las entradas*
2. invitar *a mis amigos*
3. mirar *el tráiler* de la película en Internet
4. compartir (*to share*) *el tráiler y una reseña (review) de la película* con mis amigos
5. tomar *muchas fotos de* Bradley Cooper
6. llevar mucho *dinero* extra para comprar comida en el cine

Bradley Cooper

5-29 ¿Hay deberes? El estreno de la película fue (*was*) increíble, pero hay que volver al mundo real. Siempre hay trabajo, sobre todo en la casa. Túrnate con un/a compañero/a para hacer y contestar las siguientes preguntas.

Capítulo 3. Los quehaceres de la casa, pág. 117.

MODELO E1: ¿Lavas los pisos?

E2: *Sí, los lavo. / No, no los lavo. / No, nunca los lavo.*

1. ¿Limpias la cocina?
2. ¿Arreglas tu cuarto?
3. ¿Lavas los platos?
4. ¿Guardas tus cosas?
5. ¿Sacudes los muebles?
6. ¿Haces las camas?
7. ¿Preparas la comida?
8. ¿Pones la mesa?
9. ¿Terminas el jardín?
10. ¿Sacas la basura?

5-30 Una hora antes Carlos Santana, como muchos músicos, es una persona muy organizada. Antes de cada concierto repasa con su ayudante (*assistant*) personal todos los preparativos (*preparations*). Aquí tienes las preguntas del ayudante. Contesta como si fueras (*as if you were*) Santana, usando **lo, la, los** o **las.**

MODELO E1: ¿Tienes tu anillo (*ring*) de la buena suerte?
E2: *Sí, lo tengo.*

1. Juan está enfermo. ¿Conoces al trompetista que toca esta noche con el conjunto?
2. ¿Traes tu guitarra nueva?
3. ¿Los cantantes saben la letra de la canción nueva?
4. ¿Traemos todos los trajes (*suits, outfits*)?
5. ¿Quieres unas botellas de agua (*water*)?
6. ¿Oyes al público aplaudir?
7. ¿Me van a necesitar después del concierto?
8. ¿El empresario te va a anunciar?

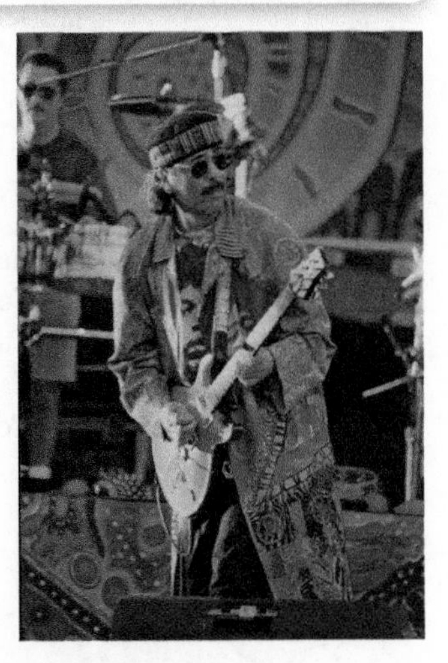

Carlos Santana

5-31 ¿Te puedo hacer una pregunta? Para cada actividad, primero indica si tú la terminaste o no (**sí** o **no**). Después entrevista a cuatro estudiantes diferentes y anota sus respuestas de **sí** o **no**. Finalmente, compara tus respuestas con las de los otros estudiantes de la clase. ¿Cuáles son las tendencias?

MODELO escuchar música clásica esta mañana
(Yo: Sí)
TÚ: *¿Escuchaste música clásica esta mañana?*
E1: *Sí, la escuché esta mañana.*
E2: *No, no, la escuché.*
E3: *Sí, escuché música clásica esta mañana.*
E4: *No, yo no la escuché, pero mi compañero la escuchó.*

	yo	E1	E2	E3	E4
1. escuchar música clásica esta mañana					
2. mirar la tele anoche					
3. bajar (*download*) música de Internet ayer					
4. terminar la tarea para todas las clases anoche					
5. llamar a tus padres anteayer					
6. viajar a la playa el verano pasado					
7. escribir un ensayo para la clase de inglés la semana pasada					
8. comer sushi el sábado pasado					

5-32 Mis preferencias Túrnense para hacerse y contestar las siguientes preguntas usando **el pronombre de complemento directo** correcto. Debes hacer otra pregunta para pedir más información específica usando **por qué, cuándo, con quién(es),** etc.

Capítulo 2. La formación de preguntas y las palabras interrogativas, p. 75.

MODELO E1: ¿Lees los poemas de Rubén Darío?
E2: *No, no los leo.*
E1: *¿Por qué no los lees?*
E2: *No los leo porque no los conozco.*

1. ¿Escuchas música clásica?
2. ¿Tu amigo y tú tienen ganas de ver una película de acción de Zoe Saldaña?
3. ¿Tus amigos ven todas las películas de Javier Bardem?
4. ¿Escuchas las canciones de Shakira?
5. ¿Conoces a un/a director/a de cine o televisión, un actor, una actriz o un/a músico/a famoso/a?

Escucha

Planes para un concierto

Estrategia	
Anticipating content	Use all clues available to you to anticipate what you are about to hear. That includes photos, captions, and body language if you are looking at the individual(s) speaking. If there are written synopses, it is important to read them in advance. Finally, if you are doing listening activities such as these, look ahead at the comprehension questions to give you an idea of the topic and important points.

5-33 Antes de escuchar Mira el título de esta sección y la foto. Contesta las siguientes preguntas.

1. ¿Quiénes están en la foto?
2. ¿De qué hablan Luis y Rodrigo?

Luis y Rodrigo

5-34 A escuchar Escucha la conversación entre Luis y Rodrigo y averigua cuál es el tema (*topic*; *gist*). Después, escucha una vez más para contestar las siguientes preguntas.

1. ¿De qué concierto hablan Luis y Rodrigo?
2. A Luis le gusta el rock, pero ¿qué tipo de música prefiere Rodrigo?
3. Deciden no estudiar. ¿Adónde van a ir?

5-35 Después de escuchar Describe una canción que te guste en **tres** oraciones y dibuja un cuadro (*picture*) que la represente. Preséntaselo a un/a compañero/a para ver si puede adivinar (*guess*) la canción.

¡Conversemos!

5-36 En mi opinión Hay un programa en el canal *E!* donde las personas expresan sus gustos y opiniones sobre la música y el cine ¡y tu compañero/a y tú van a participar esta semana! Entrevista a tu compañero/a sobre sus opiniones de los mejores grupos, las mejores películas, los mejores actores y actrices. Luego, cambien de papel.

5-37 Comparaciones En los **Capítulos 1–4** aprendieron información sobre los Estados Unidos (**Capítulo 1**), México (**Capítulo 2**), España (**Capítulo 3**) y Honduras, Guatemala y El Salvador (**Capítulo 4**). Con un/a compañero/a, compara estos países incluyendo la música y el cine, cuando sea posible. Usa información de los capítulos anteriores (*previous chapters*) e información de otras fuentes (*sources*).

MODELO *Los países son similares y diferentes. Por ejemplo, hablan español en todos los países. España tiene influencia árabe en ciudades como* (like) *Granada. México no tiene influencia árabe pero sí tiene influencia de los españoles. La música popular es similar, pero la música folklórica...*

Escribe

Una reseña (*A review*)

Estrategia

Peer review/editing

Reviewing the writing of a classmate teaches you valuable editing skills that can improve your classmate's paper as well as serve to build your confidence in your own writing by enhancing the content and syntax of your work, as well as boost your critical thinking skills.

5-38 Antes de escribir Piensa en una película que te gusta mucho. Anota algunas ideas sobre los aspectos que te gustan más de esa película.

- ¿Qué tipo de película es?
- ¿Para qué grupo(s) es apropiada?
- ¿Cuál es el tema?
- ¿Tiene una lección para el público?

5-39 A escribir Organiza tus ideas y escribe una reseña (*review*) de **cuatro** a **seis** oraciones. Puedes usar las siguientes preguntas para organizar tu reseña.

1. ¿Cómo se llama la película?
2. ¿De qué género es?
3. ¿Cómo la describes?
4. ¿A quiénes les va a gustar? ¿Por qué?
5. ¿La recomiendas? ¿Por qué?

5-40 Después de escribir En grupos de tres, compartan sus reseñas. Revisen las ideas tanto de la gramática como del vocabulario. Hagan los cambios necesarios. Después, tu profesor/a va a leer las reseñas. La clase tiene que adivinar cuáles son las películas.

¿Cómo andas? II

Having completed **Comunicación II,** I now can...	Feel confident	Need to review
• share information about movies and television programs. (p. 193)	☐	☐
• note Hispanic influences in North American film. (p. 196)	☐	☐
• describe things that happened in the past using **-ar** verbs. (p. 197)	☐	☐
• describe things that happened in the past using **-er** and **-ir** verbs. (p. 200)	☐	☐
• express *what* or *whom*. (p. 202)	☐	☐
• anticipate content when listening. (p. 206)	☐	☐
• communicate about music and film. (p. 207)	☐	☐
• write a movie review and practice peer editing. (p. 208)	☐	☐

Vistazo cultural

Nicaragua

Les presento mi país

Mauricio Morales Prado

Mi nombre es Mauricio Morales Prado y soy de Managua, Nicaragua. Mi país es conocido como la tierra de lagos (*lakes*) y volcanes. Hay dos lagos principales y muchos volcanes. Siete están activos todavía y de ellos, San Cristóbal es el más alto y Masaya es el más activo. **¡Localiza estos volcanes en el mapa!** Mi familia y yo somos muy aficionados a la música. Vamos frecuentemente a los conciertos en La Concha Acústica en el lago Managua. **¿Asistes a conciertos con tu familia o amigos?**

Teatro Nacional Rubén Darío, Managua

Unos visitantes en el Parque Nacional Volcán Masaya

La Concha Acústica, Managua

ALMANAQUE

Nombre oficial:	República de Nicaragua
Gobierno:	República
Población:	5.995.928 (2010)
Idiomas:	español (oficial); misquito; otros idiomas indígenas
Moneda:	córdoba (C$)

¿Sabías que...?

- El lago de Nicaragua es el lago más grande de Centroamérica y es el único lago de agua dulce (*fresh water*) del mundo donde se encuentran tiburones (*sharks*) y atunes.
- El 23 de diciembre del año 1972, un terremoto (*earthquake*) desastroso de 6,5 en la escala Richter destruyó (*destroyed*) la ciudad de Managua.

Preguntas

1. ¿Por qué se llama Nicaragua la tierra de lagos y volcanes?
2. ¿Qué tiene el lago de Nicaragua de especial?
3. ¿Cuáles son dos lugares en Managua que ofrecen eventos culturales? ¿Puedes nombrar algunos eventos culturales posibles para estos lugares?

Vistazo cultural

Costa Rica

Les presento mi país

Laura Centeno Soto

Mi nombre es Laura Centeno Soto y soy *tica*. *Ticos* es el apodo (*nickname*) que tenemos todos los costarricenses. Soy de Sarchí, un pueblo muy conocido por su artesanía, especialmente por sus carretas que son un símbolo nacional de Costa Rica. **¿Cuáles son algunos símbolos de tu país?** La naturaleza es muy importante para los ticos y nuestro gobierno se dedica a la conservación y protección del medio ambiente (*environment*). Si quieres conocer la naturaleza pura costarricense, te recomiendo una visita a nuestros parques nacionales. Tienes muchas opciones: ¡hay 26 aquí! **¿Cuál es tu parque favorito?** ¡Costa Rica es pura vida!

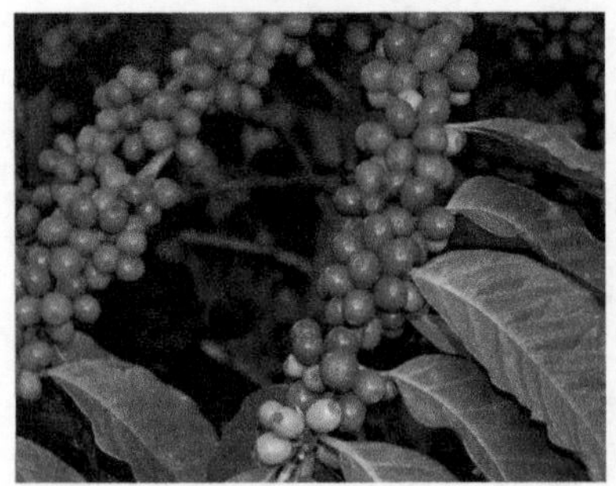
El café es un producto principal de exportación.

Costa Rica tiene una naturaleza variada y exuberante.

Una carreta pintada de Sarchí

ALMANAQUE

Nombre oficial:	República de Costa Rica
Gobierno:	República democrática
Población:	4.516.220 (2010)
Idiomas:	español (oficial); inglés
Moneda:	colón (¢)

¿Sabías que...?

- El ejército (*army*) se abolió en Costa Rica en el año 1948. Los recursos monetarios desde aquel entonces apoyan (*support*) el sistema educativo. A causa de su dedicación a la paz (*peace*), la llaman “La Suiza de Centroamérica”.

Preguntas

1. ¿Qué artesanía es un símbolo nacional costarricense?
2. ¿Cuál es un producto de exportación importante de Costa Rica? ¿Qué otros países exportan productos similares?
3. ¿Qué sabes sobre el gobierno de Costa Rica?

Vistazo cultural

Panamá

Les presento mi país

Magdalena Quintero de Gracia

Mi nombre es Magdalena Quintero de Gracia y soy de Colón, una ciudad y puerto en la costa caribeña de Panamá. Mi país es famoso por el canal y mi ciudad está muy cerca de su entrada (*entrance*) atlántica. **¿Qué sabes tú de la historia del canal?** El canal es positivo para la economía de Panamá, que se basa principalmente en el sector de los servicios, la banca, el comercio y el turismo. Los turistas pueden ir al canal, a las playas o hasta pueden conocer grupos indígenas, como el pueblo emberá en el sureste o los gunas en la costa caribeña. **¿Dónde se localizan los pueblos indígenas en tu país?**

Unos barcos pasan por las esclusas (*locks*) del Canal de Panamá.

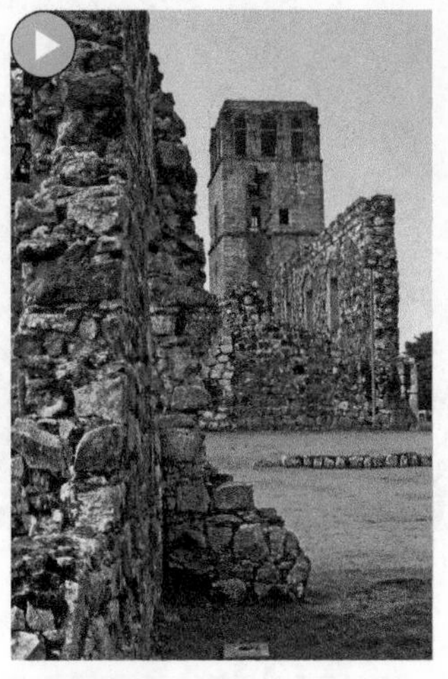
Las ruinas del Panamá Viejo

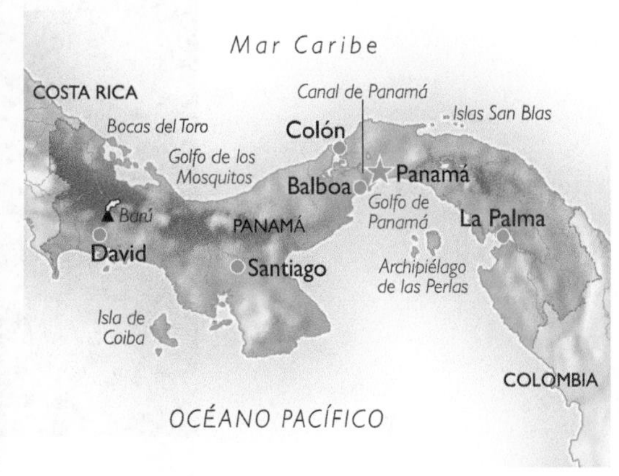

Una mujer guna vende molas, artesanía tradicional.

ALMANAQUE

Nombre oficial:	República de Panamá
Gobierno:	Democracia constitucional
Población:	3.410.676 (2010)
Idiomas:	español (oficial), inglés, otros idiomas indígenas
Moneda:	balboa (B/)

¿Sabías que...?

- Richard Halliburton nadó el canal en el año 1928 y la tarifa fue (*was*) 36 centavos. La tarifa más alta fue $375,000 para el crucero (*cruise ship*) Norwegian Pearl en el 2011.
- Hay un palíndromo famoso en inglés asociado con el canal: *A man, a plan, a canal: Panama!*

Preguntas

1. ¿Por qué es importante el canal?
2. Compara Panamá con Costa Rica y Nicaragua. ¿En qué son similares? ¿En qué son diferentes?
3. Compara Panamá, Costa Rica y Nicaragua con México. ¿En qué son similares? ¿En qué son diferentes?

Lectura

Una guía de eventos

5-41 Antes de leer Generalmente puedes encontrar información en Internet sobre los eventos culturales, sociales, musicales y deportivos en donde vives. Piensa en ellos y contesta las siguientes preguntas.

1. ¿Qué te gusta hacer cuando tienes tiempo libre? ¿Asistes a conciertos o eventos deportivos? ¿Vas al cine, al teatro o a otros eventos culturales?
2. ¿Dónde buscas información sobre eventos y actividades en tu ciudad o región?

Estrategia

Anticipating content
You can often anticipate the content of a reading passage by paying attention to the title and any available illustrations and by quickly reading through the comprehension questions that may follow a passage.

5-42 Mientras lees Complete the following activities.

1. Look at the title of the reading and answer the following questions.
   a. What do you anticipate the topic of this reading will be?
   b. How do you plan your free time on the weekend?
   c. Where do you find information about possible activities?
2. Now read the **Después de leer** questions on page 214. What do you glean from the questions? Employ this new reading strategy along with the others you have been learning (identifying cognates, skimming, and scanning).

SAN JOSÉ
GUÍA DE EVENTOS SEMANALES

Teatro Nacional en San José

El viernes a las 8:00 p.m. la Orquesta Sinfónica de la Universidad de Costa Rica y el Ballet Folclórico de Costa Rica con el director Norman Gamboa presentan un homenaje° a las compositoras costarricenses del siglo XX. Empiezan con Virginia Mata Alfaro y terminan con Mercedes O'Leary.
Entradas generales 2.000 ₡°
Entradas de estudiantes 1.000 ₡

Música de jazz y baile de gala en el Museo de Oro

Gran concierto del Quinteto de Wynton Marsalis: el sábado a las 9:00 p.m. El músico estadounidense viene a dar un concierto exclusivo a San José. El jazzista viene al Museo de Oro para abrir la nueva exposición de arte afro-caribeño. Este concierto es parte de su gira internacional. Después del concierto hay un baile de gala donde puedes conocer a los artistas. La gala es para recaudar fondos° para el programa "Futuros niños artistas".
Entradas de adultos 15.000 ₡
Entradas de estudiantes 7.000 ₡

¡Asedio en el Estadio Nacional! ¡Solamente una noche!

Este fin de semana Asedio va a estrenar su nuevo álbum en San José antes de presentarlo al próximo festival Headbangers Attack en la ciudad de Panamá. Según el baterista, Samuel Segura, "el nuevo álbum continúa con la tradición de Asedio de folk y rock metal". Este sábado puedes verlos a las 9:00 p.m. en el Estadio Nacional.
Entradas generales 3.000 ₡
Entradas de estudiantes 2.500 ₡

Cena y show en Luna Luna

El miércoles y el jueves el restaurante Luna Luna ofrece una cena-show con un menú típico de Costa Rica. El menú cuesta entre 5.400 y 6.900 colones. La banda de música se llama Byscaine y tiene tres saxofonistas, un tamborista y un baterista. Los clientes pueden aprender a bailar el "Diablo Chingo" o "La Cajeta", bailes tradicionales que cuentan leyendas tradicionales. Para hacer reservaciones, llame al (506) 2230-3022.

tribute

symbol for colón *(currency)*

raise money

5.43 Después de leer Contesta las siguientes preguntas.

1. ¿Qué programa ofrecen en el Teatro Nacional este fin de semana?
2. ¿Por qué va a tocar Wynton Marsalis en el Museo de Oro?
3. ¿Qué tipo de música toca Asedio?
4. ¿Dónde puedes aprender bailes tradicionales de Costa Rica?
5. Tienes la oportunidad de asistir a uno de los eventos de la guía. ¿Cuál es? ¿Por qué te interesa?

5.44 Un concierto Completa los siguientes pasos.

Paso 1 Piensa en un concierto al que asististe. ¿Quién cantó? ¿Qué tipo de música escuchaste? etc.

Paso 2 Escribe cinco preguntas para entrevistar (*to interview*) a tus compañeros de clase sobre los conciertos.

Paso 3 Entrevista a dos compañeros y después presenta la información a la clase.

Media Share

5.45 Guía de eventos Completa los siguientes pasos.

Paso 1 Busca información sobre algunos eventos y actividades para hacer este fin de semana en tu ciudad. Escoge cuatro o cinco actividades interesantes.

Paso 2 Haz (*Make*) una guía de eventos. Incluye el día y la hora, el precio y una pequeña descripción de cada evento.

Paso 3 Presenta tu guía a un grupo de compañero/as. Deben hacer planes para ir a dos eventos este fin de semana.

For additional *Lectura* activities, go to *¡Anda!* online.

Y por fin, ¿cómo andas?

Having completed this chapter, I now can...	Feel confident	Need to review
Comunicación I		
• discuss music. (p. 182)	☐	☐
• practice pronouncing diphthongs and linking words. (p. 183 and online)	☐	☐
• identify people and things. (p. 186)	☐	☐
• explain how something is done. (p. 191)	☐	☐
Comunicación II		
• share information about movies and television programs. (p. 193)	☐	☐
• describe things that happened in the past using **-ar** verbs. (p. 197)	☐	☐
• describe things that happened in the past using **-er** and **-ir** verbs. (p. 200)	☐	☐
• express *what* or *whom*. (p. 202)	☐	☐
• anticipate content when listening. (p. 206)	☐	☐
• communicate about music and film. (p. 207)	☐	☐
• write a movie review and practice peer editing. (p. 208)	☐	☐
Cultura		
• discuss Hispanic music in the United States. (p. 190)	☐	☐
• note Hispanic influences in North American film. (p. 196)	☐	☐
• share information about Nicaragua, Costa Rica, and Panama. (pp. 209–211)	☐	☐
Lectura		
• read a cultural events guide. (p. 212)	☐	☐
Comunidades		
• use Spanish in real-life contexts. (online)	☐	☐

Vocabulario activo

El mundo de la música	The world of music
el/la artista	*artist*
el/la cantante	*singer*
el conjunto	*group; band*
el/la empresario/a	*agent;, manager*
el/la guitarrista	*guitarist*
el/la músico/a	*musician*
el/la pianista	*pianist*
la batería	*drums*
el concierto	*concert*
la gira	*tour*
la guitarra	*guitar*
la música	*music*
la orquesta	*orchestra*
el piano	*piano*
el tambor	*drum*
la trompeta	*trumpet*

Algunos verbos	Some verbs
cantar	*to sing*
dar un concierto	*to give/perform a concert*
ensayar	*to practice/rehearse*
grabar	*to record*
hacer una gira	*to tour*
sacar una canción	*to release a song*

Algunos géneros musicales	Some musical genres
el jazz	*jazz*
la música clásica	*classical music*
la música folklórica	*folk music*
la música popular	*pop music*
la música rap	*rap music*
la ópera	*opera*
el rock	*rock*
la salsa	*salsa*

Algunos adjetivos	Some adjectives
apasionado/a	*passionate*
fino/a	*fine; delicate*
lento/a	*slow*
suave	*smooth*

Otras palabras	Other words
el/la aficionado/a	*fan*
la fama	*fame*
el género	*genre*
la habilidad	*ability; skill*
la letra	*lyrics*
el ritmo	*rhythm*
la voz	*voice*

El mundo del cine	*The world of cinema*
el actor	*actor*
la actriz	*actress*
la entrada	*ticket*
la estrella	*star*
la pantalla	*screen*
la comedia	*comedy*
el documental	*documentary*
una película…	*a … film; movie*
de acción	*action*
de ciencia ficción	*science fiction*
dramática	*drama*
de guerra	*war*
de misterio	*mystery*
musical	*musical*
romántica	*romantic*
de terror	*horror*

Otras palabras	*Other words*
el estreno	*opening*
una película…	*a … movie*
aburrida	*boring*
animada	*animated*
conmovedora	*moving*
creativa	*creative*
deprimente	*depressing*
emocionante	*moving*
entretenida	*entertaining*
épica	*epic*
de espanto	*scary*
estupenda	*stupendous*
imaginativa	*imaginative*
impresionante	*impressive*
sorprendente	*surprising*
de suspenso	*suspenseful*
trágica	*tragic*

Algunos verbos	*Some verbs*
estrenar una película	*to release a film/movie*
presentar una película	*to show a film/movie*

6 ¡Sí, lo sé!

This chapter is a recycling chapter, designed for you to see just how much Spanish you have learned thus far. The *major points* of **Capítulos 1–5** are included in this chapter, providing you with the opportunity to "put it all together." You will be pleased to realize how much you are able to communicate in Spanish.

Since this is a recycling chapter, no new vocabulary is presented. The intention is that you review the vocabulary of **Capítulos 1–5** thoroughly, focusing on the words that you personally have difficulty remembering.

Everyone learns at a different pace. You and your classmates will vary in terms of how much of the material presented thus far you have mastered and what you still need to practice.

Remember, language learning is a process. Like any skill, learning Spanish requires practice, review, and then more practice!

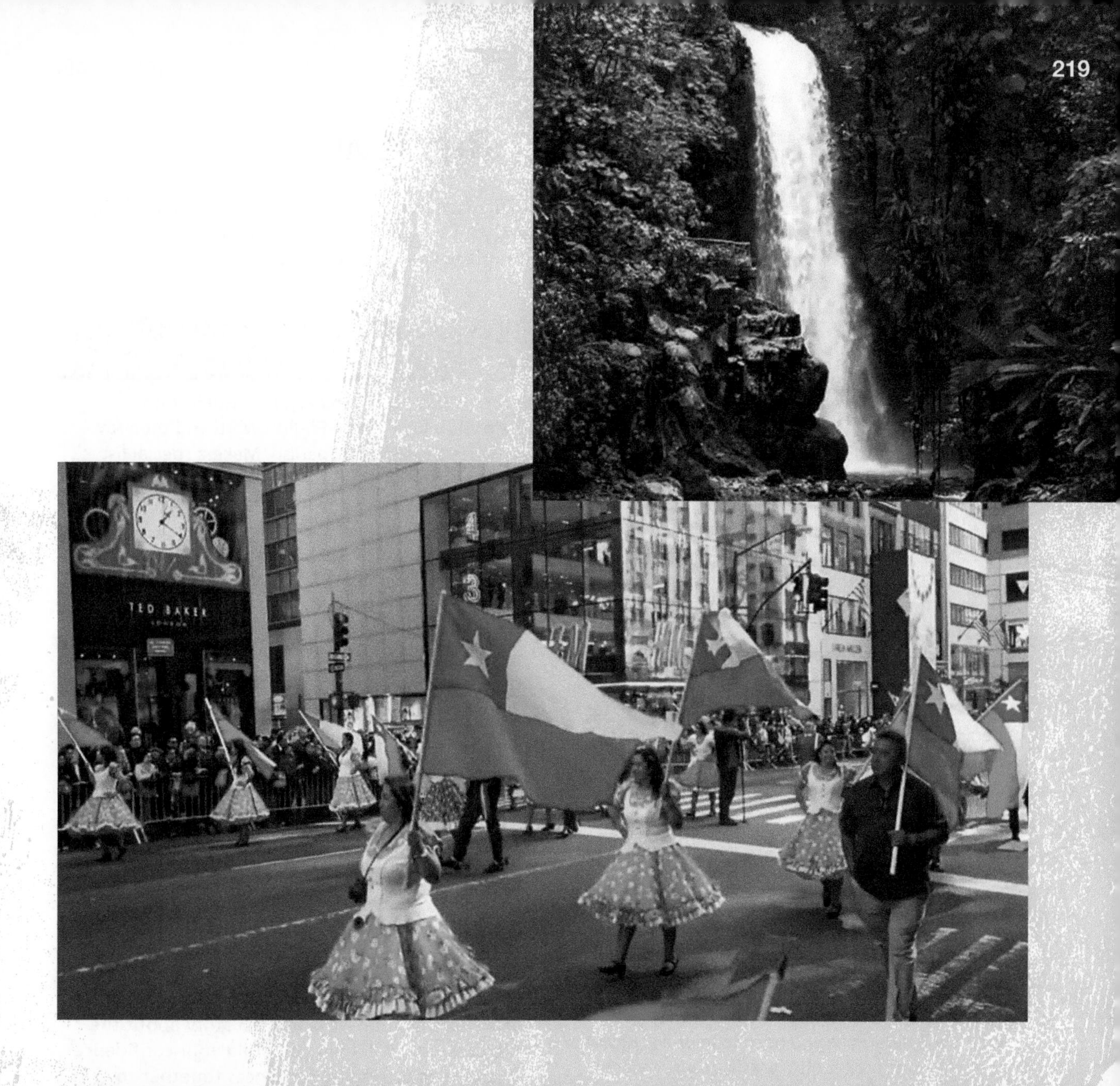

Learning Outcomes

After reviewing Chapters 1–5, you will be able to:

- ✔ describe your life at home, school, families, and things you need and like to do.
- ✔ report on service opportunities.
- ✔ discuss music, movies, and television.
- ✔ relate activities from the past.
- ✔ exchange interesting facts about Hispanic cultures in the United States, as well as Mexico, Spain, Honduras, Guatemala, El Salvador, Nicaragua, Costa Rica, and Panama.
- ✔ review and reflect on readings from these chapters.

Estrategia

Beyond reading these suggestions carefully, you will want to review the rubric for each section prior to beginning the activities. The first rubric can be found on page 223.

Organizing Your Review

There are processes used by successful language learners for reviewing a world language. The following tips can help you organize your review. There is no one correct way, but these are some suggestions that will best utilize your time and energy.

1 Reviewing Strategies

1. Make a list of the *major* topics you have studied and need to review, dividing them into three categories: *vocabulary, grammar,* and *culture.* These are the topics on which you need to focus the majority of your time and energy.
   Note: The two-page chapter openers can help you determine the *major* topics.
   After you create your list of major review topics, check Appendix 1, **Capítulo 6** to see if your list matches.
2. Allocate a minimum of an hour each day over a period of time to review. Budget the majority of your time for the major topics. After beginning with the most important grammar and vocabulary topics, review the secondary/supporting grammar topics and the culture. Cramming the night before a test is *not* an effective way to review and retain information.
3. Many educational researchers suggest that you start your review with the most recent chapter, or in this case, **Capítulo 5.** The most recent chapter is the freshest in your mind, so you tend to remember the concepts better, and you will experience quick success in your review.
4. Spend the most amount of time on concepts in which you determine *you* need to improve. Revisit the self-assessment tools **Y por fin, ¿cómo andas?** in each chapter to see how you rated yourself. Those tools are designed to help you become good at self-assessing what you need to work on the most.

2 Reviewing Grammar

1. When reviewing grammar, begin with the three tenses you learned: present, past, future. After feeling confident using the three main tenses (including the irregular verbs you learned in the present), proceed to the additional grammar points and review them.
2. Good ways to review include redoing activities in your textbook and (re)doing activities in *¡Anda!* online.

3 Reviewing Vocabulary

1. When studying vocabulary, it is usually most helpful to look at the English word and then say or write the word in Spanish. Make a special list of words that are difficult for you to remember, writing them in a small notebook or in an electronic file. Pull out your list every time you have a few minutes (in between classes, waiting in line at the grocery store, etc.) to review the words. The **Vocabulario activo** pages at the end of each chapter will help you organize the most important words of each chapter.
2. Saying vocabulary (which includes verbs) out loud helps you retain the words better.

4 Overall Review Technique

1. Get together with someone with whom you can practice speaking Spanish. If you need something to spark the conversation, take the drawings from each vocabulary presentation in ***¡Anda! Curso elemental*** and say as many things as you can about each picture. Have a friendly challenge to see who can make more complete sentences or create the longest story about the pictures. This will help you build your confidence and practice stringing sentences together to speak in paragraphs.
2. Yes, it is important for you to know "mechanical" pieces of information such as verb endings, or how to take a sentence and replace the direct object with a pronoun, *but* it is *much more important* that you are able to take those mechanical pieces of information and put them all together, creating meaningful and creative samples of your speaking and writing on the themes of the first five chapters.
3. You are well on the road to success if you can demonstrate that you can speak and write in paragraphs, using a wide variety of verbs and vocabulary words correctly. Keep up the good work!

Comunicación

Capítulo A Para empezar, Capítulo 1 y Capítulo 2

6 1 Nuestras familias

Completen los siguientes pasos en grupos de cuatro.

Fíjate

Most of the activities in this chapter are designed to be completed with a partner. Your instructor may modify the activity directions so that you do them on your own.

Estrategia

Before beginning each activity, make sure that you have reviewed the identified recycled concepts carefully so that you are able to move through the activities seamlessly as you put it all together! *¡Sí, lo sabes!*

Estrategia

Being a good listener is an important life skill. Repeating what your classmate said gives you practice in demonstrating how well you listen.

Paso 1 Con un/a compañero/a, túrnense para describir a varios miembros de sus familias usando por lo menos **diez** oraciones con un mínimo de **cinco** verbos diferentes. Incluyan (*Include*): aspectos de sus personalidades, descripciones físicas, qué hacen en su tiempo libre, cuántos años tienen, etc.

MODELO E1: *Mi familia no es muy grande. Mi madre es simpática, inteligente y trabajadora. Tiene cuarenta y cinco años...*

Paso 2 Ahora describe a la familia de tu compañero/a a otro miembro del grupo usando por lo menos **cinco** oraciones. Si no recuerdas bien los detalles o si necesitas clarificación, pregúntale (*ask him/her*).

MODELO E2: *La familia de Adriana es pequeña. Su madre es simpática y trabajadora... Adriana, perdón, pero ¿cuántos años tiene tu madre?...*

Estrategia

Although these activities are focusing on *Capítulos A Para empezar, 1*, and *2*, feel free to use additional vocabulary from later chapters to create your questions. For example, in **6-2,** you may want to use vocabulary from *Capítulo 5.*

6-2 **¿Cómo eres?** Conoces un poco a los estudiantes que estudiamos en **Vistazo cultural** en los **Capítulos 1–5**. ¿Qué más quieres saber de ellos? Escribe por lo menos **diez** preguntas que quieres hacerles. Sé (*Be*) creativo/a.

MODELO
1. *¿Dónde estudias?*
2. *¿Te gusta leer libros de deportes?*
3. *¿Qué comes?*
4. *¿Qué idiomas hablan en tu país?*
5. ...

Estrategia

Pay attention to the particular grammar point you are practicing. If you are supposed to write sentences using *tener*, underline each form of *tener* that you use, and then check to make sure it agrees with the subject. Using strategies such as underlining can help you focus on important points.

Rafael Sánchez Martínez

Gabriela García Cordera

Mariela Castañeda Ropero

César Alfonso Ávalos

Luis Pedro Aguirre Maldonado

Claudia Figueroa Barrios

Mauricio Morales Prado

Laura Centeno Soto

Magdalena Quintero de Gracia

6-3 **Una gira** Trabajas en tu universidad como guía para los estudiantes nuevos. Crea una gira para ellos. Incluye por lo menos **cinco** lugares y **dos** deportes.

MODELO *Esta universidad tiene diez mil estudiantes. Esta es la biblioteca. Los estudiantes estudian aquí y usan las computadoras. Allí está el gimnasio donde juegan al básquetbol. Tenemos las especialidades de matemáticas, español...*

aquí	*here*
allí	*there / over there*
allá	*over there (and potentially not visible)*

Rúbrica

All aspects of our lives benefit from self-reflection and self-assessment. Learning Spanish is an aspect of our academic and future professional lives that benefits greatly from just such a self-assessment. Also coming into play is the fact that, as college students, you personally are being held accountable for your learning and are expected to take ownership for your performance. Having said that, we instructors can assist you greatly by letting you know what we expect of you. It will help you determine how well you are doing with the recycling of **Capítulo A Para empezar, Capítulo 1,** and **Capítulo 2.** This rubric is meant first and foremost for you to use as a self-assessment tool, but you also can use it to peer-assess. Your instructor may use the rubric to assess your progress as well.

Estrategia

You and your instructor can use this rubric to assess your progress for **6-1** through **6-3**.

	3 EXCEEDS EXPECTATIONS	2 MEETS EXPECTATIONS	1 APPROACHES EXPECTATIONS	0 DOES NOT MEET EXPECTATIONS
Duración y precisión	• Has at least 8 sentences and includes all the required information. • May have errors, but they do not interfere with communication.	• Has 5–7 sentences and includes all the required information. • May have errors, but they rarely interfere with communication.	• Has 4 sentences and includes some of the required information. • Has errors that interfere with communication.	• Supplies fewer sentences than in *Approaches Expectations* and little of the required information. • If communicating at all, has frequent errors that make communication limited or impossible.
Gramática nueva de los *Capítulos A Para empezar, 1 y 2*	• Makes excellent use of the chapters' new grammar. • Uses a wide variety of verbs.	• Makes good use of the chapters' new grammar. • Uses a variety of verbs.	• Makes use of some of the chapters' new grammar. • Uses a limited variety of verbs.	• Uses little, if any, of the chapters' new grammar. • Uses few, if any, of the chapters' verbs.
Vocabulario nuevo de los *Capítulos A Para empezar, 1 y 2*	• Uses many of the vocabulary words new to these chapters.	• Uses a variety of the new vocabulary words.	• Uses some of the new vocabulary words.	• Uses few, if any, new vocabulary words.
Esfuerzo (*Effort*)	• Clearly the student made his/her best effort.	• The student made a good effort.	• The student made an effort.	• Little or no effort went into the activity.

Capítulo 3

6-4 Mi casa favorita Mira los dibujos y descríbele tu casa favorita a un/a compañero/a. Dile (*Tell him/her*) por qué te gusta la casa y explícale por qué no te gustan las otras (*the other*) casas.

Estrategia

As you study vocabulary or grammar, it might be helpful to organize the information into a word web. Start with the concept you want to practice, such as *la casa,* write the word in the center of the page, and draw a circle around it. Then, as you brainstorm how your other vocabulary fits into *la casa,* you can create circles that branch off from your main idea, for example, *la cocina, la sala, el dormitorio,* etc. and then list the furniture that belongs in each room.

6-5 Mi horario personal Escribe tu horario para una semana. Incluye por lo menos **siete** actividades que haces dentro de la casa, apartamento o residencia y usa por lo menos **siete** verbos diferentes. Después comparte tu horario con un/a compañero/a.

Estrategia

When you are reviewing vocabulary, one strategy is to fold your paper lengthwise and have one column dedicated to the words in English and another column in Spanish. That way, you can fold the page over and look at only one set of words, testing yourself to see whether you really know the vocabulary.

6-6 Quiero saber...

Completa los siguientes pasos para entrevistar a un/a compañero/a.

Paso 1 Escribe tus preguntas usando los siguientes verbos.

hacer	oír	querer	salir	venir
poder	poner	saber	traer	conocer

MODELO *¿Qué traes a tus clases todos los días?*

Paso 2 Entrevista a tu compañero/a.

MODELO E1: *¿Qué traes a tus clases todos los días?*

E2: *Traigo mi mochila a mis clases todos los días…*

Paso 3 Comparte la información con tus compañeros de clase.

MODELO *Mi compañero Jake trae su mochila a sus clases. También,…*

Estrategia

With situations like those in **6-6**, it is not essential that *all* details be remembered. Nor is it essential in this type of scenario to repeat *verbatim* what someone has said; it is totally acceptable to express the same idea in different words. When necessary, ask him/her to repeat or clarify information.

6-7 ¿Qué tienen?

Túrnense para describir a las personas de los dibujos usando expresiones con **tener**.

MODELO *Jorge recibe una buena nota en su examen. Tiene éxito en su clase de periodismo.*

Julia

Susana Mirta

Beatriz Jorge

Guadalupe

Guillermo Miguel Beto

Adriana David

Estrategia

You and your instructor can use this rubric to assess your progress for **6-4** through **6-7**.

Rúbrica

	3 EXCEEDS EXPECTATIONS	2 MEETS EXPECTATIONS	1 APPROACHES EXPECTATIONS	0 DOES NOT MEET EXPECTATIONS
Duración y precisión	• Has at least 8 sentences and includes all the required information. • May have errors, but they do not interfere with communication.	• Has 5–7 sentences and includes all the required information. • May have errors, but they rarely interfere with communication.	• Has 4 sentences and includes some of the required information. • Has errors that interfere with communication.	• Supplies fewer sentences than in *Approaches Expectations* and little of the required information. • If communicating at all, has frequent errors that make communication limited or impossible.
Gramática nueva del *Capítulo 3*	• Makes excellent use of the chapter's new grammar (e.g., **irregular present tense verbs, *tener* expressions,** and ***hay***). • Uses a wide variety of new verbs.	• Makes good use of the chapter's new grammar (e.g., **irregular present tense verbs, *tener* expressions,** and ***hay***). • Uses a variety of new verbs.	• Makes use of some of the chapter's new grammar (e.g., **irregular present tense verbs, *tener* expressions,** and ***hay***). • Uses a limited variety of new verbs.	• Uses little if any of the chapter's grammar (e.g., **irregular present tense verbs, *tener* expressions**, and ***hay***).
Vocabulario nuevo del *Capítulo 3*	• Uses many of the new vocabulary words (e.g., **house, furniture,** and **household chores**).	• Uses a variety of the new vocabulary words (e.g., **house, furniture,** and **household chores**).	• Uses some of the new vocabulary words (e.g., **house, furniture,** and **household chores**).	• Uses little, if any, new vocabulary (e.g., **house, furniture,** and **household chores**).
Gramática y vocabulario reciclado de los capítulos anteriores	• Does an excellent job using recycled grammar and vocabulary to support what is being said. • Uses a wide array of recycled verbs. • Uses some recycled vocabulary but focuses predominantly on new vocabulary.	• Does a good job using recycled grammar and vocabulary to support what is being said. • Uses an array of recycled verbs. • Uses some recycled vocabulary but focuses predominantly on new vocabulary.	• Does an average job using recycled grammar and vocabulary to support what is being said. • Uses a limited array of recycled verbs. • Uses mostly recycled vocabulary and some new vocabulary.	• If speaking at all, relies almost completely on a few isolated words. • Grammar usage is inconsistent.
Esfuerzo	• Clearly the student made his/her best effort.	• The student made a good effort.	• The student made an effort.	• Little or no effort went into the activity.

Capítulo 4

6 8 Lo conocemos y lo sabemos

Juntos hagan un diagrama de Venn sobre lo que conocen y saben, y sobre lo que no conocen o no saben. Escriban por lo menos **diez** oraciones.

MODELO

Janet
1. Mi familia y yo sabemos hablar español.
2. Mi amiga Julia y sus hermanos saben tocar el piano.

Nosotras
1. Sabemos patinar.
2. No sabemos hablar chino.
3. Conocemos a la profesora.

Audrey
1. Mi amiga Sally y su familia conocen al presidente de la universidad.

6 9 Un cuento (*story*) divertido

Escriban en grupos un cuento creativo usando los siguientes verbos en el presente. Empiecen con la oración en el modelo. ¡Incluyan muchos detalles!

almorzar (nosotros)	devolver (él)	mostrar (ella)	servir (ellos)
cerrar (ellas)	dormir (ellos)	pedir (tú)	volver (yo)
costar (los libros)	encontrar (nosotros)	seguir (yo)	comenzar (él)

MODELO

¡Qué día tan horrible! Primero pierdo la tarea para la clase de _________.

entonces	*then*
después	*afterward*
finalmente	*finally*
luego	*then*
sin embargo	*nevertheless*

6-10 Mi comunidad ideal

Eres un/a arquitecto/a urbano/a y planeas tu ciudad ideal.

Paso 1 Dibuja el plano de tu ciudad con los lugares más necesarios (mercados, bancos, parques, etc.).

Paso 2 Descríbele tu ciudad a un/a compañero/a. Usa por lo menos **diez** oraciones con una variedad de verbos y vocabulario.

MODELO *Mi ciudad ideal se llama Ciudad Feliz. Hay una plaza en el centro. Tiene…*

6-11 Querida familia: …

Trabajas como consejero/a en un campamento de niños. Un día ayudas a los niños a escribirles cartas a sus padres y piensas que es una buena idea escribirle a un amigo también. En tu carta o e-mail, incluye oraciones que incorporen todos los usos que puedas (*all of the uses that you can*) de **ser** y **estar**.

MODELO

Querido José:

Estoy muy, muy cansada hoy. Tengo ganas de dormir pero ¡solamente son las 9! Siempre estoy muy ocupada (*busy*). Cuando tengo tiempo libre, a veces nado, pero nunca hago artesanía.

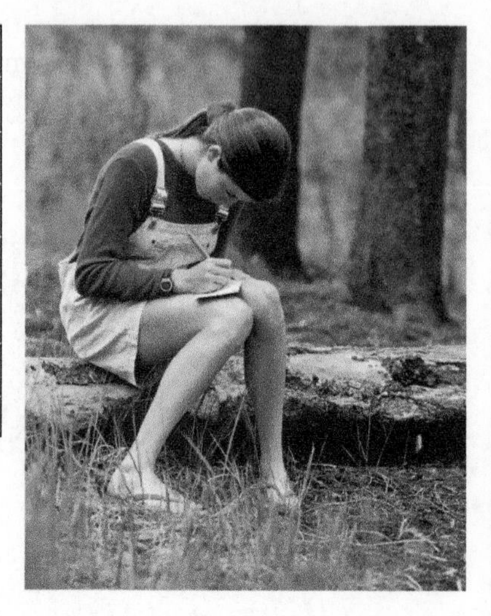

6-12 Mi tiempo libre ¡Tus compañeros y tú van a tener diez maravillosos días de vacaciones después de los exámenes! ¿Qué van a hacer? Túrnense **cinco** veces para decir oraciones usando **el futuro (*ir* + *a* + *infinitivo*)**. Después de decir tu oración, repite todo lo que dijeron (*you both said*) antes (*before*). Usen también diferentes pronombres (**yo, tú, ellos, nosotros**, etc.).

MODELO E1: *Voy a dormir diez horas cada día.*

E2: *Mis amigos van a ir a Cancún y tú vas a dormir diez horas cada día.*

E1: *Mi familia y yo vamos a nadar, tus amigos van a ir a Cancún, y voy a dormir diez horas cada día.*

E2: …

Estrategia

You and your instructor can use this rubric to assess your progress for **6-8** through **6-12**.

Rúbrica

	3 EXCEEDS EXPECTATIONS	2 MEETS EXPECTATIONS	1 APPROACHES EXPECTATIONS	0 DOES NOT MEET EXPECTATIONS
Duración y precisión	• Has at least 8 sentences and includes all the required information. • May have errors, but they do not interfere with communication.	• Has 5–7 sentences and includes all the required information. • May have errors, but they rarely interfere with communication.	• Has 4 sentences and includes some of the required information. • Has errors that interfere with communication.	• Supplies fewer sentences than in *Approaches Expectations* and little of the required information. • If communicating at all, has frequent errors that make communication limited or impossible.
Gramática nueva del *Capítulo 4*	• Makes excellent use of the chapter's new grammar (e.g., **stem-changing verbs, *ir, ir* + *a* + *infinitivo,*** and **affirmative and negative expressions**). • Uses a wide variety of new verbs.	• Makes good use of the chapter's new grammar (e.g., **stem-changing verbs, *ir, ir* + *a* + *infinitivo,*** and **affirmative and negative expressions**). • Uses a variety of new verbs.	• Makes use of some of the chapter's new grammar (e.g., **stem-changing verbs, *ir, ir* + *a* + *infinitivo, and* affirmative and negative expressions).** • Uses a limited variety of new verbs.	• Uses little if any of the chapter's grammar (e.g., **stem-changing verbs, *ir, ir* + *a* + *infinitivo,*** and **affirmative and negative expressions**). • Uses no new verbs.
Vocabulario nuevo del *Capítulo 4*	• Uses many of the new vocabulary words (e.g., **places** and **things to do**).	• Uses a variety of the new vocabulary words (e.g., **places** and **things to do**).	• Uses some of the new vocabulary words (e.g., **places** and **things to do**).	• Uses little, if any, new vocabulary (e.g., **places** and **things to do**).

(continued)

	3 EXCEEDS EXPECTATIONS	2 MEETS EXPECTATIONS	1 APPROACHES EXPECTATIONS	0 DOES NOT MEET EXPECTATIONS
Gramática y vocabulario reciclado de los capítulos anteriores	• Does an excellent job using recycled grammar and vocabulary to support what is being said. • Uses a wide array of recycled verbs. • Uses some recycled vocabulary but focuses predominantly on new vocabulary.	• Does a good job using recycled grammar and vocabulary to support what is being said. • Uses an array of recycled verbs. • Uses some recycled vocabulary but focuses predominantly on new vocabulary.	• Does an average job using recycled grammar and vocabulary to support what is being said. • Uses a limited array of recycled verbs. • Uses mostly recycled vocabulary and some new vocabulary.	• If speaking at all, relies almost completely on a few isolated words. • Grammar usage is inconsistent.
Esfuerzo	• Clearly the student made his/her best effort.	• The student made a good effort.	• The student made an effort.	• Little or no effort went into the activity.

Capítulo 5

6-13 ¡El concierto del siglo! Quieres ir al concierto de tu conjunto o cantante favorito, pero tu compañero/a no quiere ir. Creen un diálogo sobre su situación y preséntenlo a la clase. Su diálogo debe incluir por lo menos **doce** oraciones. Usen: formas de **este, ese, aquel**; unos adverbios (**-mente**); y pronombres de complemento directo (**me, te, lo, la, nos, los, las**).

MODELO E1: *David, quiero ir al concierto de Marc Anthony. Es este sábado a las ocho. Las entradas no cuestan mucho. Te invito.*

E2: *No gracias, Mariela. No quiero ir. Realmente, no puedo ir. Tengo mucha tarea.*

E1: *Pero David,...*

6-14 ¡Bienvenido/a, estrella! ¡Tienes el trabajo ideal! Puedes entrevistar a tu actor o actriz favorito/a del cine. Escribe **diez** preguntas que vas a hacerle. Después, con un/a compañero/a de clase, hagan los papeles de estrella y entrevistador/a para la clase.

6-15 El fin de semana Escribe un e-mail a un/a amigo/a. Dile (*tell him/her*) cómo pasaste (*how you spent*) el fin de semana pasado. Usa por lo menos 12 verbos de la lista.

apoyar	correr	grabar	montar	recibir
aprender	ensayar	guardar	participar	repartir
ayudar	escribir	lavar	preparar	trabajar
comer	estudiar	llevar	presentar	viajar

MODELO *Querido/a... :*
¡Qué fin de semana! El viernes...
Saludos,
____

Estrategia

You and your instructor can use this rubric to assess your progress for **6-13** through **6-15**.

Rúbrica

	3 EXCEEDS EXPECTATIONS	2 MEETS EXPECTATIONS	1 APPROACHES EXPECTATIONS	0 DOES NOT MEET EXPECTATIONS
Duración y precisión	• Has at least 8 sentences and includes all the required information. • May have errors, but they do not interfere with communication.	• Has 5–7 sentences and includes all the required information. • May have errors, but they rarely interfere with communication.	• Has 4 sentences and includes some of the required information. • Has errors that interfere with communication.	• Supplies fewer than 4 sentences and little of the required information. • Has frequent errors that make communication limited or impossible.
Gramática nueva del *Capítulo 5*	• Makes excellent use of the chapter's new grammar (e.g., **demonstrative adjectives and pronouns, adverbs, *Hay que...*, direct object pronouns,** and **regular verbs in the preterit**). • Uses a wide variety of new verbs.	• Makes good use of the chapter's new grammar (e.g., **demonstrative adjectives and pronouns, adverbs, *Hay que...*, direct object pronouns,** and **regular verbs in the preterit**). • Uses a variety of new verbs.	• Makes use of some of the chapter's new grammar (e.g., **demonstrative adjectives and pronouns, adverbs, *Hay que...*, direct object pronouns,** and **regular verbs in the preterit**). • Uses a limited variety of new verbs.	• Uses little, if any, of the chapter's new grammar (e.g., **demonstrative adjectives and pronouns, adverbs, *Hay que...*, direct object pronouns,** and **regular verbs in the preterit**). • Uses no new verbs.
Vocabulario nuevo del *Capítulo 5*	• Uses many of the new vocabulary words.	• Uses a variety of the new vocabulary words.	• Uses some of the new vocabulary words.	• Uses little, if any, new vocabulary.
Gramática y vocabulario reciclado de los capítulos anteriores	• Does an excellent job using recycled grammar and vocabulary to support what is being said. • Uses a wide array of recycled verbs. • Uses some recycled vocabulary but focuses predominantly on new vocabulary.	• Does a good job using recycled grammar and vocabulary to support what is being said. • Uses an array of recycled verbs. • Uses some recycled vocabulary but focuses predominantly on new vocabulary.	• Does an average job using recycled grammar and vocabulary to support what is being said. • Uses a limited array of recycled verbs. • Uses mostly recycled vocabulary and some new vocabulary.	• If speaking at all, relies almost completely on a few isolated words. • Grammar usage is inconsistent.
Esfuerzo	• The student made his/her best effort.	• The student made a good effort.	• The student made an effort.	• Little or no effort went into the activity.

Un poco de todo

6-16 ¡Ganaste la lotería! Ganaste (*You won*) un millón de dólares en la lotería y te invitan a un programa de televisión para explicar qué vas a hacer con el dinero. Dile al/a la entrevistador/a (tu compañero/a) qué vas a hacer con el dinero en **diez** oraciones por lo menos. Después cambien de papel (*switch roles*).

6-17 Busco ayuda... Con el dinero que ganaste en la lotería, decides buscar un ayudante personal (*personal assistant*) para ayudarte con los quehaceres de la casa y con algunos asuntos (*matters*) de tu trabajo. Entrevista a un/a compañero/a que hace el papel de ayudante. Después cambien de papel.

MODELO E1: *Debe mandar mis cartas y escribir unos e-mails.*
E2: *Bueno, pero no limpio las ventanas.*
E1: *¿Cómo? ¿No las limpia? ¿Pasa la aspiradora?*
E2: ...

6-18 Mi horario para la semana Crea un horario para una semana ideal durante el verano. Usa por lo menos **diez** verbos diferentes para explicar lo que tienes que hacer. Comparte tu horario con un/a compañero/a.

julio

L	M	M	J	V	S	D
			1	2	3	4
5	6	7	8	9	10	11
12	13	14	15	16	17	18
19	20	21	22	23	24	25
26	27	28	29	30	31	

6-19 El verano pasado Escribe una entrada (*entry*) de blog de **ocho** a **diez** oraciones sobre algunas cosas que hiciste (*you did*) el verano pasado. Usa verbos de la lista de la Actividad **6-15**. Ojo: Incluye **cuándo, dónde** y **con quién** hiciste las cosas.

6-20 Para la comunidad Escribe un poema en verso libre o una canción sobre el voluntariado y sus beneficios para los que dan y para los que reciben ayuda.

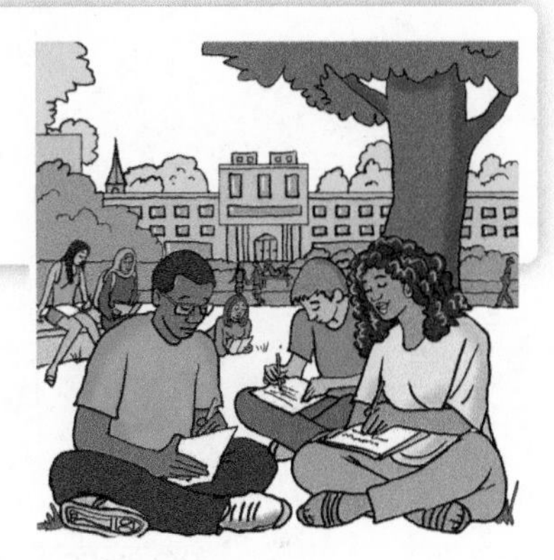

MODELO *Ayudar a las personas es muy importante*
dar y recibir, dar y recibir
hay muchas maneras de hacer el voluntariado
en las residencias de ancianos…

6-21 Mi comunidad Túrnense para describir detalladamente su comunidad. Incluyan en su descripción oral detalles de su pueblo o ciudad (edificios, lugares de diversión, etc.), su casa y también las oportunidades que existen para hacer trabajo voluntario. Finalmente, hagan sus presentaciones para un grupo cívico como los Rotarios (*Rotary Club*).

México, D.F.

6-22 El juego de la narración Túrnense para describir qué recuerdan de las **Lecturas** de los **Capítulos 1** a **5**. ¡Incluyan muchos detalles!

MODELO E1: *En el **Capítulo 1** leemos información de Adriana en su perfil.*
E2: *Sí, ella tiene diecinueve años y es estudiante.*
E1: *Su familia es de origen mexicano. Adriana escribe de su familia en su perfil…*

Estrategia

The ability to retell information is an important language-learning strategy. Practice summarizing or retelling in your own words in Spanish the information presented in the *Lectura* section, chapter by chapter. Set a goal for yourself of saying or writing at least two things about each *Lectura*.

6-23 Su versión En la actividad **6-22**, hablaron de las **Lecturas** de los **Capítulos 1** a **5**. Ahora es su turno como escritores. En grupos, van a escribir un cuento sobre Adriana, su familia y sus amigos. Pueden incluir información de su casa, sus actividades, sus preferencias, etc. Su instructor/a les va a explicar cómo hacerlo. Empiecen con la oración del modelo. ¡Sean muy creativos/as y diviértanse (*have fun*)!

MODELO *Adriana es una estudiante buena pero este semestre tiene algunas dificultades.*

6-24 Tu propia película documental

Eres director/a de cine y puedes crear tu propio video sobre tu universidad o tu pueblo/ciudad para un episodio de ***Club cultura*** de la sección de **Vistazo cultural**. Escribe una lista de los lugares y las personas que quieres incluir. Después escribe la introducción y los comentarios sobre cada lugar y persona.

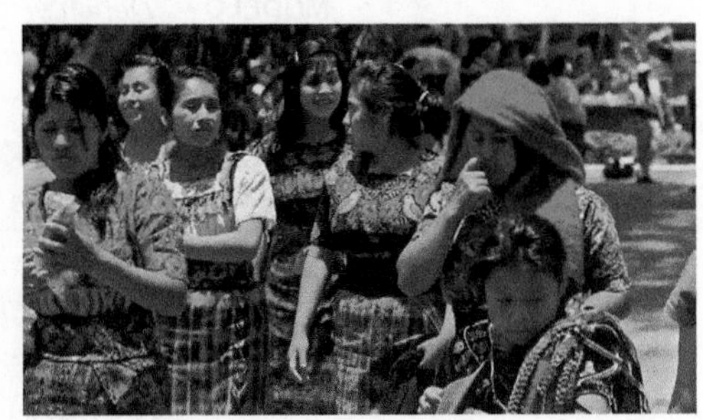

6-25 Los hispanos en los Estados Unidos

Escribe **cinco** influencias hispanas en los Estados Unidos.

MODELO 1. *St. Augustine es la primera ciudad europea en los Estados Unidos.*

6-26 Aspectos interesantes

Escribe por lo menos **tres** cosas interesantes sobre cada uno de los siguientes países.

Estrategia

You have read numerous cultural notes throughout the first five chapters and have viewed corresponding episodes of *Club cultura*. To help you organize the material, make a chart of the most important information, or dedicate a separate page in your notebook for each country, recording the unique cultural items of that particular country.

MÉXICO	ESPAÑA	HONDURAS	GUATEMALA

EL SALVADOR	NICARAGUA	COSTA RICA	PANAMÁ

6-27 Un agente de viajes Durante el verano tienes la oportunidad de trabajar en una agencia de viajes (*travel agency*). Tienes unos clientes que quieren visitar un país hispanohablante. Escoge uno de los países que estudiamos y recomienda el país en **seis** oraciones por lo menos.

MODELO *Deben visitar Honduras, un país en el mar Caribe. Hay muchas cosas que pueden hacer. Por ejemplo, recomiendo las ruinas de Copán…*

6-28 Mi país favorito Describe tu país favorito entre los que hemos estudiado (*we have studied*). En **ocho** oraciones por lo menos explica por qué te gusta y lo que encuentras interesante e impresionante de ese país.

6-29 ¿Cómo son? Escoge dos países que estudiamos y escribe las diferencias y semejanzas (*similarities*) entre los dos.

MODELO *México es un país grande en Norteamérica. Nicaragua es un país pequeño y está en Centroamérica.*

6-30 **¡A jugar!** Van a jugar ***¿Lo sabes?***, un juego como *Jeopardy!* Completen los siguientes pasos.

Paso 1 En grupos de tres o cuatro, preparen las respuestas para las siguientes categorías y después las preguntas correspondientes. (Pueden usar valores de dólares, pesos, euros, etc.)

Paso 2 Entre los grupos, intercambien (*exchange*) las respuestas y las preguntas. ¿Qué grupo va a ganar?

CATEGORÍAS

VOCABULARIO	**VERBOS**	**CULTURA**
la vida estudiantil	verbos regulares	Estados Unidos
las materias y las especialidades	verbos irregulares	México
los deportes y los pasatiempos	**saber** y **conocer**	España
la casa y los muebles	**ser** y **estar**	Honduras
los quehaceres de la casa	**ir**	Guatemala
el cine	**ir + a + infinitivo**	El Salvador
la música	verbos regulares en el pretérito	Nicaragua
el voluntariado		Costa Rica
		Panamá

MODELOS

CATEGORÍA: LA VIDA ESTUDIANTIL

Respuesta: en la residencia estudiantil
Pregunta: *¿Dónde viven los estudiantes?*

CATEGORÍA: LOS DEPORTES Y LOS PASATIEMPOS

Respuesta: Es Manny Machado.
Pregunta: *¿Quién juega al béisbol muy bien?*

¿LO SABES? DOBLE

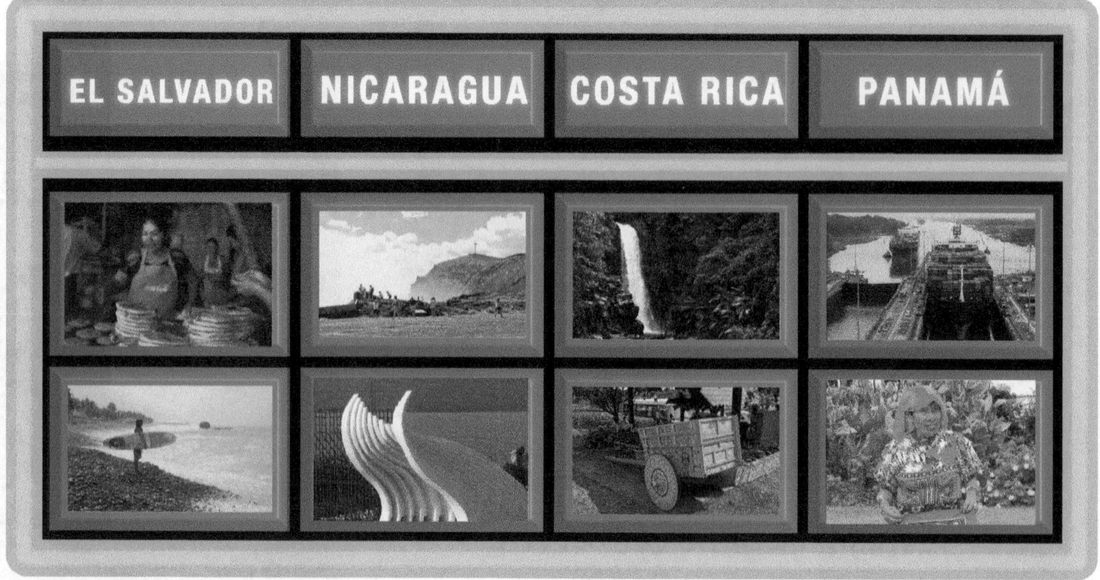

Y por fin, ¿cómo andas?

Having completed this chapter, I now can...	Feel confident	Need to review
Comunicación		
• describe my family and other families.	☐	☐
• relate information about my school and campus.	☐	☐
• impart information about homes that my friends and I like and dislike.	☐	☐
• offer opinions on what will take place in the future.	☐	☐
• reveal what I and others like to do and what we need to do.	☐	☐
• report on service opportunities in my community.	☐	☐
• discuss music, movies, and television.	☐	☐
• share activities from the past.	☐	☐
• engage in additional communication practice (online).	☐	☐
Cultura		
• share information about the Spanish-speaking world in the United States, Mexico, Spain, Honduras, Guatemala, El Salvador, Nicaragua, Costa Rica, and Panama.	☐	☐
• compare and contrast the countries I learned about in **Capítulos 1–5**.	☐	☐
• explore further cultural themes (online).	☐	☐
Lecturas		
• share information about the readings from **Capítulos 1–5**.	☐	☐
Comunidades		
• use Spanish in real-life contexts (online).	☐	☐

APPENDIX 1

Answers to *¡Explícalo tú!* (Inductive Grammar Answers)

Capítulo A Para empezar

12. *Gustar*

1. To say you like or dislike one thing, what form of **gustar** do you use?
   gusta
2. To say you like or dislike more than one thing, what form of **gustar** do you use?
   gustan

Capítulo 2

9. El verbo *gustar*

1. To say you like or dislike one thing, what form of **gustar** do you use?
   gusta
2. To say you like or dislike more than one thing, what form of **gustar** do you use?
   gustan
3. Which words in the examples mean *I?* **(Me)** *You?* **(Te)** *He/she?* **(le)**
4. If a verb is needed after **gusta,** what form of the verb do you use?
   the infinitive form of the verb

Capítulo 4

4. Los verbos con cambio de raíz

1. Which verb forms look like the infinitive **cerrar**?
   nosotros, vosotros
2. Which verb forms have a spelling change that differs from the infinitive **cerrar**?
   yo, tú, usted, él, ella, ustedes, ellos, ellas

1. Which verb forms look like the infinitive **pedir**?
   nosotros, vosotros
2. Which verb forms have a spelling change that differs from the infinitive **pedir**?
   yo, tú, usted, él, ella, ustedes, ellos, ellas

1. Which verb forms look like the infinitive **encontrar**?
   nosotros, vosotros
2. Which verb forms have a spelling change that differs from the infinitive **encontrar**?
   yo, tú, usted, él, ella, ustedes, ellos, ellas

1. Which verb forms look like the infinitive **jugar**?
   nosotros, vosotros
2. Which verb forms have a spelling change that differs from the infinitive **jugar**?
   yo, tú, usted, él, ella, ustedes, ellos, ellas
3. Why does **jugar** not belong with the verbs like **encontrar**?
   because the change is *u* → *ue*, not *o* → *ue* like *encontrar*

To summarize…

1. What rule can you make regarding all four groups of stem-changing verbs and their forms?
   ***Nosotros/vosotros* look like the infinitive. All the other forms have the spelling change.**
2. With what group of stem-changing verbs would you put **querer**?
   e → ie
3. With what group of stem-changing verbs would you put the following verbs?

   demostrar *to demonstrate* **o → ue**
   devolver *to return (an object)* **o → ue**
   encerrar *to enclose* **e → ie**
   perseguir *to chase* **e → i**

6. *Ir* + *a* + infinitivo

1. When do the actions in the previous sentences take place: in the *past, present,* or *future?*
   future
2. What is the first bold type verb you see in each sentence?
   a form of *ir*
3. In what form is the second bolded verb?
   infinitive
4. What word comes between the two verbs?
   a
   Does this word have an equivalent in English?
   no
5. What is your rule, then, for expressing future actions or statements?
   use a form of *ir* + *a* + infinitive

8. Las expresiones afirmativas y negativas

1. When you use a negative word (**nadie, nunca,** etc.) in a sentence, does it come before or after the verb?
   The negative word can go either before or after the verb.
2. When you use the word **no** and then a negative word in the same sentence, does **no** come before or after the verb?
   ***No* comes before the verb.**
   Where does the negative word come in these sentences?
   The negative word can go either before or after the verb.
3. Does the meaning change depending on where you put the negative word (e.g., **Nadie llama** *vs.* **No llama nadie**)?
   No, the meaning stays the same.

9. Un repaso de *ser* y *estar*

1. Why do you use a form of **ser** in the first sentence?
   because it describes a physical or personality characteristic that remains relatively constant
2. Why do you use a form of **estar** in the second sentence?
   because it describes a physical or personality characteristic that can change, or a change in condition

Capítulo 5

2. Los adjetivos y los pronombres demostrativos

1. When do you use **este, ese,** and **aquel**?
   when you want to point out *one* masculine person or object
2. When do you use **esta, esa,** and **aquella**?
   when you want to point out *one* feminine person or object
3. When do you use **estos, esos,** and **aquellos**?
   when you want to point out *two or more* masculine persons or objects, or a mix of masculine and feminine persons or objects
4. When do you use **estas, esas,** and **aquellas**?
   when you want to point out *two or more* feminine persons or objects

5. El pretérito: los verbos regulares *-ar*

1. What do you notice about the endings?
   They all begin with -a except for the *yo* and the *él/ella* forms. In present tense, the *yo* ending was -o. Here, the -o ending is the *él/ella* forms and it has an accent mark.
2. Where are accent marks needed?
   Accent marks are needed on the *yo* and *él/ella/usted* forms.

Capítulo 6

Major grammar points to be reviewed

1. Present tense of:
   Regular **-ar, -er, -ir** verbs
   Irregular verbs
   Stem-changing verbs **e → ie, e → i, o → ue, u → ue**
2. Expressing the future with ***ir* + *a* + infinitive**
3. Use of direct object pronouns
4. Use of **ser** and **estar**
5. Use of **gustar**
6. Preterit tense of regular verbs

Major vocabulary to be reviewed

1. The *Vocabulario activo* at the end of each chapter

Major cultural information to be reviewed

1. At least two facts about each of the feature countries
2. At least one point about each of the two culture presentations in each chapter

Capítulo 7

2. Repaso del complemento directo

1. What are direct objects?
   Direct objects receive the action of verbs, answering the questions *what* and *whom*.
   What are direct object pronouns?
   Direct object pronouns replace direct objects.
2. What are the pronouns (forms)? With what must they agree?
   The pronoun forms are *me, te, lo, la, nos, los, las*. They must agree with direct objects.
3. Where are direct object pronouns placed in a sentence?
   They are placed either before verbs or attached to infinitives.

Capítulo 8

2. Los pronombres de complemento indirecto

1. Who is *buying* the clothing?
   mi madre
2. Who is *receiving* the clothing?
   Mi madre **me** compra mucha ropa.
   I am receiving the clothing.
   Mi madre **te** compra mucha ropa.
   You are receiving the clothing.
   Mi madre **le** compra mucha ropa a usted.
   You are receiving the clothing.
   Mi madre **le** compra mucha ropa a mi hermano.
   My brother is receiving the clothing.
   Mi madre **nos** compra mucha ropa.
   We are receiving the clothing.
   Mi madre **os** compra mucha ropa.
   You all are receiving the clothing.
   Mi madre **les** compra mucha ropa a ustedes.
   You all are receiving the clothing.
   Mi madre **les** compra mucha ropa a mis hermanos.
   My brothers are receiving the clothing.

4. Los pronombres de complemento directo e indirecto usados juntos

1. You know that direct and indirect objects come after verbs. Where do you find the direct and indirect object pronouns?
   The pronouns come before verbs or attached to infinitives.
2. Reading from left to right, which pronoun comes first (direct or indirect)? Which pronoun comes second?
   The indirect object pronoun comes first, and the direct object pronoun comes second.

Capítulo 9

2. Las construcciones reflexivas

In each drawing:

Who is performing / doing the action?

- a. **La fiesta**
- b. **Alberto**
- c. **Beatriz**
- d. **Raúl y Gloria**
- e. **Alberto**
- f. **Beatriz**

Who or what is receiving the action?

- a. **neighbors**
- b. **daughter**
- c. **car**
- d. **Raúl and Gloria**
- e. **Alberto**
- f. **Beatriz**

Which of the drawings and captions demonstrate reflexive verbs?

the bottom row (Raúl y Gloria se despiertan. / Alberto se acuesta. / Beatriz se lava.)

Capítulo 10

3. Los mandatos formales

1. Where do the object pronouns appear in affirmative commands?
   attached to the command
   Where do they appear in negative commands?
   before the command and not attached
   In what order?
   The indirect object pronoun comes first, and the direct object pronoun comes second.
2. Why are there written accents added to some of the commands and not to others?
   because some commands would change pronunciation without the accent marks

Capítulo 11

3. El presente progresivo

1. In the first group of sample sentences in Spanish, what is the infinitive of the first verb in each sentence that is in *italics*?
   estar
2. What are the infinitives of **haciendo, trabajando, cuidando, reciclando,** and **reutilizando**?
   hacer, trabajar, cuidar, reciclar, reutilizar
3. How do you convert the infinitives to this new form of the verb?
   Take the infinitive, drop the *-ar* or *-er,* add *-ando* or *-iendo*.
4. In this new tense, the *present progressive*, do any words come between the two parts of the verb?
   no
5. Therefore, your formula for forming the present progressive is:
   a form of the verb *estar* + a verb ending in *-ando* or *-iendo*

5. El subjuntivo

1. What is the difference between the subjunctive and the indicative moods?
   The subjunctive expresses concepts such as opinions, doubt and probability, and wishes and hopes. The indicative reports events and happenings.
2. What other verb forms look like the subjunctive?
   The *usted* and *ustedes* (formal) commands, and the negative *tú* (informal) commands.
3. Where does the subjunctive verb come in relation to the word **que**?
   after the word *que*

Capítulo 12

Major grammar points to be reviewed

1. Past tenses:
   Irregular preterit
   Regular and irregular imperfect
   Uses of the preterit and imperfect
2. Pronouns:
   Direct object
   Indirect object
   Reflexive
   Placement of pronouns
3. Commands:
   Informal affirmative and negative
   Formal affirmative and negative
4. Subjunctive:
   Formation
   Usage
5. Present progressive

Major vocabulary to be reviewed

1. The *Vocabulario activo* at the end of each chapter

Major cultural information to be reviewed

1. At least two facts about each of the feature countries
2. At least one point about each of the two culture presentations in each chapter

APPENDIX 2

Verb Charts

Regular Verbs: Simple Tenses

Infinitive Present Participle Past Participle	Indicative					Subjunctive		Imperative
	Present	Imperfect	Preterit	Future	Conditional	Present	Imperfect	Commands
hablar hablando hablado	hablo hablas habla hablamos habláis hablan	hablaba hablabas hablaba hablábamos hablabais hablaban	hablé hablaste habló hablamos hablasteis hablaron	hablaré hablarás hablará hablaremos hablaréis hablarán	hablaría hablarías hablaría hablaríamos hablaríais hablarían	hable hables hable hablemos habléis hablen	hablara hablaras hablara habláramos hablarais hablaran	habla (tú), no hables hable (usted) hablemos hablad (vosotros), no habléis hablen (Uds.)
comer comiendo comido	como comes come comemos coméis comen	comía comías comía comíamos comíais comían	comí comiste comió comimos comisteis comieron	comeré comerás comerá comeremos comeréis comerán	comería comerías comería comeríamos comeríais comerían	coma comas coma comamos comáis coman	comiera comieras comiera comiéramos comierais comieran	come (tú), no comas coma (usted) comamos comed (vosotros), no comáis coman (Uds.)
vivir viviendo vivido	vivo vives vive vivimos vivís viven	vivía vivías vivía vivíamos vivíais vivían	viví viviste vivió vivimos vivisteis vivieron	viviré vivirás vivirá viviremos viviréis vivirán	viviría vivirías viviría viviríamos viviríais vivirían	viva vivas viva vivamos viváis vivan	viviera vivieras viviera viviéramos vivierais vivieran	vive (tú), no vivas viva (usted) vivamos vivid (vosotros), no viváis vivan (Uds.)

Regular Verbs: Perfect Tenses

Indicative										Subjunctive			
Present Perfect		Past Perfect		Preterit Perfect		Future Perfect		Conditional Perfect		Present Perfect		Past Perfect	
he has ha hemos habéis han	hablado comido vivido	había habías había habíamos habíais habían	hablado comido vivido	hube hubiste hubo hubimos hubisteis hubieron	hablado comido vivido	habré habrás habrá habremos habréis habrán	hablado comido vivido	habría habrías habría habríamos habríais habrían	hablado comido vivido	haya hayas haya hayamos hayáis hayan	hablado comido vivido	hubiera hubieras hubiera hubiéramos hubierais hubieran	hablado comido vivido

Irregular Verbs

Infinitive Present Participle Past Participle	Indicative					Subjunctive		Imperative
	Present	Imperfect	Preterit	Future	Conditional	Present	Imperfect	Commands
andar andando andado	ando andas anda andamos andáis andan	andaba andabas andaba andábamos andabais andaban	anduve anduviste anduvo anduvimos anduvisteis anduvieron	andaré andarás andará andaremos andaréis andarán	andaría andarías andaría andaríamos andaríais andarían	ande andes ande andemos andéis anden	anduviera anduvieras anduviera anduviéramos anduvierais anduvieran	anda (tú), no andes ande (usted) andemos andad (vosotros), no andéis anden (Uds.)
caer cayendo caído	caigo caes cae caemos caéis caen	caía caías caía caíamos caíais caían	caí caíste cayó caímos caísteis cayeron	caeré caerás caerá caeremos caeréis caerán	caería caerías caería caeríamos caeríais caerían	caiga caigas caiga caigamos caigáis caigan	cayera cayeras cayera cayéramos cayerais cayeran	cae (tú), no caigas caiga (usted) caigamos caed (vosotros), no caigáis caigan (Uds.)
dar dando dado	doy das da damos dais dan	daba dabas daba dábamos dabais daban	di diste dio dimos disteis dieron	daré darás dará daremos daréis darán	daría darías daría daríamos daríais darían	dé des dé demos deis den	diera dieras diera diéramos dierais dieran	da (tú), no des dé (usted) demos dad (vosotros), no deis den (Uds.)
decir diciendo dicho	digo dices dice decimos decís dicen	decía decías decía decíamos decíais decían	dije dijiste dijo dijimos dijisteis dijeron	diré dirás dirá diremos diréis dirán	diría dirías diría diríamos diríais dirían	diga digas diga digamos digáis digan	dijera dijeras dijera dijéramos dijerais dijeran	di (tú), no digas diga (usted) digamos decid (vosotros), no digáis digan (Uds.)

Irregular Verbs (continued)

Infinitive Present Participle Past Participle	Indicative					Subjunctive		Imperative
	Present	Imperfect	Preterit	Future	Conditional	Present	Imperfect	Commands
estar estando estado	estoy estás está estamos estáis están	estaba estabas estaba estábamos estabais estaban	estuve estuviste estuvo estuvimos estuvisteis estuvieron	estaré estarás estará estaremos estaréis estarán	estaría estarías estaría estaríamos estaríais estarían	esté estés esté estemos estéis estén	estuviera estuvieras estuviera estuviéramos estuvierais estuvieran	está (tú), no estés esté (usted) estemos estad (vosotros), no estéis estén (Uds.)
haber habiendo habido	he has ha hemos habéis han	había habías había habíamos habíais habían	hube hubiste hubo hubimos hubisteis hubieron	habré habrás habrá habremos habréis habrán	habría habrías habría habríamos habríais habrían	haya hayas haya hayamos hayáis hayan	hubiera hubieras hubiera hubiéramos hubierais hubieran	
hacer haciendo hecho	hago haces hace hacemos hacéis hacen	hacía hacías hacía hacíamos hacíais hacían	hice hiciste hizo hicimos hicisteis hicieron	haré harás hará haremos haréis harán	haría harías haría haríamos haríais harían	haga hagas haga hagamos hagáis hagan	hiciera hicieras hiciera hiciéramos hicierais hicieran	haz (tú), no hagas haga (usted) hagamos haced (vosotros), no hagáis hagan (Uds.)
ir yendo ido	voy vas va vamos vais van	iba ibas iba íbamos ibais iban	fui fuiste fue fuimos fuisteis fueron	iré irás irá iremos iréis irán	iría irías iría iríamos iríais irían	vaya vayas vaya vayamos vayáis vayan	fuera fueras fuera fuéramos fuerais fueran	ve (tú), no vayas vaya (usted) vamos, no vayamos id (vosotros), no vayáis vayan (Uds.)
oír oyendo oído	oigo oyes oye oímos oís oyen	oía oías oía oíamos oíais oían	oí oíste oyó oímos oísteis oyeron	oiré oirás oirá oiremos oiréis oirán	oiría oirías oiría oiríamos oiríais oirían	oiga oigas oiga oigamos oigáis oigan	oyera oyeras oyera oyéramos oyerais oyeran	oye (tú), no oigas oiga (usted) oigamos oíd (vosotros), no oigáis oigan (Uds.)

Irregular Verbs (continued)

Infinitive Present Participle Past Participle	Indicative					Subjunctive		Imperative
	Present	Imperfect	Preterit	Future	Conditional	Present	Imperfect	Commands
poder pudiendo podido	puedo puedes puede podemos podéis pueden	podía podías podía podíamos podíais podían	pude pudiste pudo pudimos pudisteis pudieron	podré podrás podrá podremos podréis podrán	podría podrías podría podríamos podríais podrían	pueda puedas pueda podamos podáis puedan	pudiera pudieras pudiera pudiéramos pudierais pudieran	
poner poniendo puesto	pongo pones pone ponemos ponéis ponen	ponía ponías ponía poníamos poníais ponían	puse pusiste puso pusimos pusisteis pusieron	pondré pondrás pondrá pondremos pondréis pondrán	pondría pondrías pondría pondríamos pondríais pondrían	ponga pongas ponga pongamos pongáis pongan	pusiera pusieras pusiera pusiéramos pusierais pusieran	pon (tú), no pongas ponga (usted) pongamos poned (vosotros), no pongáis pongan (Uds.)
querer queriendo querido	quiero quieres quiere queremos queréis quieren	quería querías quería queríamos queríais querían	quise quisiste quiso quisimos quisisteis quisieron	querré querrás querrá querremos querréis querrán	querría querrías querría querríamos querríais querrían	quiera quieras quiera queramos queráis quieran	quisiera quisieras quisiera quisiéramos quisierais quisieran	quiere (tú), no quieras quiera (usted) queramos quered (vosotros), no queráis quieran (Uds.)
saber sabiendo sabido	sé sabes sabe sabemos sabéis saben	sabía sabías sabía sabíamos sabíais sabían	supe supiste supo supimos supisteis supieron	sabré sabrás sabrá sabremos sabréis sabrán	sabría sabrías sabría sabríamos sabríais sabrían	sepa sepas sepa sepamos sepáis sepan	supiera supieras supiera supiéramos supierais supieran	sabe (tú), no sepas sepa (usted) sepamos sabed (vosotros), no sepáis sepan (Uds.)
salir saliendo salido	salgo sales sale salimos salís salen	salía salías salía salíamos salíais salían	salí saliste salió salimos salisteis salieron	saldré saldrás saldrá saldremos saldréis saldrán	saldría saldrías saldría saldríamos saldríais saldrían	salga salgas salga salgamos salgáis salgan	saliera salieras saliera saliéramos salierais salieran	sal (tú), no salgas salga (usted) salgamos salid (vosotros), no salgáis salgan (Uds.)

Irregular Verbs (continued)

Infinitive Present Participle Past Participle	Indicative					Subjunctive		Imperative
	Present	Imperfect	Preterit	Future	Conditional	Present	Imperfect	Commands
ser siendo sido	soy eres es somos sois son	era eras era éramos erais eran	fui fuiste fue fuimos fuisteis fueron	seré serás será seremos seréis serán	sería serías sería seríamos seríais serían	sea seas sea seamos seáis sean	fuera fueras fuera fuéramos fuerais fueran	sé (tú), no seas sea (usted) seamos sed (vosotros), no seáis sean (Uds.)
tener teniendo tenido	tengo tienes tiene tenemos tenéis tienen	tenía tenías tenía teníamos teníais tenían	tuve tuviste tuvo tuvimos tuvisteis tuvieron	tendré tendrás tendrá tendremos tendréis tendrán	tendría tendrías tendría tendríamos tendríais tendrían	tenga tengas tenga tengamos tengáis tengan	tuviera tuvieras tuviera tuviéramos tuvierais tuvieran	ten (tú), no tengas tenga (usted) tengamos tened (vosotros), no tengáis tengan (Uds.)
traer trayendo traído	traigo traes trae traemos traéis traen	traía traías traía traíamos traíais traían	traje trajiste trajo trajimos trajisteis trajeron	traeré traerás traerá traeremos traeréis traerán	traería traerías traería traeríamos traeríais traerían	traiga traigas traiga traigamos traigáis traigan	trajera trajeras trajera trajéramos trajerais trajeran	trae (tú), no traigas traiga (usted) traigamos traed (vosotros), no traigáis traigan (Uds.)
venir viniendo venido	vengo vienes viene venimos venís vienen	venía venías venía veníamos veníais venían	vine viniste vino vinimos vinisteis vinieron	vendré vendrás vendrá vendremos vendréis vendrán	vendría vendrías vendría vendríamos vendríais vendrían	venga vengas venga vengamos vengáis vengan	viniera vinieras viniera viniéramos vinierais vinieran	ven (tú), no vengas venga (usted) vengamos venid (vosotros), no vengáis vengan (Uds.)
ver viendo visto	veo ves ve vemos veis ven	veía veías veía veíamos veíais veían	vi viste vio vimos visteis vieron	veré verás verá veremos veréis verán	vería verías vería veríamos veríais verían	vea veas vea veamos veáis vean	viera vieras viera viéramos vierais vieran	ve (tú), no veas vea (usted) veamos ved (vosotros), no veáis vean (Uds.)

Stem-Changing and Orthographic-Changing Verbs

Infinitive Present Participle Past Participle	Indicative					Subjunctive		Imperative
	Present	Imperfect	Preterit	Future	Conditional	Present	Imperfect	Commands
almorzar (ue) (c) almorzando almorzado	almuerzo almuerzas almuerza almorzamos almorzáis almuerzan	almorzaba almorzabas almorzaba almorzábamos almorzabais almorzaban	almorcé almorzaste almorzó almorzamos almorzasteis almorzaron	almorzaré almorzarás almorzará almorzaremos almorzaréis almorzarán	almorzaría almorzarías almorzaría almorzaríamos almorzaríais almorzarían	almuerce almuerces almuerce almorcemos almorcéis almuercen	almorzara almorzaras almorzara almorzáramos almorzarais almorzaran	almuerza (tú), no almuerces almuerce (usted) almorcemos almorzad (vosotros), no almorcéis almuercen (Uds.)
buscar (qu) buscando buscado	busco buscas busca buscamos buscáis buscan	buscaba buscabas buscaba buscábamos buscabais buscaban	busqué buscaste buscó buscamos buscasteis buscaron	buscaré buscarás buscará buscaremos buscaréis buscarán	buscaría buscarías buscaría buscaríamos buscaríais buscarían	busque busques busque busquemos busquéis busquen	buscara buscaras buscara buscáramos buscarais buscaran	busca (tú), no busques busque (usted) busquemos buscad (vosotros), no busquéis busquen (Uds.)
corregir (i, i) (j) corrigiendo corregido	corrijo corriges corrige corregimos corregís corrigen	corregía corregías corregía corregíamos corregíais corregían	corregí corregiste corrigió corregimos corregisteis corrigieron	corregiré corregirás corregirá corregiremos corregiréis corregirán	corregiría corregirías corregiría corregiríamos corregiríais corregirían	corrija corrijas corrija corrijamos corrijáis corrijan	corrigiera corrigieras corrigiera corrigiéramos corrigierais corrigieran	corrige (tú), no corrijas corrija (usted) corrijamos corregid (vosotros), no corrijáis corrijan (Uds.)
dormir (ue, u) durmiendo dormido	duermo duermes duerme dormimos dormís duermen	dormía dormías dormía dormíamos dormíais dormían	dormí dormiste durmió dormimos dormisteis durmieron	dormiré dormirás dormirá dormiremos dormiréis dormirán	dormiría dormirías dormiría dormiríamos dormiríais dormirían	duerma duermas duerma durmamos durmáis duerman	durmiera durmieras durmiera durmiéramos durmierais durmieran	duerme (tú), no duermas duerma (usted) durmamos dormid (vosotros), no durmáis duerman (Uds.)
incluir (y) incluyendo incluido	incluyo incluyes incluye incluimos incluís incluyen	incluía incluías incluía incluíamos incluíais incluían	incluí incluiste incluyó incluimos incluisteis incluyeron	incluiré incluirás incluirá incluiremos incluiréis incluirán	incluiría incluirías incluiría incluiríamos incluiríais incluirían	incluya incluyas incluya incluyamos incluyáis incluyan	incluyera incluyeras incluyera incluyéramos incluyerais incluyeran	incluye (tú), no incluyas incluya (usted) incluyamos incluid (vosotros), no incluyáis incluyan (Uds.)

Stem-Changing and Orthographic-Changing Verbs (continued)

Infinitive Present Participle Past Participle	Indicative					Subjunctive		Imperative
	Present	Imperfect	Preterit	Future	Conditional	Present	Imperfect	Commands
llegar (gu) llegando llegado	llego llegas llega llegamos llegáis llegan	llegaba llegabas llegaba llegábamos llegabais llegaban	llegué llegaste llegó llegamos llegasteis llegaron	llegaré llegarás llegará llegaremos llegaréis llegarán	llegaría llegarías llegaría llegaríamos llegaríais llegarían	llegue llegues llegue lleguemos lleguéis lleguen	llegara llegaras llegara llegáramos llegarais llegaran	llega (tú), no llegues llegue (usted) lleguemos llegad (vosotros), no lleguéis lleguen (Uds.)
pedir (i, i) pidiendo pedido	pido pides pide pedimos pedís piden	pedía pedías pedía pedíamos pedíais pedían	pedí pediste pidió pedimos pedisteis pidieron	pediré pedirás pedirá pediremos pediréis pedirán	pediría pedirías pediría pediríamos pediríais pedirían	pida pidas pida pidamos pidáis pidan	pidiera pidieras pidiera pidiéramos pidierais pidieran	pide (tú), no pidas pida (usted) pidamos pedid (vosotros), no pidáis pidan (Uds.)
pensar (ie) pensando pensado	pienso piensas piensa pensamos pensáis piensan	pensaba pensabas pensaba pensábamos pensabais pensaban	pensé pensaste pensó pensamos pensasteis pensaron	pensaré pensarás pensará pensaremos pensaréis pensarán	pensaría pensarías pensaría pensaríamos pensaríais pensarían	piense pienses piense pensemos penséis piensen	pensara pensaras pensara pensáramos pensarais pensaran	piensa (tú), no pienses piense (usted) pensemos pensad (vosotros), no penséis piensen (Uds.)
producir (zc) (j) produciendo producido	produzco produces produce producimos producís producen	producía producías producía producíamos producíais producían	produje produjiste produjo produjimos produjisteis produjeron	produciré producirás producirá produciremos produciréis producirán	produciría producirías produciría produciríamos produciríais producirían	produzca produzcas produzca produzcamos produzcáis produzcan	produjera produjeras produjera produjéramos produjerais produjeran	produce (tú), no produzcas produzca (usted) produzcamos producid (vosotros), no produzcáis produzcan (Uds.)
reír (i, i) riendo reído	río ríes ríe reímos reís ríen	reía reías reía reíamos reíais reían	reí reíste rio reímos reísteis rieron	reiré reirás reirá reiremos reiréis reirán	reiría reirías reiría reiríamos reiríais reirían	ría rías ría riamos riáis rían	riera rieras riera riéramos rierais rieran	ríe (tú), no rías ría (usted) riamos reíd (vosotros), no riáis rían (Uds.)

Stem-Changing and Orthographic-Changing Verbs (continued)

Infinitive Present Participle Past Participle	Indicative					Subjunctive		Imperative
	Present	Imperfect	Preterit	Future	Conditional	Present	Imperfect	Commands
seguir (i, i) (ga) siguiendo seguido	sigo sigues sigue seguimos seguís siguen	seguía seguías seguía seguíamos seguíais seguían	seguí seguiste siguió seguimos seguisteis siguieron	seguiré seguirás seguirá seguiremos seguiréis seguirán	seguiría seguirías seguiría seguiríamos seguiríais seguirían	siga sigas siga sigamos sigáis sigan	siguiera siguieras siguiera siguiéramos siguierais siguieran	sigue (tú), no sigas siga (usted) sigamos seguid (vosotros), no sigáis sigan (Uds.)
sentir (ie, i) sintiendo sentido	siento sientes siente sentimos sentís sienten	sentía sentías sentía sentíamos sentíais sentían	sentí sentiste sintió sentimos sentisteis sintieron	sentiré sentirás sentirá sentiremos sentiréis sentirán	sentiría sentirías sentiría sentiríamos sentiríais sentirían	sienta sientas sienta sintamos sintáis sientan	sintiera sintieras sintiera sintiéramos sintierais sintieran	siente (tú), no sientas sienta (usted) sintamos sentid (vosotros), no sintáis sientan (Uds.)
volver (ue) volviendo vuelto	vuelvo vuelves vuelve volvemos volvéis vuelven	volvía volvías volvía volvíamos volvíais volvían	volví volviste volvió volvimos volvisteis volvieron	volveré volverás volverá volveremos volveréis volverán	volvería volverías volvería volveríamos volveríais volverían	vuelva vuelvas vuelva volvamos volváis vuelvan	volviera volvieras volviera volviéramos volvierais volvieran	vuelve (tú), no vuelvas vuelva (usted) volvamos volved (vosotros), no volváis vuelvan (Uds.)

APPENDIX 3

También se dice…

Capítulo A Para empezar

Los saludos/*Greetings*

¿Cómo andas? *How are you doing?*
¿Cómo vas? *How are you doing?*
El gusto es mío. *Pleased to meet you; The pleasure is all mine.*
Hasta entonces. *Until then.*
¿Qué hay? *What's up?*
¿Qué hubo? *How's it going? What's happening? What's new?*
¿Qué pasa? *How's it going? What's happening? What's new?*
¿Qué pasó? *How's it going? What's happening? What's new?*

Las presentaciones/*Introductions*

¿Cuál es su nombre y apellido? *What is your name and last name? (formal)*
¿Cuál es tu nombre y apellido? *What is your name and last name? (familiar)*
Mi apellido es… *My last name is…*
Mi nombre es… *My name is…*
Me gustaría presentarle a… *I would like to introduce you to… (formal)*
Me gustaría presentarte a… *I would like to introduce you to… (familiar)*
Un placer. *Delighted.*

Las despedidas/*Farewells*

Nos vemos. *See you.*
Que te vaya bien. *Hope everything goes well.*
Que tenga(s) un buen día. *Have a nice day.*
Te veo. *I'll see you around.*
Vaya con Dios. *Go with God.*

Expresiones útiles para la clase/*Useful classroom expressions*

Preguntas y respuestas/*Questions and answers*

(No) entiendo. *I (don't) understand.*
¿Puede repetir, por favor? *Could you repeat, please?*

Expresiones de cortesía/*Polite expressions*

Muchas gracias. *Thank you very much.*
No hay de qué. *Not at all.*

Mandatos para la clase/*Classroom instructions*

Levántense. *Stand up.*
Pongan sus cosas en su mochila/bolso/bolsa. *Put your things in your backpack/purse/bag.*
Saque(n) un bolígrafo/papel/lápiz. *Take out a pen/a piece of paper/a pencil.*
Siéntense. *Sit down.*

Las nacionalidades/*Nationalities*

argentino/a *Argentine*
boliviano/a *Bolivian*
chileno/a *Chilean*
colombiano/a *Colombian*
costarricense *Costa Rican*
dominicano/a *Dominican*
escocés/a (Escocia) *Scottish*
ecuatoriano/a *Ecuadorian*
griego/a (Grecia) *Greek*
guatemalteco/a *Guatemalan*
hondureño/a *Honduran*
irlandés/a (Irlanda) *Irish*
italiano/a (Italia) *Italian*
nicaragüense *Nicaraguan*
panameño/a *Panamanian*
peruano/a *Peruvian*
portugués/a (Portugal) *Portuguese*
ruso/a (Rusia) *Russian*
uruguayo/a *Uruguayan*
venezolano/a *Venezuelan*

Expresiones del tiempo/*Weather expressions*

el arco iris *rainbow*
el chirimiri *drizzle (Spain)*
Está despejado. *It's clear.*
Hace fresco. *It's cool.*
Hay neblina/niebla. *It's foggy.*
Hay tormenta. *There is a storm.*
la humedad *humidity*
los copos de nieve *snowflakes*
las gotas de lluvia *raindrops*
el granizo *hail*
el hielo *ice*
el huracán *hurricane*
la llovizna *drizzle*
el pronóstico *weather forecast*
el/los rayo/s, el relámpago *lightning*
la tormenta *storm*
el tornado *tornado*
el/los trueno/s *thunder*

Capítulo 1

La familia/*Family*

el/la ahijado/a *godchild*
el bisabuelo *great-grandfather*
la bisabuela *great-grandmother*
el/la cuñado/a *brother-in-law/sister-in-law*
la familia política *in-laws*
el/la hermanastro/a *stepbrother/stepsister*
el /la hijastro/a *stepson/stepdaughter*
el/la hijo/a único/a *only child*
la madrina *godmother*
el/la medio/a hermano/a *half brother/half sister*
los medios hermanos *half brothers and sisters*
la mami *Mommy; Mom (Latin America)*
el marido *husband*
la mujer *wife*
los nietos *grandchildren*
la nuera *daughter-in-law*
el padrino *godfather*
el papi *Daddy; Dad (Latin America)*
el pariente *relative*
el/la prometido/a *fiancé(e)*
el/la sobrino/a *niece/nephew*
los sobrinos *nieces and nephews*
el/la suegro/a *father-in-law/mother-in-law*
los suegros *parents-in-law*
la tatarabuela *great-great-grandmother*
el tatarabuelo *great-great-grandfather*
la tía abuela *great-aunt*
el tío abuelo *great-uncle*
el/la viudo/a *widower/widow*
el yerno *son-in-law*

La gente/*People*

el bato *friend; guy (in SE USA slang)*
el/la chaval/a *young man/young woman (Spain)*
el chamaco *young man (Cuba, Honduras, Mexico, El Salvador)*
el/la fulano/a *what's-his/her-name*

Los adjetivos descriptivos/*Descriptive adjectives*

La personalidad y otros rasgos/*Personality and other characteristics*

amable *nice; kind*
bobo/a *stupid; silly*
el/la bromista *jokester; prankster*
cariñoso/a *loving; affectionate*
chistoso/a *funny*
cursi *pretentious; affected*
divertido/a *funny*
educado/a *well mannered; polite*
elegante *elegant*
empollón/a *bookworm; nerd (Spain)*
encantador/a *charming; lovely*
espabilado/a *smart; vivacious; alert (Latin America)*
frustrado/a *frustrated*
gracioso/a *funny*
grosero/a *unpleasant*
histérico/a *crazed*
impaciente *impatient*
indiferente *indifferent*
irresponsable *irresponsible*
maleducado/a *ill mannered, rude*
malvado/a *evil; wicked*
majo/a *pretty; nice (Spain)*
mono/a *pretty; nice (Spain, Caribbean)*
odioso/a *unpleasant*
pesado/a *annoying (person)*
pijo/a *posh; snooty (Spain)*
progre *liberal; progressive (Spain)*
sabelotodo *know-it-all*

Las características físicas/*Physical characteristics*

atlético/a *athletic*
bello/a *beautiful (Latin America)*
blando/a *soft; weak*
esbelto/a *slender*
flaco/a *thin*
frágil *fragile*
hermoso/a *beautiful; lovely*
menor *younger*
musculoso/a *muscular*
robusto/a *hardy*
viejo/a *old*

Otras palabras/*Other words*

demasiado/a *too much*
divorciado/a *divorced*
separado/a *separated*
suficiente *enough*

Capítulo 2

Las materias y las especialidades/*Subjects and majors*

la agronomía *agriculture*
la antropología *anthropology*
el cálculo *calculus*
las ciencias políticas *political science*
las comunicaciones *communications*
la contabilidad *accounting*
el diseño *design*
la economía *economics*
la educación física *physical education*
la enfermería *nursing*
la filosofía *philosophy*
la física *physics*
la geografía *geography*

la geología *geology*
la historia *history*
la ingeniería *engineering*
la lingüística *linguistics*
la literatura comparada *comparative literature*
la medicina del deporte *sports medicine*
el mercadeo *marketing (Latin America)*
la mercadotecnia (el márketing) *marketing (Spain)*
la microbiología *microbiology*
la química *chemistry*
la química orgánica *organic chemistry*
los servicios sociales *social work*
la sociología *sociology*
la terapia física (fisioterapia) *physical therapy*

En la sala de clase/*In the classroom*

el aula *classroom*
el/la alumno/a *student*
la bombilla *light bulb*
la cámara proyectora *overhead camera*
el cielorraso *ceiling*
el enchufe *wall socket*
el interruptor *light switch*
las luces *lights*
el ordenador *computer (Spain)*
la pantalla *screen*
el proyector *projector*
la prueba *test*
el pupitre *student desk*
el rotulador *marker*
el sacapuntas *pencil sharpener*
el salón de clase *classroom*
el suelo *floor*
la tarima *dais; platform*

Los verbos/*Verbs*

apuntar *to take notes*
asistir a clase *to attend class*
beber *to drink*
entender *to understand*
entrar *to enter*
entregar *to hand in*
matricularse *to register*
practicar *to practice*
prestar atención *to pay attention*
repasar *to review*
responder *to answer*
sacar *to take out*
sacar buenas/malas notas *to get good/bad grades*
tomar apuntes *to take notes*

Las palabras interrogativas/*Interrogative words*

¿Con cuánto/a/os/as? *With how many…?*
¿Con qué? *With what…?*
¿Con quién/es? *With whom…?*
¿De qué? *About what…?*
¿De quién/es? *About/from whom…?*

En la universidad/*At college/university*

Los lugares/*Places*

el apartamento estudiantil *student apartment*
el campo de fútbol *soccer field*
el campus *campus*
la cancha de tenis/baloncesto *tennis/basketball court*
la/s casa/s de hermandad/es *fraternity and sorority housing*
el centro comercial *mall*
el comedor estudiantil *student dining hall*
el mercado *market*
el museo *museum*
la oficina de consejeros *guidance/advising office*
el supermercado *supermarket*
el teatro *theater*

La residencia/*The dorm*

los bafles *speakers (Spain)*
el calendario *calendar*
la cama *bed*
la habitación *room*
el iPod *iPod*
Internet *Internet*
las literas *bunk beds*
la llave *key*
el llavero *keychain*
la mesita de noche *nightstand*
el móvil *cell phone (Spain)*
la redacción/la composición *essay*
la tarjeta de crédito *credit card*
la tarjeta de identidad; el carné *ID card*
los videojuegos *video games*
el wifi *wifi, wireless connection*

Los deportes y los pasatiempos/*Sports and pastimes*

el/la aficionado/a *fan*
el bate *bat*
el campo *field*
el campo de golf *golf course*
cazar *to hunt*
conversar con amigos *to talk with friends*
escalar montañas *to go mountain climbing*
esquiar *to ski*
estar en forma *to be in shape*
hablar por teléfono *to talk on the phone*
hacer alpinismo *to go mountain climbing (Spain)*
hacer andinismo *to go mountain climbing (Latin America)*
hacer footing *to go jogging (Spain)*
hacer gimnasia *to exercise*
hacer senderismo *to hike*
hacer pilates *to do Pilates*
hacer yoga *to do yoga*
ir al centro *to go downtown*
ir al centro comercial *to go the mall*
ir a fiestas *to go to parties*
ir a navegar *to go sailing*
ir a un partido de… *to go to a… game*
el juego de mesa *board game*

jugar a las damas *to play checkers*
jugar a videojuegos *to play video games*
jugar al ajedrez *to play chess*
jugar al boliche *to bowl*
jugar al ráquetbol *to play racquetball*
leer libros de… *to read… books*
  acción *action*
  autoayuda *self-help*
  aventura *adventure*
  ciencia-ficción *science fiction*
  cuentos cortos *short stories*
  ficción *fiction*
  espías *spy*
  misterio *mystery*
  romance *romance*
  terror *horror*
levantar pesas *to lift weights*
montar a caballo *to go horseback riding*
el palo de golf *golf club*
pasear *to go out for a ride; to take a walk*
pasear en barco *to sail*
la pelota de tenis/béisbol *tenis ball; baseball*
pescar *to fish*
la pista *track*
la pista y el campo *track and field (Spain)*
practicar boxeo *to box*
practicar ciclismo *to cycle*
practicar lucha libre *to wrestle*
practicar las artes marciales *to do martial arts*
la raqueta *racket*
salir a cenar/comer *to go out to dinner/eat*
tirar un disco volador *to throw a Frisbee*
ver películas *to watch movies*

Emociones y estados/*Emotions and states of being*

agotado/a *exhausted*
agradable *nice*
alegre *happy*
asombrado/a *amazed; astonished*
asqueado/a *disgusted*
asustado/a *scared*
deprimido/a *depressed*
desanimado/a *discouraged; disheartened*
disgustado/a *upset*
dormido/a *sleepy*
emocionado/a *moved; touched; excited*
entusiasmado/a *delighted*
fastidiado/a *annoyed; bothered*
ilusionado/a *thrilled*
optimista *optimistic*
pesimista *pessimistic*
retrasado/a *late*
sonriente *smiling*
soñoliento/a *sleepy (Spain)*

Capítulo 3

La casa/*The house*

la alcoba *bedroom*
el armario empotrado *closet (Spain)*
el ático *attic*
la bodega *cellar*
la buhardilla *attic*
el clóset *closet (Latin America)*
el corredor *hall*
el despacho *office*
el desván *attic*
el pasillo *hallway*
el patio *patio; yard*
el placar *closet (Argentina)*
el portal *porch*
el porche *porch*
la recámara *bedroom (Mexico)*
el salón *salon; lounge; living room*
el tejado *roof*
la terraza *terrace; porch*
el vestíbulo *entrance hall*

Los muebles y otros objetos de la casa/*Furniture and other objects*

La sala y el comedor/*The living room and dining room*

la banqueta/el banquillo *small seating stool*
la estantería *bookcase*
la mecedora *rocking chair*
la moqueta *carpet (Spain)*

La cocina/*The kitchen*

el congelador *deep freezer*
el fregadero *kitchen sink*
el friegaplatos *dishwasher*
el frigorífico *refrigerator (Spain)*
el horno *oven*
el lavavajillas *dishwasher (Spain)*
la nevera *refrigerator*
el taburete *bar stool*

El baño/*The bathroom*

el espejo *mirror*
el grifo *faucet*
la jabonera *soap dish*
el toallero *towel rack*

El dormitorio/*The bedroom*

las cortinas *curtains*
el edredón *comforter*
la frazada *blanket (Latin America)*

Otras palabras/*Other words*

el aparato eléctrico *electric appliance*
la chimenea *chimney; fireplace*
el espejo *mirror*
los gabinetes *cabinets*
la lavadora *washer*
la secadora *dryer*

el librero *bookcase (Mexico)*
las persianas *shutters; window blinds*

Los quehaceres de la casa/*Household chores*

barrer *to sweep*
cortar el césped *to cut the grass*
fregar los platos *to wash the dishes*
fregar el suelo/piso *to wash the floor*
guardar la ropa *to put away clothes*
lavar la ropa *to do laundry*
ordenar *to organize*
planchar la ropa *to iron*
quitar el polvo *to dust*
recoger *to clean up (in general)*
recoger la mesa *to clear the table*
regar las plantas *to water the plants*
sacudir las alfombras *to shake out the rugs*
sacudir el polvo *to dust*

Los colores/*Colors*

azul/verde claro *light blue/green*
azul/verde oscuro *dark blue/green*
color café *brown*
color crema *ivory; cream-colored*
naranja *orange*
púrpura *purple (Spain)*
rosa *pink (Spain)*

Expresiones con *tener*/*Expressions with* tener

tener cansancio *to be tired*
tener celos *to be jealous*
tener novio/a *to have a boyfriend/girlfriend*

Capítulo 4

Los lugares/*Places*

la alberca *swimming pool (Mexico)*
el ambulatorio *medical clinic (Spain)*
el aseo *public restroom*
la catedral *cathedral*
el campo de golf *golf course*
la capilla *chapel*
la clínica *clinic*
el consultorio *doctor's office*
el convento *convent*
la ferretería *hardware store*
la frutería *fruit store*
la gasolinera *gas station*
la heladería *ice cream shop*
el mercado al aire libre *open-air market*
la mezquita *mosque*
la papelería *stationary store*
la panadería *bread store*
la pastelería *pastry shop*
la pescadería *fish shop; fishmonger*
la piscina *pool*
el polideportivo *sports center*
el quiosco *newsstand*
los servicios *public restrooms*
la sinagoga *synagogue*
la tienda de juguetes *toy store*
la tienda de ropa *clothing store*
el zócalo *plaza (Mexico)*

Otras palabras/*Other words*

la cuadra *city block (Latin America)*
la fogata *bonfire*
la fuente *fountain*
la manzana *city block (Spain)*

Capítulo 5

El mundo de la música/*The world of music*

la armónica *harmonica*
el arpa *harp*
el bajo eléctrico *bass guitar*
el címbalo/el platillo *cymbal*
el clarinete *clarinet*
la corneta *cornet*
el coro *choir*
el cuarteto *quartet*
la flauta *the flute*
la guitarra eléctrica *electric guitar*
el/la mánager *manager*
el/la organista *organist*
la pandereta *tambourine*
el saxofón *saxophone*
los/las seguidores/as *groupies*
el trombón *trombone*
el teclado *keyboard*
la tuba *tuba*
el violín *violin*
el violonchelo *cello*

Algunos géneros musicales/*Some musical genres*

el merengue *merengue*
la música alternativa *alternative music*
la música bluegrass *bluegrass music*

El mundo del cine/*The world of film*

Gente/*People*

el/la cineasta *cinematographer*
el/la director/a *director*
el equipo de cámara/sonido *camera/sound crew*
el/la guionista *scriptwriter*

Las películas/*Movies*

el cortometraje *short (film)*
los dibujos animados *cartoons*

el guión *script*
el montaje *montage*

Otras palabra/*Other word*

la pandilla *gang; posse*

Capítulo 7

La comida/*Food*

Las carnes y las aves/*Meat and poultry*

las aves de corral *poultry*
la carne de cerdo *pork*
la carne de cordero *lamb*
la carne de res *beef*
la carne molida *ground beef*
la carne picada *ground beef (Spain)*
el chorizo *spicy pork sausage*
la chuleta *chop*
el chuletón *T-bone steak (Spain)*
el jamón serrano *cured ham (Spain)*
el pavo *turkey*
la salchicha *sausage; hot dog*
el salchichón *seasoned sausage (Spain)*
la ternera *veal*
el tocino *bacon*

El pescado y los mariscos/*Fish and seafood*

las almejas *clams*
las anchoas *anchovies*
los calamares *squid*
el cangrejo *crab*
el chillo *red snapper (Puerto Rico)*
las gambas *shrimp (Spain)*
el huachinango *red snapper (Mexico)*
la langosta *lobster*
el lenguado *flounder*
el mero *grouper*
la ostra *oyster*
el róbalo *bass*
el pulpo *octopus*
el salmón *salmon*
la sardina *sardine*
la trucha *trout*
las vieiras *scallops*

Las frutas/*Fruit*

el aguacate *avocado*
el albaricoque *apricot*
el ananá *pineapple (Latin America)*
el arándano *blueberry; cranberry*
el banano *banana; banana tree*
la cereza *cherry*
la china *orange (Puerto Rico)*
la ciruela *plum*
el durazno *peach*
la fresa *strawberry*
el melocotón *peach*
la papaya *papaya*
la piña *pineapple*
el pomelo *grapefruit*
la sandía *watermelon*
la toronja *grapefruit*

Las verduras/*Vegetables*

las aceitunas *olives*
las alcaparras *capers*
el apio *celery*
la berza *cabbage (Spain)*
el brócoli *broccoli*
el calabacín *zucchini*
la calabaza *squash; pumpkin*
los champiñones *mushrooms*
la col *cabbage*
la coliflor *cauliflower*
los espárragos *asparagus*
las espinacas *spinach*
los guisantes *peas*
las habichuelas *kidney beans*
los hongos *mushrooms (Latin America)*
las judías verdes *green beans (Spain)*
el pepinillo *pickle*
el pepino *cucumber*
el pimiento *pepper*
el plátano *plantain*
el repollo *cabbage*
las setas *wild mushrooms (Spain)*
la zanahoria *carrot*

Los postres/*Desserts*

el arroz con leche *rice pudding*
la batida *milkshake*
el batido *milkshake (Spain)*
los bollos *sweet bread*
el bombón *sweets; candy*
el caramelo *sweets; candy*
los chocolates *chocolates*
los chuches *candies (Spain)*
la dona *donut*
el flan *caramel custard*
la natilla *custard*
los pastelitos *turnover; pastry; finger cakes*
la tarta *cake*

Las bebidas/*Beverages*

el champán *champagne*
la sidra *cider*
el zumo *juice (Spain)*

Más comidas/*More foods*

la avena *oatmeal*
los bocaditos *bite-size sandwiches*
el caldo *broth*
el consomé *clear soup*
los fideos *noodles (in soup)*
el gofre *waffle*
la harina *flour*
la jalea *jelly; marmalade (Spain, Puerto Rico)*
la margarina *margarine*

la miel *honey*
el pan dulce *sweet roll*
el panqueque *pancake*
la salsa *sauce*
las tortas americanas *pancakes (Spain)*

Verbos/ *Verbs*

aclararse *to thin*
agregar *to add*
añadir *to add*
asar *to roast; to broil*
batir *to beat*
calentar *to heat*
cocer *to cook*
derretir *to melt*
echar (algo) *to add (something)*
espesarse *to thicken*
freír *to fry*
hervir *to boil*
mezclar *to mix*
recalentar *to reheat*
remover *to stir (Spain)*
revolver *to stir*
unir *to combine*
verter *to pour*

Las comidas/ *Meals*

el aperitivo *appetizer*
las tapas *hors d'oeuvres*

La preparación de comidas/*Food preparation*

Algunos términos de la cocina/*Cooking terms*

el fuego (lento, mediano, alto) *(low, medium, high) heat*

En el restaurante/ *In the restaurant*

el batidor *beater*
la batidora *hand-held mixer*
la cacerola *saucepan*
la copa *goblet; wine glass*
la cucharilla *teaspoon (Spain)*
el cuenco *bowl; mixing bowl*
el/la friegaplatos *dishwasher (person)*
la fuente *serving platter/dish*
el ingrediente *ingredient*
el kilogramo *kilogram (or 2.2 pounds)*
el/la mesero/a *waiter/waitress (Latin America)*
el nivel *level*
la olla *pot*
el pedazo *piece*
el/la pinche *kitchen assistant*
el platillo *saucer*
el plato hondo *bowl*
el plato sopero *soup bowl*
el procesador de alimentos *food processor*
la receta *recipe*
la reserva *the reservation*
la sartén *frying pan*
el/la sopero/a *soup serving bowl*

Capítulo 8

La ropa/ *Clothing*

el albornoz *bathrobe (Spain)*
las alpargatas *espadrille sandals (Spain)*
el anorak *rain-proof coat*
los aretes *earrings*
la bolsa *bag*
las bragas *panties*
la bufanda *scarf*
los calzoncillos *men's underwear*
la capa de agua *raincoat (Puerto Rico)*
la cartera *pocketbook, purse*
el chándal *tracksuit (Spain)*
el chubasquero *raincoat (Spain)*
el collar *necklace*
la correa *belt*
el gorro *wool cap; hat*
los mahones *jeans (Puerto Rico)*
las pantallas *earrings (Puerto Rico)*
el peine *comb*
la peinilla *comb (Latin America)*
los pendientes *earrings*
la pulsera *bracelet*
la sombrilla *parasol; umbrella*
el sostén *bra*
el sujetador *bra (Spain)*
los vaqueros *jeans*
las zapatillas de tenis *sneakers; tennis shoes (Spain)*
los zapatos planos/de cuña *flat/wedge shoes*

Algunos verbos/ *Some verbs*

desnudarse *to get undressed*
desvestirse *to get undressed*
ponerse la ropa *to get dressed*
quitarse la ropa *to get undressed*
vestirse *to get dressed*

Las telas y los materiales/ *Fabrics and materials*

la goma *rubber*
el lino *linen*
el nilón *nylon*
el oro *gold*
la plata *silver*
el platino *platinum*

Algunos adjetivos/ *Some adjectives*

amplio/a *wide*
apretado/a *tight*

de buena/mala calidad *good/poor quality*
de manga corta/larga/media *short-/long-/half-sleeved*
de puntitos *polka-dotted*

Otras palabras/*Other words*

el escaparate *store window*
el/la dependiente/a *clerk*
la ganga *bargain*
la liquidación *clearance sale*
el maniquí *mannequin*
el mostrador *counter*
la oferta *offer; sale*
la rebaja *sale; discount*
el tacón alto/bajo *high/low heel*
la venta *(clearance) sale*
la vitrina *store window*

Capítulo 9

El cuerpo humano/*The human body*

la arteria *artery*
el cabello *hair*
la cadera *hip*
la ceja *eyebrow*
el cerebelo *cerebellum*
el cerebro *brain*
la cintura *waist*
el codo *elbow*
la costilla *rib*
la frente *forehead*
el hombro *shoulder*
el hueso *bone*
el labio *lip*
la lengua *tongue*
las mejillas *cheeks*
la muñeca *wrist*
el músculo *muscle*
el muslo *thigh*
las nalgas *buttocks*
los nervios *nerves*
las pestañas *eyelashes*
la piel *skin*
el pulmón *lung*
la rodilla *knee*
el talón *heel*
el tobillo *ankle*
la uña *nail*
las venas *veins*
el vientre *belly*

Algunas enfermedades y tratamientos médicos/*Illnesses and medical treatments*

En el hospital/*In the hospital*

el análisis *analysis, test*
la camilla *stretcher*
operar *to operate*
el/la paciente *patient*
las pruebas médicas *medical tests*
el pulso *pulse*
los puntos *sutures, stitches*
la radiografía *X-ray*
respirar *to breathe*
el resultado *result*
sacar la sangre *to draw blood*
tomarle la presión *to take someone's blood pressure*
tomarle el pulso *to take someone's pulse*
tomarle la temperatura *to check someone's temperature*

Los tratamientos/*Treatments*

el antihistamínico *antihistamine*
la cura *cure*
la dosis *dose; dosage*
enyesar *to put on a cast*
las gotas para los ojos *eyedrops*
hacer gárgaras *to gargle*
el medicamento *medicine*
las muletas *crutches*
la penicilina *penicillin*
recetar *to prescribe*
el termómetro *thermometer*
la tirita *bandage (Spain)*
la vacuna *vaccination*

Los síntomas y las enfermedades/*Symptoms and illnesses*

la acidez *heartburn*
el alcoholismo *alcoholism*
las alergias *allergies*
la alta/baja tensión *high/low blood pressure*
el ataque al corazón *heart attack*
el cáncer *cancer*
contagiarse de *to catch (an illness)*
la depresión *depression*
desmayarse *to faint*
desvanecerse *to faint*
la diabetes *diabetes*
doblarse *to sprain*
el/la drogadicto/a *drug addict*
el esguince *sprain*
fracturar(se) *to break; to fracture*
hinchar *to swell*
la hipertensión *high blood pressure*
el infarto *heart attack*
la inflamación *inflammation*
el mareo *dizziness*
la narcomanía *drug addiction*
pegársele (Se me pegó…) *to catch something (I caught…)*
la presión alta/baja *high/low blood pressure*
la quemadura *burn*
sangrar *to bleed*
el sarampión *measles*
el sida *AIDS*
torcerse *to sprain*
vomitar *to vomit*
la varicela *chicken pox*

Capítulo 10

Los medios de transporte/*Modes of transportation*

el camión *bus (Mexico)*
la camioneta *pickup truck; van; station wagon*
la guagua *bus (Caribbean)*
el tranvía *streetcar, trolley*

Algunos sustantivos/*Some nouns*

el aparcamiento *parking lot*
el atasco *traffic jam*
la autoescuela *driving school*
el camino *dirt road*
el carné *driver's license (Spain)*
la carretera *highway*
el cruce *crossing, intersection*
el paso de peatones *crosswalk*
el seguro del coche *car insurance*
la señal de tráfico *traffic sign, street light*
la velocidad *speed*

Algunas partes de un vehículo/*Parts of a vehicle*

el acelerador *accelerator; gas pedal*
el cinturón de seguridad *seat belt*
el claxon *horn*
el espejo retrovisor *rearview mirror*
los frenos *brakes*
la goma *tire (Latin America)*
el guía *steering wheel*
las luces *lights*
el maletero *car trunk (Spain)*
el parachoques *bumper*
la transmisión *transmission*

Algunos verbos/*Some verbs*

cambiar de marchas *to change gears*
cambiar el aceite *to change the oil*
echar marcha atrás *to go in reverse*
frenar *to brake*
perderse *to get lost*

El viaje/*The trip*

la aduana *customs*
el billete *ticket*
los cheques de viajero *traveler's checks*
la dirección *address*
el equipaje *luggage*
la oficina de turismo *tourist office*
el pasaje *ticket*

El hotel/*The hotel*

la caja fuerte *safe*
el/la camarero/a *housekeeper, chambermaid*
el/la guardia de seguridad *security guard*
el/la portero/a *doorman/woman*
el/la recepcionista *receptionist*
el servicio *room service (cleaning)*
el servicio de habitaciones *room service (food)*

Capítulo 11

Los animales/*Animals*

Los animales de la granja/*Farm animals*

la abeja *bee*
la cabra *goat*
el cochino *pig*
el gallo *rooster*
el marrano *pig*
la oveja *sheep*
el pato *duck*
el puerco *pig*

Los animales salvajes/*Wild animals*

la ardilla *squirrel*
la ballena *whale*
el cangrejo *crab*
el ciervo *deer*
la culebra *snake*
la foca *seal*
el gorila *gorilla*
la iguana *iguana*
la jirafa *giraffe*
el lobo *wolf*
el loro *parrot*
la mariposa *butterfly*
el mono *monkey*
la paloma *pigeon; dove*
el pulpo *octopus*
el puma *puma*
el rinoceronte *rhinoceros*
el tiburón *shark*
el tigre *tiger*
la tortuga *turtle*
el venado *deer*
el zorro *fox*

Otras palabras/*Other words*

el dinosaurio *dinosaur*
el nido *nest*

El medio ambiente/*The environment*

el aerosol *aerosol*
el agua subterránea *ground water*
la Antártida *Antarctica*
el Ártico *the Arctic*
la atmósfera *atmosphere*
el aumento *increase*
el carbón *coal*
la central nuclear *nuclear plant*
el clorofluorocarbono *chlorofluorocarbon (CFCs)*

el combustible fósil *fossil fuel*
la cosecha *crop; harvest*
la descomposición *decomposition*
el desperdicio de jardinería *yard waste*
el dióxido de carbono *carbon dioxide*
el ecosistema *ecosystem*
la energía *energy*
la energía eólica (molinos de viento) *wind power (windmills)*
la industria *industry*
insostenible *unsustainable*
el oxígeno *oxygen*
el pesticida *pesticide*
el petróleo *petroleum; oil*
la piedra *rock; stone*
las placas solares *solar panels*
la planta eléctrica *power plant*
el plomo *lead*
el rayo de sol *ray of sunlight*
el rayo ultravioleta *ultraviolet ray*
el riesgo *risk*

Algunos verbos/*Some verbs*

atrapar *to trap*
conseguir *to achieve*
corroer *to corrode*
dañar *to damage*
desarrollar *to evolve; to develop*
descongelarse *to melt; melt down*
destruir *to destroy*
hacer huelga *to go on strike*
hundirse *to sink*
luchar en contra *to fight against*
prevenir *to prevent*
realizar *to achieve*
tirar *to throw away (Spain)*

La política/*Politics*

el concejal/la concejala *city/town councilor*
la constitución *constitution*
la ciudadanía *citizenship*
el/la ciudadano/a *citizen*
el/la congresista *congressman/woman*
el golpe de estado *coup d'état*
la monarquía constitucional *constitutional monarchy*
el paro general *general strike*
el/la primer/a ministro/a *prime minister*
el/la secretario/a de estado *secretary of state*

Las cuestiones políticas/*Political matters*

el aborto *abortion*
el abuso de menores *child abuse*
el asesinato *assasination*
los derechos de los trabajadores *workers' rights*
los derechos humanos *human rights*
la eutanasia *euthanasia*
el genocidio *genocide*
el/la indocumentado/a *undocumented immigrant/worker*
la inmigración ilegal *illegal immigration*
el/la inmigrante *immigrant*
la pena capital *death penalty*
la seguridad social *social security*
la violencia doméstica *domestic violence*

APPENDIX 4

Spanish-English Glossary

Fíjate

This glossary includes all words and expressions presented in the text, except for words spelled the same in English and Spanish. The number in bold following each entry corresponds to the **capítulo** in which the word is first introduced for active mastery. Numbers that are not bold indicate that the word is presented for receptive use.

A

a to; at (**11**); ~ **cambio** in exchange (4, B); ~ **eso de** around (7); ~ **la derecha** (de) to the right (of) (3, 7, **11**); ~ **la...** / ~ **las...** At... o'clock (**A**); ~ **la izquierda (de)** to the left (of) (3, 7, **11**); ~ **la parrilla** grilled (**7**); ~ **mano** on hand (10); ~ **menudo** often (2, 3, 8); **¿~ qué hora...?** At what time? (**A**); ~ **veces** sometimes; from time to time (2, 3, **4**)
abarcar to encompass (5)
abogado/a, el/la lawyer (8)
Abra(n) el libro en la página... Open your book to page... (**A**)
abrazo, el hug (A)
abrigo, el coat; overcoat (3, **8**)
abril April (**A**)
abrir to open (**2**)
abuelo/a, el/la grandfather/grandmother (**1**)
abuelos, los *(pl.)* grandparents (**1**)
aburrido/a boring; bored (*with* **estar**) (**1**, **2**, **5**)
acabar: ~ **con** to end (4); ~ **de + infinitivo** to have just finished + *(something)* (**9**)
aceite, el oil (**7**)
acerca de about (**11**)
acierto, el match (11)
acontecimiento, el event (9)
acordarse (ue) de to remember (**9**)
acostarse (ue) to go to bed (**9**)
actor, el actor (**5**)
actriz, la actress (**5**)
adecuado/a suitable (10)
además de furthermore (2, 7); in addition to (2, 7); besides (4)
aderezo, el salad dressing (**7**)
Adiós. Good-bye. (**A**)
adivinar to guess (5, 7)
adjetivos, los *(pl.)* adjectives (**1**)
administración de empresas, la business administration (**2**)
administraciones, las *(pl.)* administrations (**11**)
¿Adónde? To where? (**2**)
aerolínea, la airline (10)
aeropuerto, el airport (**10**)
afeitarse to shave (**9**)
aficionado/a, el/la fan (**5**)
afuera de outside of (**11**)
afueras, las *(pl.)* outskirts (3)
agencia de viajes, la travel agency (6, **10**)
agente de viajes, el/la travel agent (**10**)
agosto August (**A**)
agua, el water; ~ **(con hielo)** water (with ice) (5, **7**); ~ **dulce** fresh water (5)
ahora now (B); ~ **mismo** right now (2)
aire, el air (**11**); ~ **acondicionado** air conditioning (**10**)
aislado/a isolated (11)
ajo, el garlic (**7**)
al: ~ **aire libre** open air (4); ~ **horno** baked (**7**); ~ **lado (de)** beside; next to (3, 7, **11**)
alcalde, el mayor (**11**)
alcaldesa, la mayor (**11**)
alebrijes, los *(pl.)* painted wooden animals (2)
alfabetización, la literacy (8)
alfombra, la rug (**3**); carpet (**3**)
algo something (**4**)
algodón, el cotton (**8**)
alguien someone (**4**)
algún some (**4**); any (**4**)
alguno/a/os/as some (3, **4**); any (3, **4**)
aliño, el salad dressing (**7**)
allá over there *(and potentially not visible)* (6)
allí there / over there (6)
almacén, el department store (**4**)
almendra, la almond (7)
almohada, la pillow (**3**)
almorzar (ue) to have lunch (**4**)
almuerzo, el lunch (**7**)
alpargatas, las *(pl.)* espadrilles (8)
altillo, el attic (**3**)
altiplano, el high plateau (9)
alto/a tall (**1**)
aluminio, el aluminum (**11**)
amantes, los *(pl.)* lovers (11)
amarillo yellow (**3**)
ambiente, el environment (5)
ambulante roving (4)
amenazado/a endangered (7)
amigo/a, el/la friend (**1**)
amor, el love (4)
amueblado/a furnished (**3**)
anaranjado orange (**3**)
ancho/a wide (7, **8**)
andar to walk (**7**)
anillo, el ring (5)
animado/a animated (**5**)
animal, el animal (**11**); ~ **doméstico** domesticated animal (**11**); pet (**11**); ~ **en peligro de extinción** endangered animal (**11**); ~ **salvaje** wild animal (**11**)
año pasado, el last year (5, 7)
anoche last night (5, 7)
anteayer the day before yesterday (5, 7)
anterior previous (5)
antes (de) before *(time/space)* (6, **11**)
antiácido, el antacid (**9**)
antibiótico, el antibiotic (**9**)
antiguo/a old (3)
antipático/a unpleasant (**1**)
anuncio, el ad (3)
apartamento, el apartment (**2**)
apasionado/a passionate (**5**)
apéndice, el appendix (4)
apodo, el nickname (5)
apoyar to support (B, **11**)
aprender to learn (**2**)
aprobado/a approved (10)
apuntes, los *(pl.)* notes (**2**)
aquel/la that, that one *(way over there/ not visible)* (**5**)
aquellos/as those *(way over there/not visible)*; those ones (**5**)
aquí here (6)
árbol, el tree (**11**)
arbusto, el bush; shrub (7)
armario, el armoire; closet; cabinet (**3**)
arquitectura, la architecture (**2**)
arreglar to straighten up; to fix (**3**); **~se** to get oneself ready (**9**); ~ **la maleta** to pack a suitcase (**10**)
arrodillarse to kneel (11)
arroz, el rice (**7**)
arte, el art (**2**)
artista, el/la artist (**5**)

asado/a roasted; grilled (**7**)
aspirina, la aspirin (**9**)
asunto, el matter (6)
asustar to scare (9)
atender (ie) to wait on (9)
atletismo, el track and field (2)
atrevido/a daring (**8**)
atentamente sincerely (4)
atún, el tuna (**7**)
aún más even more (1)
aunque even though (5)
autobús, el bus (**10**)
autopista, la highway; freeway (**10**)
ave, el bird (**11**)
averiguar to find out (4, B)
aves, las *(pl.)* poultry (**7**)
avión, el airplane (**10**)
ayer yesterday (5, 7)
ayudante, el/la assistant (5); **~ personal** personal assistant (6)
azúcar, el sugar (**7**)
ayudar to help (**3**); **~ a las personas mayores/los mayores** to help elderly people (4)
azul blue (**3**)

B

la bahía bay (11)
bailar to dance (**2**)
bajar (de) to download (5); to get down (from); to get off (of) (**10**)
bajo/a short (**1**)
balcón, el balcony (**3**)
banana, la banana (**7**)
bañarse to bathe (**9**)
banco, el bank (**4**)
bañera, la bathtub (**3**)
baño, el bathroom (**3**)
bar, el bar (**4**)
barato/a inexpensive (3, 4), cheap (**7**)
barco, el boat (B, **10**)
barro negro, el black clay (2)
Bastante bien. Just fine. (**A**)
basura, la garbage (**11**)
bata, la robe (**8**)
batata, la yam (7)
batería, la drums (**5**)
baúl, el trunk (**10**)
beber to drink (**7**)
bebida, la drinks (5); beverage (B, **7**)
beige beige (**3**)
bello/a beautiful (4)
besito, el little kiss (A)
biblioteca, la library (**2**)
bicicleta, la bicycle (**10**)
bidé, el bidet (**3**)
bien: ~ cocido/a well done (**7**); **~ hecho/a** well cooked (**7**); **~, gracias.** Fine, thanks. (**A**)
bienestar, el well-being; welfare (**11**)
bienvenida, la welcome (**2**)
bija, la annatto (7)
biología, la biology (**2**)
bistec, el steak (**7**)
blanco white (**3**)
blusa, la blouse (**8**)
boca, la mouth (**9**)
boda, la wedding (4, 6, 11)
boleto, el ticket (8, **10**)
bolígrafo, el ballpoint pen (**2**)
bolso, el bag (7, **8**)
bondadoso/a kind (11)
bonito/a pretty (**1**)
borrador, el eraser (**2**)
bosque, el forest (9, **11**)
botar to throw away (**11**)
botas, las *(pl.)* boots (**8**)
bote, el boat (**4**)
botella, la bottle (**11**)
botones, el bellhop (**10**)
brazo, el arm (**9**)
buceo, el scuba diving (4)
¡Buen provecho! Enjoy your meal! (**7**)
buenas: ~ noches. Good evening. (**A**) **~ tardes.** Good afternoon. (**A**)
bueno/a good (**1, 10**)
Buenos días. Good morning. (**A**)
bufanda, la scarf (9)
bullicio, el hubbub (4)
buscar to look for (**4**)

C

caballo, el horse (**11**)
cabeza, la head (**9**)
cada each (3, 4, B)
caer(se) to fall down (**9**)
café, el café; coffee (**4, 7**)
cafetería, la cafeteria (**2**)
caja, la (de cartón) (cardboard) box (**11**)
cajero automático, el ATM (**4**)
calcetines, los *(pl.)* socks (**8**)
calculadora, la calculator (**2**)
calefacción, la heat (**10**)
calidad, la quality (**11**)
caliente hot *(temperature)* (7)
callarse to get / keep quiet (**9**)
calle, la street (3, **10**)
cama, la bed (**3**)
camarero/a, el/la waiter/waitress (**7**); housekeeper (10)
camarones, los *(pl.)* shrimp (**7**)
cambiar to change (**10**); **~ de papel** to change roles (3)
cambio, el change *(monetary)* (4); **~ climático** climate change (**11**)
caminar to walk (**2**)
camión, el truck (**10**)
camisa, la shirt (**8**)
camiseta, la T-shirt (**8**)
campo, el country (3); countryside (4)
canción, la song (**5**)
candidato/a, el/la candidate (**11**)
cansado/a tired (**2**)
cantante, el/la singer (**5**)
cantar to sing (**5**)
cara, la face (**9**)
caracolas, las *(pl.)* conch (7)
cargos, los *(pl.)* posts (**11**)
caridad, la charity (3)
carne, la meat (**7**)
caro/a expensive (**7**)
carro, el car (**10**)
cartel, el poster (10)
casa, la house (**3**)
casado/a married (**1**)
casarse to get married (11)
cascada, la waterfall (10)
cáscara, la peel (7)
casi: ~ siempre almost always (**8**); **~ todo** almost everything (2)
castillo, el castle (3)
catarro, el cold (**9**)
catorce fourteen (**A**)
cazuela, la pot; casserole (7)
cebolla, la onion (**7**)
cena, la dinner (**7**)
cenar to have dinner (**7**)
centro, el downtown (4); **~ comercial** mall; business/shopping district (**4**); **~ estudiantil** student center; student union (**2**)
cepillarse (el pelo, los dientes) to brush (one's hair, teeth) (**9**)
cerca (de) near (2, 7, **11**)
cerdo, el pig (**11**)
cereal, el cereal (**7**)
cerrar (ie) to close (**4**)
cerveza, la beer (**7**)
cestería, la basket weaving (2)
Chao. Bye. (**A**)
chaqueta, la jacket (**8**)
charla, la talk (11)
chicle, el gum (**2**)
chico/a, el/la boy/girl (**1**)

chicozapote, el sapodilla tree (2)
chile, el chili pepper (**7**)
chisme, el gossip (7)
cibercafé, el Internet café (**4**)
cielo, el sky; heaven (**11**)
cien one hundred (**1, 2**); ~ **mil** one hundred thousand (**3**); ~ **millones** one hundred million (**3**)
ciencias, las *(pl.)* science (**2**)
ciento: ~ **uno** one hundred and one (**2**); ~ **dos** one hundred and two (**2**); ~ **dieciséis** one hundred and sixteen (**2**); ~ **veinte** one hundred and twenty (**2**)
Cierre(n) el/los libros/s. Close your book/s. (**A**)
cierto true (**1**)
cinco five (**A**)
cincuenta fifty (**1**); ~ **y uno** fifty-one (**1**)
cine, el movie theater (**4**)
cintura, la waist (**9**); **de la ~ para arriba/abajo** from the waist up/down (9)
cinturón, el belt (**8**)
circular una petición to circulate a petition (**4**)
cita, la appointment (4, B); date (8)
ciudad, la city (3, **4**)
claro/a clear (5); light *(colored)* (**8**)
clero, el clergy (9)
cliente/a, el/la customer; client (**7**)
club, el club (**4**)
coche, el car (**10**)
cocido/a boiled; baked (**7**)
cocina, la kitchen (**3**)
cocinar to cook (**3, 7**); to prepare a meal (**3**)
cocinero/a, el/la chef (4, **7**)
cognado, el cognate (**A**)
cola, la line *(of people)* (**10**)
colcha, la bedspread; comforter (**3**)
colgar to hang up (7)
colibrí, el hummingbird (11)
color, el color (**3**)
combatir to fight; to combat (**11**)
comedia, la comedy (**5**)
comedor, el dining room (**3**)
comenzar (ie) to begin (**4**)
comer to eat (**2**)
cómico/a funny; comical (**1**)
comida, la food; meal (**4, 5**, B, **7**); ~ **rápida** fast food (B)
como like (5)
¿cómo?: What? How? (**A, 2**); **¿~ andas?** How are you doing? (**A**); **¿~ está usted?** How are you? *(formal)* (**A**); **¿~ estás?** How are you? *(familiar)* (**A**); **¿~ se dice… en español?** How do you say… in Spanish? (**A**); **¿~ se escribe… en español?** How do you write… in Spanish? (**A**) **¿~ se llama usted?** What is your name? *(formal)* (**A**); **¿~ te llamas?** What is your name? *(familiar)*
cómoda, la dresser (**3**)
cómodo/a comfortable (**8**)
compañero/a, el/la ~ de clase classmate (**2**); ~ **de cuarto** roommate (**2**)
compartir to share (3, 5)
competencia, la competition (7)
composición, la composition (**2**)
comprar to buy (**2**)
comprender to understand (**2**)
Comprendo. I understand. (**A**)
computadora, la computer (**2**)
con with (**11**)
concha, la shell (10)
concierto, el concert (**5**)
concurso, el competition (7)
condimento, el condiment; seasoning (**7**)
conducción, la driving (10)
conducir to drive (8, **10**)
conejo, el rabbit (10, **11**)
congelador/a, el/la freezer (7)
congreso, el congress (**11**)
conjunto, el group; band (**5**); outfit (**8**)
conmovedor/a moving (**5**)
conocer to be acquainted with (**3**)
consejo, el advice (7)
contaminación, la pollution (**11**)
contaminar to pollute (**11**)
contar to narrate (9)
contemporáneo/a contemporary (3)
contento/a content; happy (**2**)
contestar to answer (**2**)
Conteste(n). Answer. (**A**)
corazón, el heart (**9**)
corbata, la tie (**8**)
cordillera, la mountain range (11)
corregir to correct (3, 10)
correos post office (**4**)
correr to run (**2**)
cortar(se) to cut (oneself) (**9**)
corte, la court (**11**)
cortejo, el courting (7)
corto/a short (**8**)
cosa, la thing (**3**)
cosecha, la crop (7)
costar (ue) to cost (3, 4)
costurero/a, el/la tailor; seamstress (8)
crear to create (4, B)
creativo/a creative (**5**)
creer to believe (**2**)
crema batida, la whipped cream (7)
criar to raise *(children, animals, etc.)* (10)
crucero, el cruise ship (5)
crudo/a rare; raw (7)
cuaderno, el notebook (**2**)
cuadro, el picture; painting (**3**, 5)
cual which (11)
¿cuál?: What? Which (one)? (**2**); **¿~ es la fecha de hoy?** What is today's date? (**A**)
cualquier whatever (8); any (10)
¿Cuándo? When? (**2**)
¿Cuánto/a? How much? (**2**); **¿Cuántos/as?** How many? (**2**)
cuarenta forty (**1**); ~ **y uno** forty-one (**1**)
cuarto/a fourth (**3**)
cuarto, el room (**2, 3**); ~ **doble** double room (**10**); ~ **individual** single room (**10**)
cuatro four (**A**)
cuatrocientos four hundred (**2**)
cubrir to cover (8)
cuchara, la soup spoon; tablespoon (**7**)
cucharada, la spoonful (7)
cucharita, la teaspoon (**7**)
cuchillo, el knife (**7**)
cuello, el neck (**9**)
cuenta, la bill; account (**4**)
cuero, el leather (**8**)
cuerpo humano, el human body (**9**)
cuestiones políticas, las *(pl.)* political issues (**11**)
cueva, la cave (**11**)
cuidadosamente carefully (**2**)
cuidar to take care of (3, 9, **11**)
cumbre, la mountain top (12)
cumplido/a fulfilled (11)
curandero/a, el/la folk healer (4)
curar(se) to be cured (**9**)
curita, la adhesive bandage (**9**)
curso, el course (**2**)
cutis, el complexion (11)
cuyo whose (11)

D

dar to give (**3**); ~ **un concierto** to give/perform a concert (**5**); ~ **un paseo** to go for a walk (**4**); **~se cuenta** to realize (9); ~ **vida** to give life (5)
de of (**1**); from; about (**11**); ~ **cuadros** checked (**8**); **¿~ dónde?** From where? (**2**); ~ **espanto** scary (**5**); ~ **ida y vuelta** round-trip (**10**); ~ **la mañana** in the morning (**A**); ~ **la noche** in the

evening (A); ~ **nuevo** again (2); ~ **la tarde** in the afternoon (A); ~ **lunares** polka-dotted (**8**); ~ **manga larga** long-sleeved (8); ~ **nada.** You're welcome. (**A**); **¿~ qué se** trata… **?** What is the gist of… ? (8); ~ **rayas** striped (**8**); ~ **repente** suddenly (B, 11); ~ **suspenso** suspenseful (**5**)
debajo (de) under; underneath (7, **11**)
deber ought to; should (4); **~, el** obligation; duty (4)
débil weak (**1**)
décimo/a tenth (**3**)
decir to say; to tell (3)
dedicar to devote (3)
dedo, el ~ (de la mano) finger (**9**); **~ (del pie)** toe (**9**)
defensa, la defense (**11**)
dejar to leave (**10**)
delante de in front of (**11**)
delgado/a thin (**1**)
delicioso/a delicious (**7**)
delincuencia, la crime (**11**)
demás, los *(pl.)* others (4)
democracia, la democracy (**11**)
demostrar (ue) to demonstrate (**4**)
dentro de inside of (**11**)
deporte, el sport (**2**)
deprimente depressing (**5**)
derecho, el law (**2**)
derecho/a straight (10)
derrame de petróleo, el oil spill (**11**)
derrotado/a defeated (11)
desastre, el disaster (**11**)
desayunar to have breakfast (**7**)
desayuno, el breakfast (**7**)
descansar to rest (7)
desde from (**11**); ~ **que** since (9)
desempleo, el unemployment (**11**)
desfile de moda, el fashion show (8)
desordenado/a messy (**3**)
despedida, la farewell (**A**)
despertador, el alarm clock (**2**)
despertarse (ie) to wake up; to awaken (**9**)
después afterward (6); after (**11**)
destacar to stand out (5); to distinguish (7)
destino, el destination (8)
destrucción, la destruction (**11**)
destruir to destroy (5)
determinaciones, las *(pl.)* resolutions (11)
detrás (de) behind (4, **11**)
deuda (externa), la (foreign) debt (**11**)
devolver (ue) to return *(an object)* (**4**)
día, el day (**A**)
dibujar to draw (**4**)
dibujo, el drawing (3)
diciembre December (**A**)
dictador/a, el/la dictator (**11**)
dictadura, la dictatorship (**11**)
diente, el tooth (**9**)
diez: ten; **dieciséis** sixteen; **diecisiete** seventeen; **dieciocho** eighteen; **diecinueve** nineteen (**A**)
difícil difficult (2)
dinero, el money (**2**)
diputado/a, el/la deputy; representative (**11**)
discurso, el speech (**11**)
discutir to discuss (B)
diseñador/a, el/la designer (8)
disfrutar de to enjoy (4, B)
divertirse (ie, i) to enjoy oneself (5, **9**); to have fun (6, **9**)
dividido por divided by (1)
doblar to turn (**10**)
doce twelve (**A**)
doctor/a, el/la doctor (**9**)
documental, el documentary (**5**)
dólar, el dollar (2)
doler (ue) to hurt (**9**)
dolor, el pain (**9**)
domingo, el Sunday (**A**)
donación, la contribution (11)
donas, las *(pl.)* donuts (10)
¿Dónde? Where? (2)
dormir (ue, u) to sleep (**4**)**; ~se** to fall asleep (**9**)
dormitorio, el bedroom (**3**)
dos two (A); ~ **millones** two million (**3**); **~cientos** two hundred (**2**)**; ~cientos uno** two hundred and one (**2**)
ducha, la shower (**3**)
ducharse to shower (**9**)
dulce, el candy; sweets (**7**)
durante during (B)
durar to last (9, 11)
duro/a hard-boiled (**7**)
DVD, el *(pl.* **los DVD***)* DVD/s (**2**)

E

ecología, la ecology (**11**)
edificio, el building (**2**)
efecto invernadero, el greenhouse effect (**11**)
ejército, el army (5)
ejércitos, los *(pl.)* armies (11)
él he, him (**A, 11**)
el the (**1**)
elecciones, las *(pl.)* elections (**11**)
elefante, el elephant (**11**)
elegante elegant (**8**)
elegir to elect (**11**)
ella she (**A**); her (**11**)
ellos/as they (**A**); them (**11**)
embarazada pregnant (9)
embriaguez, la intoxication (10)
emocionante moving (**5**)
emociones, las *(pl.)* emotions (**2**)
empanada, la turnover (meat) (7)
empezar (ie) to begin (**4**)
empleado/a, el/la employee (5); attendant (12)
empresario/a, el/la agent; manager (**5**)
en in (**11**); ~ **frente de** in front of (2); ~ **vez de** instead of (8)
enamorarse de to fall in love (7)
Encantado/a. Pleased to meet you. (**A**)
encantar to love; to like very much (**8**)
encerrar (ie) to enclose (**4**)
encima (de) on top (of); above (3, 7, **11**)
encontrar (ue) to find (**4**)
encubierto/a undercover (5)
encuesta, la survey; poll (**11**)
endémico/a native (11)
enero January (**A**)
enfermar(se) to get sick (**9**)
enfermedad, la illness (**9**)
enfermero/a, el/la nurse (**9**)
enfermo/a ill; sick (**2**)
enfrente (de) in front (of) (4); across from; facing (**11**)
enojado/a angry (**2**)
ensalada, la salad (**7**)
ensayar to practice/rehearse (**5**)
enseñar to teach; to show (**2**)
entender (ie) to understand (**4**)
entonces then (**6**)
entrada, la ticket (**5**); entrance (5); entry (blog) (6)
entrar to enter (**10**); ~ **ganas** get the urge (9)
entre among; between (4, B, **11**); ~ **sí** among themselves (11)
entregar to turn in (7)
entretenerse to entertain oneself (8)
entretenido/a entertaining (**5**)
entrevista, la interview (3); ~ **de trabajo** job interview (8)
entrevistar to interview (5)
enviar to send (**4**)
envolver to wrap (7)
épico/a epic (**5**)
equipaje, el luggage (10)
equipo, el team (**2**)
equivocarse to be mistaken (9)

es: ~ bueno/malo/mejor que… It's good/bad/better that…; **~ dudoso que…** It's doubtful that…; **~ importante que…** It's important that…; **~ imposible que…** It's impossible that…; **~ improbable que…** It's unlikely that…; **~ increíble que…** It's incredible that…; **~ la… / Son las…** It's… o'clock. (**A**); **~ una lástima que…** It's a pity that…; **~ necesario que…** It's necessary that…; **~ posible que…** It's possible that…; **~ preferible que…** It's preferable that…; **~ probable que…** It's likely that…; **~ raro que…** It's rare that… (**11**); **~ verdad.** It's true. (1)

escalera, la staircase (**3**, 11)

esclusa, la lock *(of a canal)* (5)

escoger to choose (4)

Escriba(n). Write. (**A**)

escribir to write (**2**)

escritorio, el desk (**2**)

escuchar música to listen to music (**2**)

Escuche(n). Listen. (**A**)

ese/a that, that one (**5**)

esos/as those *(over there)*; those ones (**5**)

espalda, la back (**9**)

especialidad de la casa, la specialty of the house (7)

especias, las *(pl.)* spices (**7**)

esperanza, la hope (11)

esperar to wait for; to hope (**2**)

esposo/a, el/la husband/wife (**1**)

Está nublado. It's cloudy. (**A**)

estación, la season (**A**); **~ (de tren, de autobús)** (train, bus) station (**10**)

estacionamiento, el parking (**10**)

estacionar to park (**10**)

estadidad, la statehood (11)

estadio, el stadium (**2**)

estado, el state *(of being)* (**2**); state (**11**)

estampado/a print *(with a design or pattern)* (**8**)

estante, el bookcase (**3**)

estar to be (**2**); **~ de acuerdo** to agree (4); **~ en huelga** to be on strike (**11**); **~ enfermo/a** to be sick (**9**); **~ sano/a / saludable** to be healthy (**9**)

este/a this, this one (**5**)

estilo, el style (8)

estimado/a dear (**4**)

estómago, el stomach (**9**)

estornudar to sneeze (**9**)

estornudo, el sneeze (**9**)

estos/as these (**5**)

estrecho/a narrow; tight (**8**)

estrella, la star (**5**)

estrenar una película to release a film/movie (**5**)

estreno, el opening (**5**)

estudiante de intercambio, el/la exchange student (10)

estudiante, el/la student (**2**); **~ de primer año** freshman (8)

estudiar to study (**2**, 6)

estufa, la stove (**3**)

estupendo/a stupendous (**5**)

euro(s), el euro (**2**)

evitar to avoid (**9**)

evolucionar to evolve (5)

examen, el (**2**); **~ físico** physical exam (**9**)

exigente demanding (9)

expedir to complete (10)

experimentar to experience (11)

expresión de cortesía, la polite expression (**A**)

extranjero, el abroad (**10**)

F

fabada, la bean stew (7)

fábrica, la factory (8)

fácil easy (2)

falda, la skirt (**8**)

falso false (**1**)

faltar to miss (**4**, B)

fama, la fame (**5**)

familia, la family (**1**)

farmacéutico/a, el/la pharmacist (9)

farmacia, la pharmacy (**9**)

fascinar to fascinate (**8**)

febrero February (**A**)

feliz happy (**2**)

feo/a ugly (**1**)

fiebre, la fever (**9**)

fin de semana, el weekend (**3**, 7); **~ pasado** last weekend (7)

finalmente finally (6)

finca, la farm (**11**)

fino/a fine; delicate (**5**)

firma, la signature (4)

flauta, la flute (5)

floreciente flourishing (8)

flores, las *(pl.)* flowers (7)

fondos, los *(pl.)* funds (10); funding (11)

formal formal (**8**)

foto, la photo (**1**)

frecuentemente frequently (**8**)

fresco/a fresh (**7**)

frijoles, los *(pl.)* beans (**7**)

frito/a fried (**7**)

fruta, la fruit (**7**)

fuente, la source (5, 9)

fuera outside (7); **~ de** outside of (**11**)

fuerte strong (**1**); loud (3)

funcionar to work; to function (**10**)

G

galleta, la cookie; cracker (**7**)

gallina, la chicken; hen (7, **11**)

gallo, el rooster (7)

ganar to win (3, 6, 7)

garaje, el garage (**3**)

garganta, la throat (**9**)

gasolinera, la gas station (**10**)

gato, el cat (10, **11**)

generalmente generally (**8**)

género, el genre (**5**)

gente, la people (**1**)

gimnasio, el gymnasium (**2**)

gira, la tour (**5**)

gobernador/a, el/la governor (**11**)

gobierno, el government (**11**)

gordo/a fat (**1**)

gorra, la cap (**8**)

grabar to record (**5**)

Gracias. Thank you. (**A**)

gramo, el gram (7)

grande big; large (**1**, **10**)

granja, la farm (**11**)

grasa, la fat (7)

gripe, la flu (**9**)

gris gray (**3**)

gritar to shout (11)

guantes, los *(pl.)* gloves (**8**)

guapo/a handsome/pretty (**1**)

guardar to put away; to keep (**3**); **~ cama** to stay in bed (**9**)

guerra, la war (**11**)

guerreros, los warriors (11)

guía, la guide (5)

guitarra, la guitar (**5**)

guitarrista, el/la guitarist (**5**)

gustar to like (**A**)

H

habichuelas, las *(pl.)* beans (11)

habilidad, la ability; skill (**5**)

hablar to speak (**2**)

hace: ~ buen tiempo. The weather is nice.; **~ calor.** It's hot.; **~ frío.** It's cold.; **~ mal tiempo.** The weather is bad.; **~ sol.** It's sunny.; **~ viento.** It's windy. (**A**)

hacer to do; to make (**3**, **4**, **9**); **~ artesanía** to make arts and crafts

(4); ~ **daño** to (do) damage; to harm (**11**); ~ **ejercicio** to exercise (**2**); ~ **falta** to need; to be lacking (**8**); ~ **la cama** to make the bed (**3**); ~ **(la) cola** to stand in line (**10**); ~ **la maleta** to pack a suitcase (**10**); ~ **los arreglos** to make the arrangements (10); ~ **las compras** to do the shopping (7); ~ **mímica** to play charades (9); ~ **una gira** to tour (**5**); ~ **una hoguera** to light a campfire (4)
hamaca, la hammock (11)
hamburguesa, la hamburger (**7**)
hasta until (11); ~ **luego.** See you later.; ~ **mañana.** See you tomorrow.; ~ **pronto.** See you soon. (**A**)
hay there is (**3**); there are (**3**); ~ **que** + *infinitivo* it is necessary… / you must… / one must/should… (**3**)
hecho/a de made from (9)
helado, el ice cream (**7**)
herbolario, el herbalist (10)
herida, la wound; injury (**9**)
hermano/a, el/la *(pl.)* brother/sister (**1**)
hermanos, los brothers and sisters; siblings (**1**)
hervido/a boiled (**7**)
hijo/a, el/la son/daughter (**1**)
hijos, los *(pl.)* sons and daughters; children (**1**)
hilera, la row (8)
hispanohablante, el/la Spanish speaker (1)
hojalatería, la tin work (2)
hojas de coca, las *(pl.)* coca leaves (9)
¡Hola! Hi! (**A**)
hombre, el man (**1**)
homenaje, el tribute (5)
hora, la time (**A**)
horario (de clases), el schedule (of classes) (**2**)
hormiga, la ant (**11**)
hospital, el hospital (**9**)
hotel, el hotel (**10**)
hoy: ~ **es el 1° (primero) de septiembre.** Today is September first.; ~ **es lunes.** Today is Monday. (**A**)
hoyo, el hole (**11**)
huelga, la strike (**11**)
hueso, el bone (10)
huevo, el egg (**7**)
humilde humble (3)
humo, el fumes (12)
huracán, el hurricane (**11**)

I

idiomas, los *(pl.)* languages (**2**)
iglesia, la church (**4**)
Igualmente. Likewise. (**A**)
imaginativo/a imaginative (**5**)
impermeable, el raincoat (**8**)
importar to matter; to be important (**8**)
impresionante impressive (**5**)
impuesto, el tax (**11**)
incendio, el fire (**11**)
incluir to include (6)
incómodo/a uncomfortable (**8**)
inflación, la inflation (**11**)
influyente influential (11)
informal casual (**8**)
informática, la computer science (**2**)
inodoro, el toilet (**3**)
insecto, el insect (**11**)
inteligente intelligent (**1**)
intercambiar to exchange (6)
interesante interesting (**1**)
inundación, la flood (**11**)
invertir to invest (11)
invierno, el winter (**A**)
inyección, la shot (**9**)
ir to go (**4, 9**); ~ **a pie** to go on foot (**10**); ~ **de camping** to go camping (**4**); ~ **de compras** to go shopping (**2**); ~ **de excursión** to take a short trip (**4**); ~ **de vacaciones** to go on vacation (**10**); ~ **de viaje** to go on a trip (**10**); ~**se** to go away; to leave (**9**); ~**se del hotel** to leave the hotel; to check out (**10**)

J

jamás never; not ever *(emphatic)* (4)
jamón, el ham (**7**)
jarabe, el cough syrup (**9**)
jardín, el garden (**3**)
jazz, el jazz (**5**)
jeans, los *(pl.)* jeans (**8**)
joven young (**1, 10**); **el/la joven** young man/young woman (**1, 10**)
joya, la jewel (9)
jueves, el Thursday (**A**)
juez/a, el/la judge (7, **11**)
jugar (ue) to play (4); ~ **al básquetbol** to play basketball; ~ **al béisbol** to play baseball; ~ **al fútbol** to play soccer; ~ **al fútbol americano** to play football; ~ **al golf** to play golf; ~ **al tenis** to play tennis (**2**)
jugo, el juice (**7**)
juicio, el jury (**11**)
julio July (**A**)
junio June (**A**)
juntos/as together (2, 3)

L

la(s) the (**1**)
La cuenta, por favor. The check, please. (**7**)
laboratorio, el laboratory (**2**)
lago, el lake (**10**)
lámpara, la lamp (**3**)
lana, la wool (**8**)
lápiz, el pencil (**2**)
largo/a long (**8**)
lastimarse to get hurt (**9**)
lata, la can (**11**)
latir to beat *(heart)* (9)
lavabo, el sink (**3**)
lavaplatos, el dishwasher (**3**)
lavar: ~ **los platos** to wash dishes (**3**); ~**se** to wash oneself (**9**)
le: to/for him, her (**8**); ~ **saludo atentamente…** Best regards… (**2**)
Lea(n). Read. (**A**)
leche, la milk (**7**)
lechuga, la lettuce (**7**)
leer to read (**2**)
lejos (de) far (from) (7, **11**)
lento/a slow (3, **5**)
león, el lion (**11**)
les to/for them (**8**)
letra, la lyrics (**5**)
levantarse to get up; to stand up (**9**)
ley, la law (10, **11**)
leyenda, la legend (9)
leyes laws (2)
librería, la bookstore (2)
libro, el book (**2**)
licencia (de conducir), la driver's license (**10**)
ligero/a light *(meal)* (7)
limón, el lemon (**7**)
limpiaparabrisas, el windshield wiper (**10**)
limpiar to clean (3)
limpio/a clean (**3**)
liso/a solid-colored (**8**)
literatura, la literature (**2**)
llamarse to be called (**9**)
llanta, la tire (**10**)
llave, la key (**10**)
llegar to arrive (**2**)
llenar el tanque to fill up the tank (**10**)
llevar to wear; to take; to carry (**8**); ~ **a alguien al médico** to take someone to the doctor (**4**); ~ **a cabo** to carry out (**11**); ~ **ropa** to wear clothing (8)
llorar to cry (11)
Llueve. It's raining. (**A**)
lluvia, la rain (**A**); ~ **ácida** acid rain (**11**)

lo que what (3)
Lo sé. I know. (**A**)
lo, la him, her, it, you (**5**)
lomas, las *(pl.)* hills (11)
loro, el parrot (11)
los, las the (**1**); them; you all (**5**)
lucha libre, la wrestling (2)
luchar to fight; to combat (**11**)
luego then (6)
lugar, el place (**2**)
lugareños, los *(pl.)* locals (4)
lujo, el luxury (10)
luna de miel, la honeymoon (10)
lunes, el Monday (**A**)

M

madrastra, la stepmother (**1**)
madre, la mother (**1**)
maíz, el corn (**7**)
mal de altura, el altitude sickness (9)
maleta, la suitcase (**10**)
malo/a bad (**1, 10**)
mamá, la mom (**1**)
mañana: ~ es el dos de septiembre. Tomorrow is September second. (**A**)
mandar una carta to send/mail a letter (**4**)
mandioca, la yucca (7)
manejar to drive (5, 8, **10**)
mano, la hand (**1, 9**)
manta, la blanket (**3**)
mantel, el tablecloth (**7**)
mantequilla, la butter (**7**)
manzana, la apple (**7**)
mapa, el map (**2**)
maquillarse to put on make up (**9**)
mareado/a faint (9)
mariscos, los *(pl.)* shellfish; seafood (**7**)
marrón brown (**3**)
martes, el Tuesday (**A**)
marzo March (**A**)
más plus (1); **~** + *adjective/adverb/noun* + **que** more… than (**10**); **~ o menos.** So-so. (**A**); **~ tarde que** later than (7); **~ temprano que** earlier than (7)
mascota, la domesticated animal; pet (10, **11**)
masticar to chew (9)
matar to kill (**11**)
matemáticas, las *(pl.)* mathematics (**2**)
materia, la subject (**2**)
material, el material (**8**)
mayo May (**A**)
mayonesa, la mayonnaise (**7**)
mayor old (**1**); older (**10**); **~, el/la** the eldest (**10**)
mayordomo, el butler (10)
me: me (**5**); to/for me (**8**); **~ llamo…** My name is… (**A**)
medianoche, la midnight (**A**)
medias, las *(pl.)* stockings; hose (**8**)
medicina, la medicine (**2**)
médico/a, el/la doctor (**9**)
medio ambiente, el environment (**11**)
mediodía, el noon (**A**)
mejor best (4, **10**); better (**9**); **~, el/la** the best (**10**)
mejorar(se) to improve; to get better (**9**)
melón, el melon (**7**)
menor, el/la the youngest (**10**)
menos minus (1); **~** + *adjective/adverb/noun* + **que** less… than (**10**); **~ cinco** five minutes to the hour (**A**); **¡~ mal!** Thank goodness! (4)
mentir (ie) to lie (**4**)
menú, el menu (**7**)
mercado, el market (**4**)
merendar (ie) to have a snack (**7**)
merienda, la snack (**7**)
mermelada, la jam; marmalade (**7**)
mes, el month (**A**)
mesa, la table (**2**)
meterse en política to get involved in politics (**11**)
metro, el subway (**10**)
mezcla, la mixture (7, 11)
mí me (**11**)
mi, mis my (**1**)
microondas, el microwave (**3**)
mientras while (3, **8**)
miércoles, el Wednesday (**A**)
mil one thousand (**2, 3**)
milla, la mile (2, B)
millón one million (**3**)
mirar to look (at); to watch (**2**); **~ las vitrinas** to window shop (8)
mismo/a same (2)
mitad, la middle (11)
mochila, la book bag; backpack (**2**)
moda, la fashion; style (**8**)
modelo, el/la model (**8**); **~ de ropa** fashion model (3)
moderno/a modern (3)
molestar to bother (**8**)
monarquía, la monarchy (**11**)
montaña, la mountain (**10**)
montañoso/a mountainous (4)
montar: ~ a caballo to go horseback riding (11); **~ en bicicleta** to ride a bike (**2**); **~ una tienda de campaña** to put up a tent (**4**)
montón, el pile (7)
morado purple (**3**)
moreno/a dark-haired (5)
morir (ue) to die (**4,** 11)
mosca, la fly (**11**)
mosquito, el mosquito (**11**)
mostaza, la mustard (**7**)
mostrar (ue) to show (**4**)
moto(cicleta), la motorcycle (**1**, **10**)
motor, el motor; engine (**10**)
muchacho/a, el/la boy/girl (**1**)
muchas veces many times (**8**)
mucho a lot (**8**); **~ gusto.** Nice to meet you. (**A**)
mueble, el piece of furniture (**3**); furniture *(pl.)* (**3**)
muerto/a dead (**11**)
mujer, la woman (**1**)
multa, la traffic ticket; fine (**10**)
mundo, el world (5, 11)
muñeca, la doll (8)
museo, el museum (**4**)
música, la music (2); **~ clásica** classical music; **~ folklórica** folk music; **~ popular** pop music; **~ rap** rap music (**5**)
musical musical (**5**)
músico/a, el/la musician (**5**)
muy very (**1**); **~ bien.** Really well. (**A**)

N

nacionalidad, la nationality (A)
nada nothing (**4**)
nadar to swim (**2**)
nadie no one; nobody (**4**)
naranja, la orange (**7**)
nariz, la nose (**9**)
naturaleza, la nature (**3, 11**)
náuseas, las *(pl.)* nausea (**9**)
necesitar to need (**2**)
negocio, el business (8)
negro black (**3**)
nervioso/a upset; nervous (**2**)
ni… ni neither… nor (**4**)
nieto/a, el/la grandson/granddaughter (**1**)
Nieva. It's snowing. (**A**)
nieve, la snow (**A**)
ningún none (**4**)
ninguno/a/os/as none (3, **4**)
niño/a, el/la little boy/little girl (**1**)
no: ~. No. (**A**); **~ comprendo.** I don't understand. (**A**); **~ lo sé.** I don't know. (**A**); **~ es verdad.** It's not true. (1); **¡~ me digan!** No way! (4)
normalmente normally (**8**)
nos us (**5**); to/for us (**8**)
nosotros/as us (**A**); we (**11**)
novecientos nine hundred (**2**)
noveno/a ninth (**3**)

noventa ninety (**1**)
noviembre November (**A**)
novio/a, el/la boyfriend/girlfriend (**1**)
nube, la cloud (**A**)
nuestro/a/os/as our/s (**1**)
nueve nine (**A**)
nuevo/a new (3)
número, el number (**A**)
nunca never (2, 3, **4**)

O

o… o either… or (**4**)
objeto, el object (**3**)
obra de teatro, la play (5)
obtener to get (10)
océano, el ocean (**11**)
ochenta eighty (**1**)
ocho eight (**A**); **~cientos** eight hundred (**2**)
octavo/a eighth (**3**)
octubre October (**A**)
ocupado/a busy (6)
ocurrir to occur (**9**)
odiar to hate (11)
oferta, la offer (3)
oficina, la office (**3**); **~ de correos** post office (**4**)
ofrecer offer (2)
oído, el inner ear (**9**)
oír to hear (**3**)
ojalá que let's hope that… / hopefully… (11)
ojo, el eye (**9**)
oler to smell (7)
once eleven (**A**)
ópera, la opera (**5**)
opuesto/a opposite (4)
oraciones, las *(pl.)* sentences (3)
ordeñar to milk (11)
oreja, la ear (**9**)
organizar to organize (**4**)
orgulloso/a proud (B)
oro, el gold (9)
orquesta, la orchestra (**5**)
os to/for you all (**5, 8**)
oscuro/a dark (**8**)
oso, el bear (**11**)
otoño, el fall (**A**)
otro/a another (**A**)

P

paciente, el/la patient (**1, 9**)
padrastro, el stepfather (**1**)
padre, el father (**1**)
padres, los *(pl.)* parents (**1**)
pagar to pay (**7**)
paisaje, el countryside (3)
pájaro, el bird (**11**)
palabra, la word (**A**)
palomitas, las *(pl.)* popcorn (5)
pan, el bread (**7**)
pantalla, la screen (**5**)
pantalones, los *(pl.)* pants (**8**); **~ cortos** *(pl.)* shorts (**8**)
pañuelo, el scarf (8)
papá, el dad (**1**)
papa, la potato (**7**)
papas fritas, las *(pl.)* french fries; potato chips (**7**)
papel, el paper (**2, 11**)
paquete, el package (10)
para for; in order to (**11**)
parabrisas, el windshield (**10**)
parada, la bus stop (**10**)
paraguas, el umbrella (**8**)
pararse to stand (10)
pared, la wall (**2**)
parientes, los *(pl.)* relatives (2, B)
parque, el park (4); **~ de atracciones** theme park (**10**)
participar: ~ en una campaña política to participate in a political campaign (**4**)
partido político, el political party (**11**)
pasajero/a, el/la passenger (**10**)
pasantía, la internship (8)
pasaporte, el passport (**10**)
pasar to spend *(time)* (6)
pasar la aspiradora to vacuum (**3**)
pasatiempos, los *(pl.)* pastimes (**2**)
pastel, el pastry; pie (**7**)
pastilla, la pill (**9**)
pata, la leg *(of an animal)* (9)
patata, la potato (7)
patinar to skate (**2**)
paz, la peace (5)
peatón/peatona, el/la pedestrian (**10**)
pecho, el chest (**9**)
pedagogía, la education (2)
pedido, el request (9)
pedir (i) to ask for (**4**); to order (**7**)
peinarse to comb one's hair (**9**)
pelar to peel (7)
película, la movie; film (3, 4)
peligro, el danger (11)
peligroso/a dangerous (**11**)
pelo, el hair (**9**)
pelota, la ball (**2**)
pensar (ie) to think (**4**)
peor worse (4, **10**); **~, el/la** the worst (**10**)
pequeño/a small (**1, 10**)
pera, la pear (**7**)
perder (ie) to lose; to waste (**4**)
perezoso/a lazy (**1**)
periódico, el newspaper (**11**)
periodismo, el journalism (**2**)
permanecer to stay (11)
pero but (2)
perro dog (3, **11**); **~ caliente** hot dog (**7**)
perseguir (i) to chase (**4**)
personalidad, la personality (**1**)
pertenecer to belong (9); to pertain (10)
pescado, el fish (**7**)
peso corporal, el body weight (9)
pez, el *(pl.,* **los peces***)* fish (**11**)
pianista el/la pianist (**5**)
piano, el piano (**5**)
picante spicy (**7**)
pie, el foot (8, **9**)
piensa thinks (1)
pierna, la leg *(of a person)* (**9**)
pijama, el pajamas (**8**)
película, la film; movie (4, **5**); **~ de acción** action movie; **~ de ciencia ficción** science fiction movie; **~ dramática** drama; **~ de guerra** war movie; **~ de misterio** mystery movie; **~ musical** musical; **~ romántica** romantic movie; **~ de terror** horror movie (**5**)
pimienta, la pepper (**7**)
piscina, la pool (**2**)
piso, el floor; story (**3**)
pizarra (interactiva), la chalkboard; (interactive) whiteboard (**2**)
placer, el pleasure (7)
planeta, el planet (**11**)
planta baja, la ground floor (**3**)
plantar to plant (**11**)
plástico, el plastic (**11**)
plato, el plate; dish (**7**)
playa, la beach (**10**)
plaza, la town square (**4**)
pobre poor (**1**)
poco: ~ hecho/a rare *(meat)* (**7**); **un ~** (a) little (**1**)
poder to be able to (**3**)
policía, el/la policeman/policewoman (**10**)
poliéster, el polyester (**8**)
política, la politics (**11**)
pollo, el chicken (**7**)
poner to put; to place (**3**); **~ la mesa** to set the table (**3**); **~se (la ropa)** to put on (one's clothes) (**9**); **~se (nervioso/a)** to get (nervous) (**9**)
por times; by (1); **~** for (**2**); through; by; because of (**11**); **~ eso** for that reason (9); **~ favor.** Please. (**A**); **~ lo menos**

at least (3); ~ **ciento** percent (1); **¿~ qué?** Why? (**2**)
postre, el dessert (**7**)
preferir (ie) to prefer (**4**)
preguntar to ask (a question) (**2**)
premio, el award (5, 10)
prendas, las *(pl.)* articles of clothing (**8**)
prender to turn on (11)
preocupado/a worried (**2**)
preocuparse to worry about; to concern oneself with (**11**)
preparar to prepare; to get ready (**2**); ~ **la comida** to prepare a meal (**3**); ~**se** to prepare onself (B)
preparativo, el preparation (**5**)
presentación, la introduction (**A**)
presentar: ~ **una película** to show a film/movie (**5**)
presidencia, la presidency (**11**)
presidente/a, el/la president (**11**)
prestar to loan; to lend (**8**)
presupuesto, el budget (3, 8)
primavera, la spring (**A**)
primer, primero/a first (2, **3**) ~ **piso, el** first floor (**3**)
primo/a, el/la cousin (**1**)
principio, el start (8)
probarse (ue): ~ **la ropa** to try on clothing (**9**)
profesor/a, el/la professor (**2**)
programa, el platform (11)
promedio, el average (7)
propina, la tip (**7**)
propio/a own (12)
proponer to propose (5, 10)
propósito, el purpose (7)
proteger to protect (8, **11**)
prueba, la test (9)
psicología, la psychology (**2**)
pueblo, el town; village (**4**)
¿Puedes… ? Can you… ? (**1**)
puente, el bridge (10)
puerta, la door (**2**)
puro/a pure (**11**)

Q

¡Qué bueno! That's great! (**2**)
¿qué? What? (**2**); **¿~ día es hoy?** What day is today?; **¿~ es esto?** What is this?; **¿~ hora es?** What time is it?; **¿~ significa?** What does it mean?; **¿~ tal?** How's it going?; **¿~ tiempo hace?** What's the weather like? (**A**)
quedar to stay (11); ~ **le bien/mal** to fit well/poorly (**8**); ~**se** to stay; to remain (**9**)
quehaceres, los *(pl.)* chores (**3**)
quemarse to get burned (**9**)
querer to want; to love (2, **3**)
queso, el cheese (**7**)
¿Quién/es? Who? (**A**, **2**)
quiero: ~ **presentarle a…** I would like to introduce you to… *(formal)* (**A**); ~ **presentarte a…** I would like to introduce you to… *(familiar)* (**A**)
quince fifteen (**A**)
quinientos five hundred (**2**)
quinto/a fifth (**3**)
quitarse (la ropa) to take off (one's clothes) (**9**)

R

radio: ~, **el/la** radio; broadcast (**2**)
raíces, las *(pl.)* roots (10)
rana, la frog (**11**)
rasgo, el characteristic (**1**)
rata, la rat (**11**)
ratón, el mouse (**11**)
realizar to act out (7)
reapertura, la reopening (11)
recepción, la front desk (**10**)
receta, la recipe (7); prescription (**9**)
recetar to prescribe (9)
recibir to receive (**2**)
reciclaje, el recycling (**11**)
reciclar to recycle (**11**)
recomendar (ie) to recommend (4)
reconocer to recognize (8)
recordar (ue) to remember (**4**)
recuerdo, el memento (3); memory (10)
recurso natural, el natural resource (**11**)
reforestar to reforest (**11**)
refresco, el soft drink (**7**)
refrigerador, el refrigerator (**3**)
regalar to give a gift (8)
regalo, el gift (8)
regatear to bargain; to negotiate the price (7)
regímenes, los *(pl.)* regimes (**11**)
registrarse: ~ **(en el hotel)** to check in (**10**)
regla, la rule (10)
regresar to return (**2**)
Regular. Okay. (**A**)
reina, la queen (**11**)
reloj, el clock; watch (**2**)
remedio casero, el homemade remedy (7)
remunerar to pay (**4**)
repartir: ~ **comidas** to hand out/deliver food (**4**)
repetir (i) to repeat (**4**)
Repita(n). Repeat. (**A**)
reportaje, el report (12)
reseña, la review (5)
reserva, la reservation (**10**)
reservar: ~ **una mesa** to reserve a table (**7**)
resfriado, el cold (**9**)
residencia, la dormitory (**2**); ~ **estudiantil** dormitory (**2**)
resolver (ue) to resolve (**11**)
respirar to breathe (9)
responsable responsible (**1**)
restaurante, el restaurant (4, **7**)
resumir to summarize (9)
reunión, la meeting (8, 10)
reunirse to get together; to meet (**9**)
reutilizar to reuse (**11**)
revisar to check; to overhaul (**10**)
revista, la magazine (8)
rey, el king (**11**)
Ricitos de Oro Goldilocks (9)
rico/a rich (**1**)
río, el river (**11**)
ritmo, el rhythm (**5**)
rock, el rock (**5**)
rojo red (**3**)
romperse to break *(a bone)* (**9**)
ropa, la clothes; clothing (**3**, **8**); ~ **interior** underwear (**8**)
rosado pink (**3**)
roto broken (9)
ruido, el noise (B, **10**)

S

sábado, el Saturday (**A**)
sábana, la sheet (**3**)
saber to know (**4**); ~ **bien/mal** to taste good/bad (**7**)
sabroso/a tasty (**7**)
sacar: ~ **buenas notas** to get good grades (**4**); ~ **la basura** to take out the garbage (**3**); ~ **la licencia** to get a driver's license (10); ~ **una canción** to release a song (**5**)
sacudir: ~ **los muebles** to dust (**3**)
sal, la salt (**7**)
sala, la living room (**3**); ~ **de clase** classroom (**2**); ~ **de urgencias** emergency room (**9**)
salir to leave; to go out (**3**)
salsa, la salsa (**5**); ~ **de tomate** ketchup (**7**)
salud, la health (**9**)
saludo, el greeting (**A**)
salvo/a safe (11)
sandalias, las *(pl.)* sandals (**8**)
sangre, la blood (**9**)

sangriento/a bloody (11)
sano/a healthy (9)
secarse to dry off (**9**)
seda, la silk (**8**)
sede, la seat (of government) (9)
seguir (i) to follow; to continue (doing something) (**4**)
según according to (1, **11**)
segundo/a second (**3**); ~ **piso, el** second floor (**3**)
seguro/a sure (5)
seis six (A); ~**cientos** six hundred (**2**)
sello, el postage stamp (**10**)
selva, la jungle (**11**); ~ **(tropical)** (tropical) rain forest (**11**)
semáforo, el traffic light (**10**)
semana, la week (A); ~ **pasada** last week (5, 7)
sembrar (ie) to sow (**11**)
semejanza, la similarity (**4**, 6)
semestre, el semester (**2**)
senador/a, el/la senator (**11**)
señor, el (Sr.) man; gentleman; Mr. (**1**)
señora, la (Sra.) woman; lady; Mrs. (**1**)
señorita, la (Srta.) young woman; Miss (**1**)
sentarse (ie) to sit down (**9**)
sentido, el meaning (3)
sentir (ie, i) to feel (3, B); ~**se** to feel (**9**); ~**se perdido/a** to feel lost (4)
septiembre September (A)
séptimo/a seventh (**3**)
ser to be (A); ~ **alérgico/a (a)** to be allergic (to) (**9**)
serpiente, la snake (**11**)
servilleta, la napkin (**7**)
servir (i) to serve (**4**)
sesenta sixty (**1**)
setecientos seven hundred (**2**)
setenta seventy (**1**)
sexto/a sixth (**3**)
si if (4)
Sí. Yes. (**A**)
siempre always (2, 3, **4**, **8**)
siete seven (A)
siglo, el century (3)
siguiente, el following (2, 3)
silla, la chair (**2**)
sillón, el armchair (**3**)
simpático/a nice (**1**)
sin without (4, B, 10, **11**); ~ **embargo** nevertheless (2, 3, 6)
sobrar to be left over (5)
sobre on; on top (of); over; about (3, **11**); ~ **todo** above all (5)
sobrepasar to exceed (11)
sofá, el sofa (**3**)
sol, el sun (**A**)
solamente only (8, 12)
soldados, los *(pl.)* soldiers (11)
solicitud, la application (2, 7)
solicitar to apply (4)
sombrero, el hat (**8**)
son equals (1)
sopa, la soup (**7**)
sorprendente surprising (**5**)
sorpresa, la surprise (8)
sótano, el basement (**3**)
Soy… I am… (**A**)
su/s his, her, its, your, their (**1**)
suave smooth (**5**)
subir (a) to go up; to get on (**10**)
subrayar to underline (7)
sucio/a dirty (**3**)
sucursal, la branch (8)
sudadera, la sweatshirt (**8**)
sudar to sweat (9)
suelo, el floor (**3**)
suéter, el sweater (**8**)
supermercado, el supermarket (4)
surgir to emerge (8)

T

tableta, la tablet (**2**)
tarjeta, la: ~ **de crédito** credit card (**7**); ~ **de débito** debit card (**7**); ~ **postal** postcard (4, **10**)
taller, el ~ **de costurera** seamstress shop (8); ~ **mecánico** auto repair shop (**10**)
tamaño size (3)
también too; also (2)
tambor, el drum (**5**)
tan: ~ + *adjective/adverb* + **como** as… as (**10**)
tanto: so much (9); **tanto (a/os/as)** + *noun* + **como** as much/many… as (**10**)
tarde late (2, 3)
tarea, la homework (**2**)
taxi, el taxi (**10**)
taza, la cup (**7**)
te to/for you (**5**, **8**)
té, el (helado/caliente) tea (iced/hot) (**7**)
teatro, el theater (**4**)
techo, el roof (**3**)
tela, la fabric (**8**)
teléfono celular, el cell phone (**2**)
televisión, la television (**2**)
tema, el topic; gist (5)
temblar to shake (11)
temperatura, la temperature (**A**)
templo, el temple (**4**)
temprano early (3)
tenedor, el fork (7)
tener to have (**1**); ~ **alergia (a)** to be allergic (to) (**9**); ~ **… años** to be… years old (**3**); ~ **calor** to be hot (**3**); ~ **celos** to be jealous (11); ~ **cuidado** to be careful (**3**); ~ **dolor de cabeza** to have a headache (**9**); ~ **dolor de estómago** to have a stomachache (**9**); ~ **dolor de espalda** to have a backache (**9**); ~ **éxito** to be successful (**3**); ~ **frío** to be cold (**3**); ~ **ganas de +** *(infinitive)* to feel like + (verb) (**3**); ~ **dolor de garganta** to have a sore throat (**9**); ~ **hambre** to be hungry (**3**); ~ **(la/una) gripe** to have the flu (**9**); ~ **miedo** to be afraid (**3**); ~ **prisa** to be in a hurry (3); ~ **que +** *(infinitive)* to have to + *(verb)* (**3**); ~ **razón** to be right (**3**); ~ **resfriado** to have a cold (**9**); ~ **sed** to be thirsty (**3**); ~ **sueño** to be sleepy (**3**); ~ **suerte** to be lucky (**3**); ~ **tos** to have a cough (**9**); ~ **(un) catarro** to have a cold (**9**); ~ **un virus** to have a virus (**9**); ~ **una infección** to have an infection (**9**); ~ **vergüenza** to be embarrassed (3)
tenis, los *(pl.)* tennis shoes (**8**)
tercer, tercero/a third (**3**); ~ **piso, el** third floor (**3**)
terminar to finish; to end (**2**, 3)
término medio medium *(meat)* (**7**)
terremoto, el earthquake (5, **11**)
tesoro, el treasure (11)
ti you (11)
tiburón, el shark (5)
tiempo completo, el full-time (10)
tienda, la store (**2**)
tierra, la earth, dirt (10); land; soil (**11**)
Tierra, la Earth (**11**)
tío/a, el/la uncle/aunt (**1**)
tíos, los *(pl.)* aunts and uncles (**1**)
tiza, la chalk (**2**)
tocar: ~ **un instrumento** to play an instrument (**2**)
todavía still (11)
todos los días every day (**8**)
tomar to take; to drink (**2**); ~ **el sol** to sunbathe (**2**)
tomate, el tomato (**7**)
tonto/a silly; dumb (**1**)
tormenta, la storm (**11**)
tornado, el tornado (**11**)
torneo, el tournament (4)
toro, el bull (**11**)

torre, la tower (3)
torta, la cake (**7**)
tos, la cough (**9**)
toser to cough (**9**)
tostada, la toast (**7**)
tostones, los *(pl.)* plantain chips (11)
trabajador/a hard-working (**1**)
trabajar to work (**2**); **~ como consejero/a** to work as a counselor (**4**); **~ como voluntario/a en la residencia de ancianos** to volunteer at a nursing home (**4**); **~ en el campamento de niños** to work in a summer camp (**4**); **~ en política** to work in politics (**4**)
trabajo, el job (4)
tradicional traditional (3)
traer to bring (**3**)
tráfico, el traffic (**10**)
tragedia, la tragedy (**11**)
trágico/a tragic (**5**)
traje, el outfit (5); suit (**8**); **~ de baño** swimsuit; bathing suit (**8**)
transitar to enter/exit (10)
transporte, el transportation (**10**)
tratamiento médico, el medical treatment (**9**)
tratar de to try to (3, **9**)
trece thirteen (**A**)
treinta thirty (**A, 1**); **~ y uno** thirty-one; **~ y dos** thirty-two; **~ y tres** thirty-three; **~ y cuatro** thirty-four; **~ y cinco** thirty-five; **~ y seis** thirty-six; **~ y siete** thirty-seven; **~ y ocho** thirty-eight; **~ y nueve** thirty-nine (**1**)
tren, el train (**10**)
tres three (**A**); **~cientos** three hundred (**2**)
triste sad (**2**)
trompeta, la trumpet (**5**)
trono, el throne (11)
tsunami, el tsunami (**11**)
tú you *(familiar)* (**A, 1**)
tu/s your (**1**)
turnarse to take turns (3)

U

un/a/os/as a, an, some (**1**)
ungüento, el salve (10)
uno one (**A**)
usar to use (**2**, 4)
usted/es you *(formal)* (**A, 11**)
útil useful (**A**)

V

vaca, la cow (**11**)
vacaciones, las *(pl.)* vacation (**10**)
vaso, el glass (**7**)
Vaya(n) a la pizarra. Go to the board. (**A**)
¡Vaya! Wow! (4)
vecino/a neighboring (8)
vehículo, el vehicle (**10**)
veinte twenty; **veintiuno** twenty-one; **veintidós** twenty-two; **veintitrés** twenty-three; **veinticuatro** twenty-four; **veinticinco** twenty-five; **veintiséis** twenty-six; **veintisiete** twenty-seven; **veintiocho** twenty-eight; **veintinueve** twenty-nine (**A**)
velas, las *(pl.)* candles (**7**)
velocidad, la speed (10)
venda, la bandage (**9**)
vendaje, el bandage (**9**)
vendarse to bandage oneself (**9**)
vendedor/a, el/la seller (7)
vender to sell (7)
venir to come (**3**)
ventana, la window (**2**)
ver to see (**2**); **~ la televisión** to watch television (**3**)
verano, el summer (**A**)
verdad, la truth (3)
verde green (**3**)
verdura, la vegetable (**7**)
vertedero, el dump (**11**)
vestido, el dress (**8**)
vestirse (i, i) to get dressed (**9**)
vez: una ~ once (**4**)
viajar to travel (**10**); **~ en canoa** to canoe (**4**)
viaje, el trip (**10**)
viajero/a, el/la traveler (**10**)
vidrio, el glass (**11**)
viejo/a old (3)
viento, el wind (**A**)
viernes, el Friday (**A**)
vigas recias, las *(pl.)* thick beams (10)
vinagre, el vinegar (**7**)
vino, el wine (**7**)
visitar to visit (**10**)
vivir to live (**2**)
vivo/a alive; living (**11**)
volante, el steering wheel (**10**)
volar (ue) to fly; to fly away (**10**)
voluntariado, el volunteerism (**4**)
volver (ue) to return (**4**); **~le loco/a** to drive him/her crazy (12)
vosotros/as you *(fam. pl. Spain)* (**A**)
votar to vote (**11**)
voto, el vote (**11**)
voz, la voice (**5**)
vuelo, el flight (**10**); **~ de ida y vuelta** round-trip flight (**10**)
vuestro/a/os/as your/s *(fam. pl. Spain)* (1)

Y

y and (2); **~ cinco** five minutes after the hour (**A**); **¿~ tú?** And you? *(familiar)* (**A**); **¿~ usted?** And you? *(formal)* (**A**)
yo I (**A**)
yogur, el yogurt (**7**)

Z

zapatillas, las *(pl.)* slippers (**8**)
zapatos, los *(pl.)* shoes (**8**)

APPENDIX 5

English-Spanish Glossary

Fíjate

This glossary includes all words and expressions presented in the text, except for words spelled the same in English and Spanish. The number in bold following each entry corresponds to the **capítulo** in which the word is first introduced for active mastery. Numbers that are not bold indicate that the word is presented for receptive use.

A

a un/a/os/as (**1**)
a lot mucho (**8**)
ability la habilidad (**5**)
able to, to be poder (**3**)
about acerca de (**11**)
above encima (de) (3, 7, **11**)
abroad el extranjero (**10**)
according to según (1, **11**)
account la cuenta (**4**)
acquainted with, to be conocer (**3**)
act out, to realizar (7)
actor el actor (**5**)
actress la actriz (**5**)
ad el anuncio (3)
adjectives los adjetivos (**1**)
administrations las administraciones (**11**)
advice el consejo (7)
afraid, to be tener miedo (**3**)
after después (**11**)
afterward después (**6**)
agent el/la empresario/a (**5**)
agree, to estar de acuerdo (4)
airline la aerolínea (10)
airplane el avión (**10**)
airport el aeropuerto (**10**)
alarm clock el despertador (**2**)
alive vivo/a (**11**)
allergic (to), to be ser alérgico/a (a); tener alergia (a) (**9**)
almond la almendra (7)
almost always casi siempre (**8**)
also también (**2**)
altitude sickness el mal de altura (9)
aluminum el aluminio (**11**)
always siempre (2, 3, **4**, **8**)
an un/a/os/as (**1**)
and y (2)
angry enojado/a (**2**)
animated animado/a (**5**)
annatto la bija (7)
another otro/a (**A**)
answer, to contestar (**2**); **Answer.** Conteste(n). (**A**)
ant la hormiga (**11**)
antacid el antiácido (**9**)
antibiotic el antibiótico (**9**)
any algún (**4**); alguno/a/os/as (3, **4**); cualquier (10)
apartment el apartamento (**2**)
appendix el apéndice (4)
apple la manzana (**7**)
application la solicitud (2, 7)
apply, to solicitar (**4**)
appointment la cita (4, B)
approved aprobado/a (10)
April abril (**A**)
architecture la arquitectura (**2**)
arm el brazo (**9**)
armchair el sillón (**3**)
armies los ejércitos (11)
armoire el armario (**3**)
army el ejército (5)
arrive, to llegar (**2**)
art el arte (**2**)
articles of clothing las prendas (**8**)
artist el/la artista (**5**)
ask (a question), to preguntar (**2**)
ask for, to pedir (i) (**4**)
aspirin la aspirina (**9**)
assistant el/la ayudante (5)
ATM el cajero automático (**4**)
attendant el/la empleado/a (12)
attic el altillo (**3**)
August agosto (**A**)
aunt la tía; **aunts and uncles** los tíos *(pl.)* (**1**)
average el promedio (7)
avoid, to evitar (**9**)
awaken, to despertarse (e, ie) (**9**)
award el premio (5, 10)

B

back la espalda (**9**)
backpack la mochila (**2**)
bad malo/a (**1**, **10**)
bag el bolso (7, **8**)
baked cocido/a (**7**)
balcony el balcón (**3**)
ball la pelota (**2**)
ballpoint pen el bolígrafo (**2**)
banana la banana (**7**)
band el conjunto (**5**)
bandage la venda; el vendaje; (**9**); **bandage (adhesive)** la curita (**9**); **to bandage (oneself)** vendar(se) (**9**)
bank el banco (**4**)
bar el bar (**4**)
bargain, to regatear (7)
basement el sótano (**3**)
basket weaving la cestería (2)
bathe, to bañarse (**9**)
bathroom el baño (**3**)
bathtub la bañera (**3**)
bays las bahías (11)
be, to estar (**2**); ser (**A**)
beach la playa (**10**)
bean stew la fabada (7)
beans los frijoles *(pl.)* (**7**); las habichuelas (11)
bear el oso (**11**)
beat *(heart)*, to latir (9)
beautiful bello/a (4)
bed la cama (**3**)
bedroom el dormitorio (**3**)
bedspread la colcha (**3**)
beer la cerveza (**7**)
before *(time/space)* antes (de) (6, **11**)
begin, to comenzar (ie); empezar (ie) (**4**)
behind detrás (de) (4, **11**)
beige beige (**3**)
believe, to creer (**2**)
bellhop el botones (**10**)
belong, to pertenecer (9)
belt el cinturón (**8**)
beside al lado (de) (3)
best mejor, **the best** el/la mejor (4)
beverage la bebida (5, **B**, **7**)
bicycle la bicicleta (**10**)
bidet el bidé (**3**)
big grande (**1**, **10**)
bill la cuenta (4)
biology la biología (**2**)
bird el ave; el pájaro (**11**)
black negro (**3**); **black clay** el barro negro (2)
blanket la manta (**3**)
blood la sangre (**9**)
bloody sangriento/a (11)
blouse la blusa (**8**)
blue azul (**3**)

boat el barco (B); el bote (**4**)
body weight el peso corporal (9)
boiled cocido/a; hervido/a (**7**)
bone el hueso (10)
book el libro (**2**)
book bag la mochila (**2**)
bookcase el estante (**3**)
bookstore la librería (**2**)
boots las botas *(pl.)* (**8**)
bored (*with* estar) aburrido/a (**2**)
boring aburrido/a (**1**, **2**, **5**)
bother, to molestar (**8**)
bottle la botella (**11**)
boy el chico; el muchacho (**1**)
boyfriend el novio (**1**)
branch la sucursal (8)
bread el pan (**7**)
break *(a bone)*, to romper(se) (**9**)
breakfast el desayuno (**7**)
breathe, to respirar (9)
bridge el puente (10)
bring, to traer (**3**)
broken roto (9)
brother el hermano (**1**); **brothers; brothers and sisters** los hermanos (**1**)
brown marrón (**3**)
brush (one's hair, teeth), to cepillarse (el pelo, los dientes) (**9**)
budget el presupuesto (3, 8)
building el edificio (**2**)
bull el toro (**11**)
bus el autobús (**10**)
bus stop la parada (**10**)
bush el arbusto (7)
business administration la administración de empresas (**2**); el negocio (8)
busy ocupado/a (6)
but pero (2)
butler el mayordomo (10)
butter la mantequilla (**7**)
buy, to comprar (**2**)
Bye. Chao. (**A**)

C

cabinet el armario (**3**)
café el café (**4**, **7**)
cafeteria la cafetería (**2**)
cake la torta (**7**)
calculator la calculadora (**2**)
called, to be llamarse (**9**)
can la lata (**11**); **Can you ... ?** ¿Puedes... ? (**1**)
candidate el/la candidato/a (**11**)
candles las velas (**7**)
candy el dulce (**7**)
canoe, to viajar en canoa (**4**)
cap la gorra (**8**)
car el carro; el coche (**10**)
careful, to be tener cuidado (**3**)
carefully cuidadosamente (**2**)
carpet la alfombra (**3**)
carry, to llevar (**8**); **to carry out** llevar a cabo (**11**)
casserole la cazuela (7)
castle el castillo (3)
casual informal (**8**)
cat el gato (10, **11**)
cave la cueva (**11**)
cell phone el teléfono celular (**2**)
century el siglo (3)
cereal el cereal (**7**)
chair la silla (**2**)
chalk la tiza (**2**)
chalkboard la pizarra (**2**)
change, to cambiar (**10**); **to change roles** cambiar de papel (3)
characteristic el rasgo (**1**)
charity la caridad (3)
chase, to perseguir (i) (**4**)
check in, to registrarse (en el hotel) (**10**)
check out, to irse del hotel (**10**)
check, to revisar (**10**)
cheese el queso (**7**)
chef el/la cocinero/a (**4**, **7**)
chest el pecho (**9**)
chew, to masticar (9)
chicken el pollo (**7**); la gallina (7, **11**)
children los hijos (**1**)
chili pepper el chile (**7**)
choose, to escoger (**4**)
chores los quehaceres *(pl.)* (**3**)
church la iglesia (**4**)
circulate a petition, to circular una petición (**4**)
city la ciudad (1, 3, **4**)
clean limpio/a (**3**)
clean, to limpiar (**3**)
clear claro/a (5)
clergy el clero (9)
client el/la cliente/a (**7**)
climate change el cambio climático (**11**)
clock el reloj (**2**)
Close your book/s. Cierre(n) el/los libros/s. (**A**)
close, to cerrar (ie) (**4**)
closet el armario (**3**)
clothes la ropa (**3**, **8**)
clothing la ropa (**3**, **8**)
cloud la nube (**A**)
club el club (**4**)
coat el abrigo (3, **8**)
coca leaves las hojas de coca (9)
coffee el café (**4**, **7**)
cognate el cognado (**A**)
cold el catarro; el resfriado (**9**)
cold, to be tener frío (3)
color el color (**3**)
comb one's hair, to peinarse (**9**)
combat, to combatir (**11**); luchar (**11**)
come, to venir (**3**)
comedy la comedia (5)
comfortable cómodo/a (**8**)
comforter la colcha (**3**)
comical cómico/a (**1**)
competition la competencia; el concurso (7)
complete, to expedir (10)
complexion el cutis (11)
composition la composición (**2**)
computer la computadora (**2**)
computer science la informática (**2**)
concern oneself with, to preocuparse (por) (**11**)
concert el concierto (**5**)
conch las caracolas (7)
condiment el condimento (**7**)
congress el congreso (**11**)
contemporary contemporáneo/a (3)
content contento/a (**2**)
continue (doing something), to seguir (i) (**4**)
contribution la donación (11)
cook, to cocinar (**3**, **7**)
cookie la galleta (**7**)
corn el maíz (**7**)
correct, to corregir (3, 10)
cost, to costar (ue) (3, **4**)
cotton el algodón (**8**)
cough la tos (**9**); **cough syrup** el jarabe (**9**)
cough, to toser (**9**)
country el campo (3)
countryside el campo (4); el paisaje (3)
course el curso (**2**)
court la corte (**11**)
courting el cortejo (7)
cousin el/la primo/a (1)
cover, to cubrir (8)
cow la vaca (**11**)
cracker la galleta (**7**)
create, to crear (4, B)
creative creativo/a (**5**)

crime la delincuencia (**11**)
crop la cosecha (7)
cruise ship el crucero (5)
cry, to llorar (11)
cup la taza (**7**)
cured, to be curar(se) (**9**)
customer el/la cliente/a (**7**)
cut (oneself), to cortar(se) (**9**)

D

dad el papá (**1**)
dance, to bailar (**2**)
danger el peligro (11)
dangerous peligroso/a (**11**)
daring atrevido/a (**8**)
dark oscuro/a (**8**)
dark-haired moreno/a (5)
date la cita (8)
daughter la hija (**1**); **daughters** las hijas (**1**)
day el día (**A**)
dead muerto/a (**11**)
dear estimado/a (**4**)
December diciembre (**A**)
defeated derrotado/a (11)
defense la defensa (**11**)
delicate fino/a (**5**)
delicious delicioso/a (7)
deliver food, to repartir comidas (**4**)
demanding exigente (9)
democracy la democracia (**11**)
demonstrate, to demostrar (ue) (**4**)
department store el almacén (**4**)
depressing deprimente (**5**)
deputy el/la diputado/a (**11**)
designer el/la diseñador/a (8)
desk el escritorio (**2**)
dessert el postre (**7**)
destination el destino (8)
destroy, to destruir (5)
destruction la destrucción (**11**)
devote, to dedicar (3)
dictator el/la dictador/a (**11**)
dictatorship la dictadura (**11**)
die, to morir (ue) (**4**, 11)
difficult difícil (2)
dining room el comedor (**3**)
dinner la cena (**7**)
dirt la tierra (10)
dirty sucio/a (**3**)
disaster el desastre (**11**)
discuss, to discutir (**B**)
dish el plato (**7**)
dishwasher el lavaplatos (**3**)
distinguish, to destacar (7)
divided by dividido por (1)
do the shopping, to hacer las compras (7)
damage, to (do) hacer daño (**11**)
do, to hacer (**3**, **4**, **9**)
doctor el/la doctor/a; el/la médico/a (**9**)
documentary el documental (**5**)
dog perro (3, **11**)
doll la muñeca (8)
dollar(s) dólar(es) (**2**)
domesticated animal el animal doméstico; la mascota (10, **11**)
donuts las donas (10)
door la puerta (**2**)
dormitory la residencia (**2**)
download, to bajar (de) (5)
draw, to dibujar (**4**)
drawing el dibujo (3)
dress el vestido (**8**)
dresser la cómoda (**3**)
drink, to beber (**7**); tomar (**2**)
drive him/her crazy, to volver (ue) loco/a (12)
drive, to conducir (7, 8, **10**); manejar (5, 8, **10**)
driver's license la licencia (de conducir) (**10**)
driving la conducción (10)
drum el tambor (**5**); **drums** la batería (**5**)
dry off, to secarse (**9**)
dumb tonto/a (**1**)
dump el vertedero (**11**)
during durante (**B**)
dust, to sacudir los muebles (**3**)
duty el deber (**4**)
DVD/s el DVD (*pl.* los DVD) (**2**)

E

each cada (3, **4**, B)
ear la oreja; ***(inner)* ear** el oído (**9**)
earlier than más temprano que (7)
early temprano (3)
Earth la Tierra (**11**)
earth la tierra (10)
earthquake el terremoto (5, **11**)
easy fácil (2)
eat, to comer (**2**)
ecology la ecología (**11**)
education la pedagogía (**2**)
egg el huevo (**7**)
eight ocho (**A**); **eight hundred** ochocientos (**2**)
eighth octavo/a (**3**)
eighty ochenta (**1**)
either … or o… o (**4**)
elect, to elegir (**11**)
elections las elecciones (**11**)
elegant elegante (**8**)
elephant el elefante (**11**)
eleven once (**A**)
embarrassed, to be tener vergüenza (**3**)
emerge, to surgir (8)
emotions las emociones (**2**)
employee el/la empleado/a (5)
enclose, to encerrar (ie) (**4**)
encompass, to abarcar (5)
end, to terminar (**2**, 3)
endangered amenazado/a (7); **endangered animals** los animales en peligro de extinción (**11**)
engine el motor (**10**)
enjoy (oneself), to disfrutar de (**4**, **B**); divertirse (e, ie, i) (5, **9**)
Enjoy your meal! ¡Buen provecho! (**7**)
enter, to entrar (**10**); **enter/exit, to** transitar (10)
entertain oneself, to entretenerse (8)
entertaining entretenido/a (**5**)
environment el ambiente (5); el medio ambiente (**11**)
epic épico/a (**5**)
equals son (1)
eraser el borrador (**2**)
espadrilles las alpargatas (8)
euro el euro(s) (**2**)
even more aún más (1)
even though aunque (5)
event el acontecimiento (9)
every day todos los días (**8**)
evolve, to evolucionar (5)
exceed, to sobrepasar (11)
exchange student el/la estudiante de intercambio (10)
exchange, to intercambiar (6)
exercise, to hacer ejercicio (**2**)
exit, to transitar (10)
expensive caro/a (**7**)
experience, to experimentar (11)
eye el ojo (**9**)

F

fabric la tela (**8**)
face la cara (**9**)
factory la fábrica (8)
faint mareado/a (9)
fall el otoño (**A**)
fall down, to caer(se) (**9**)
fall in love, to enamorarse de (7)
false falso (**1**)

fame la fama (**5**)
family la familia (**1**)
fan el/la aficionado/a (**5**)
far (from) lejos (de) (7, **11**)
farewell la despedida (**A**)
farm la finca; la granja (**11**)
fascinate, to fascinar (**8**)
fashion la moda (**8**); **fashion show** el desfile de moda (8)
fat gordo/a (**1**); la grasa (7)
father el padre (**1**)
February febrero (**A**)
feel like + *(verb)*, to tener ganas de + *(infinitive)* (**3**)
feel lost, to sentirse perdido/a (**4**)
feel, to sentir (e, ie, i) (3, **B**); **to feel (oneself)** sentirse (**9**)
fever la fiebre (**9**)
fifteen quince (**A**)
fifth quinto (**3**)
fifty cincuenta (**1**); **fifty-one** cincuenta y uno (**1**)
fight, to combatir; luchar (**11**)
fill up the tank, to llenar el tanque (**10**)
film la película (3, **4**)
finally finalmente (**6**)
find out, to averiguar (4, **B**)
find, to encontrar (ue) (**4**)
fine la multa (**10**)
fine fino/a (**5**)
finish, to terminar (**2**, 3)
fire el incendio (**11**)
first primer, primero/a (**3**); **first floor** el primer piso (**3**)
fish el pescado (**7**); el pez *(pl.* los peces*)* (**11**)
fit well/poorly, to quedarle bien / mal (**8**)
five cinco (**A**); **five hundred** quinientos (**2**)
fix, to arreglar (**3**)
flight el vuelo (**10**); **round-trip flight** vuelo de ida y vuelta
flood la inundación (**11**)
floor el piso; el suelo (**3**)
flourishing floreciente (8)
flowers las flores (**7**)
flu la gripe (**9**)
flute la flauta (5)
fly la mosca (**11**)
fly, to volar (ue) (**10**)
folk healer el/la curandero/a (4)
follow, to seguir (i) (**4**)
following el siguiente (**2**, 3)
food la comida (**4**, **5**, B, **7**); **fast food** la comida rápida (B)
foot el pie (8, **9**)
for por (**11**); para (**11**)
for them les (**8**)
for us nos (**8**)
for you te (**5**, **8**); **for you all** os (**5**, **8**)
forest el bosque (9, **11**)
fork el tenedor (7)
formal formal (**8**)
forty cuarenta (**1**); **forty-one** cuarenta y uno (**1**)
four cuatro (**A**); **four hundred** cuatrocientos (**2**)
fourteen catorce (**A**)
fourth cuarto/a (**3**)
freeway la autopista (**10**)
freezer el/la congelador/a (7)
french fries las papas fritas *(pl.)* (**7**)
frequently frecuentemente (**8**)
fresh fresco/a (**7**)
freshman el/la estudiante de primer año (8)
Friday el viernes (**A**)
fried frito/a (**7**)
friend el/la amigo/a (**1**)
frog la rana (**11**)
from desde (**11**)
front desk la recepción (**10**)
fruit la fruta (**7**)
fulfilled cumplido/a (11)
full-time el tiempo completo (10)
fumes el humo (12)
function, to funcionar (**10**)
funding los fondos (11)
funds los fondos (10)
funny cómico/a (**1**)
furnished amueblado/a (**3**)
furniture los muebles *(pl.)* (**3**); **piece of furniture** el mueble (**3**)

G

garage el garaje (**3**)
garbage la basura (**11**)
garden el jardín (**3**)
garlic el ajo (**7**)
gas station la gasolinera (**10**)
generally generalmente (**8**)
genre el género (**5**)
gentleman el señor (Sr.) (**1**)
get, to obtener (10); **to get a driver's license** sacar la licencia (10); **to get better** mejorarse (**9**); **to get burned** quemar(se) (**9**); **to get down (from)** bajar (de) (**10**); **to get dressed** vestirse (e, i, i) (**9**); **to get good grades** sacar buenas notas (**4**); **to get hurt** lastimar(se) (**9**); **to get involved in politics** meterse en política (**11**); **to get married** casarse (11); **to get (nervous)** ponerse (nervioso/a) (**9**); **to get off (of)** bajar (de) (**10**); **to get on** subir (a) (**10**); **to get oneself ready** arreglarse (**9**); **to get quiet** callarse (**9**); **to get ready** preparar (**2**); **to get sick** enfermar(se) (**9**); **to get together** reunirse (**9**); **to get up** levantarse (**9**)
gift el regalo (8)
girl la chica; la muchacha (**1**)
girlfriend la novia (**1**)
gist el tema (5)
give, to dar (3); **to give a concert** dar un concierto (**5**); **to give a gift** regalar (5); **to give life** dar vida (8)
glass el vaso (**7**); el vidrio (**11**)
gloves los guantes (**8**)
Go to the board. Vaya(n) a la pizarra. (**A**)
go, to ir (**4**, **9**); **to go away** irse (**9**); **to go camping** ir de camping (**4**); **to go for a walk** dar un paseo (**4**); **to go horse-back riding** montar a caballo (11); **to go on a trip** ir de viaje (**10**); **to go on foot** ir a pie (**10**); **to go on vacation** ir de vacaciones (**10**); **to go out** salir (**3**); **to go shopping** ir de compras (**2**); **to go to bed** acostarse (ue) (**9**); **to go up** subir (a) (**10**)
gold el oro (9)
Goldilocks Ricitos de Oro (9)
good bueno/a (**1**, **10**)
Good morning. Buenos días. (**A**)
Good-bye. Adiós. (**A**)
gossip el chisme (7)
government el gobierno (**11**)
governor el/la gobernador/a (**11**)
gram el gramo (7)
granddaughter la nieta (**1**)
grandfather el abuelo (**1**)
grandmother la abuela (**1**)
grandparents los abuelos (**1**)
grandson el nieto (**1**)
gray gris (**3**)
green verde (**3**)
greenhouse effect el efecto invernadero (**11**)
greeting el saludo (**A**)
grilled asado/a (**7**)
ground floor la planta baja (**3**)
group el conjunto (**5**)
guess, to adivinar (5, 7)
guide la guía (5)
guitar la guitarra (**5**)

guitarist el/la guitarrista (**5**)
gum el chicle (**2**)
gymnasium el gimnasio (**2**)

H

hair el pelo (**9**)
ham el jamón (**7**)
hamburger la hamburguesa (**7**)
hammock la hamaca (11)
hand la mano (**1, 9**)
hand out food, to repartir comidas (**4**)
handsome guapo/a (**1**)
hang up, to colgar (7)
happy contento/a; feliz (**2**)
hard-boiled duro/a (**7**)
hard-working trabajador/a (**1**)
harm, to hacer daño (**11**)
hat el sombrero (**8**)
hate, to odiar (11)
have, to tener (**1**); **to have a backache** tener dolor de espalda (**9**); **to have a cold** tener resfriado; tener (un) catarro (**9**); **to have a cough** tener tos (**9**); **to have a headache** tener dolor de cabeza (**9**); **to have a snack** merendar (**7**); **to have a sore throat** tener dolor de garganta (**9**); **to have a stomachache** tener dolor de estómago (**9**); **to have a virus** tener un virus (**9**); **to have an infection** tener una infección (**9**); **to have breakfast** desayunar (**7**); **to have dinner** cenar (**7**); **to have fun** divertirse (e, ie, i) (6, **9**); **to have just finished + *(something)*** acabar de + *infinitivo* (**9**); **to have lunch** almorzar (ue) (**4**, 7); **to have the flu** tener (la/una) gripe (**9**); **to have to +** *(verb)* tener que + *(infinitive)* (**3**)
he él (**A, 11**)
head la cabeza (**9**)
health la salud (**9**)
healthy sano/a (9)
healthy, to be estar sano/a / saludable (**9**)
hear, to oír (3)
heart el corazón (**9**)
heat la calefacción (**10**)
heaven el cielo (**11**)
help, to ayudar (**3**); **to help elderly people** ayudar a las personas mayores/los mayores (4)
hen la gallina (7, **11**)
her su/s (**1**); la (**5, 11**)
herbalist el herbolario (10)
here aquí (**6**)
hers su/s (**1**)
Hi! ¡Hola! (**A**)
high plateau el altiplano (9)
highway la autopista (**10**)
hills las lomas (11)
him él (**A, 11**); lo (**5**)
him/her, to le (**8**)
his su/s (**1**)
hole el hoyo (**11**)
homemade remedy el remedio casero (7)
homework la tarea (**2**)
honeymoon la luna de miel (10)
hope la esperanza (11)
hope, to esperar (**2**)
hopefully… ojalá que (**11**)
horse el caballo (**11**)
hose las medias *(pl.)* (**8**)
hospital el hospital (**9**)
hot *(temperature)* caliente (**7**)
hot dog el perro caliente (**7**)
hot, to be tener calor (**3**)
hotel el hotel (**10**)
house la casa (**3**)
housekeeper el/la camarero/a (10)
hubbub el bullicio (4)
hug el abrazo (**A**)
human body el cuerpo humano (**9**)
humble humilde (3)
hummingbird el colibrí (11)
hungry, to be tener hambre (**3**)
hurricane el huracán (**11**)
hurt, to doler (ue) (**9**)
husband el esposo (**1**)

I

I yo (**A**); **I am …** Soy… (**A**); **I know.** Lo sé. (**A**); **I understand.** Comprendo. (**A**)
ice cream el helado (**7**)
if si (**4**)
ill enfermo/a (**2**)
illness la enfermedad (**9**)
imaginative imaginativo/a (**5**)
important, to be importar (**8**)
impressive impresionante (**5**)
improve, to mejorarse (**9**)
in a hurry, to be tener prisa (3)
in front of, enfrente (de) (4); delante de (**11**)
in order to para (**11**)
include, to incluir (6)
inexpensive barato/a (3, **4, 7**)
inflation la inflación (**11**)
influential influyente (11)
injury la herida (**9**)
insect el insecto (**11**)
inside of dentro de (**11**)
intelligent inteligente (**1**)
interesting interesante (**1**)
Internet café el cibercafé (**4**)
internship la pasantía (8)
interview la entrevista (3); **job interview** la entrevista de trabajo (8)
interview, to entrevistar (5)
intoxication la embriaguez (10)
introduction la presentación (**A**)
invest, to invertir (11)
isolated aislado/a (11)
it lo, la (**5**)
it's: It's cloudy. Está nublado. (**A**); **It's raining.** Llueve. (**A**); **It's snowing.** Nieva. (**A**)
its su/s (**1**)

J

jacket la chaqueta (**8**)
jam la mermelada (**7**)
January enero (**A**)
jazz el jazz (**5**)
jealous, to be tener celos (11)
jeans los jeans *(pl.)* (**8**)
jewel la joya (9)
job el trabajo (**4**)
journalism el periodismo (**2**)
judge el/la juez/a (7, **11**)
juice el jugo (**7**)
July julio (**A**)
June junio (**A**)
jungle la selva (**11**)
jury el juicio (**11**)
Just fine. Bastante bien. (**A**)

K

keep quiet, to callarse (**9**)
keep, to guardar (**3**)
ketchup la salsa de tomate (**7**)
key la llave (**10**)
kill, to matar (**11**)
kind bondadoso/a (11)
king el rey (**11**)
kitchen la cocina (**3**)
kneel, to arrodillarse (11)
knife el cuchillo (**7**)
know, to saber (**4**)

L

laboratory el laboratorio (**2**)
lacking, to be necesitar (**2**); hacer falta (**8**)

lady la señora (Sra.) (**1**)
lake el lago (5, **10**)
lamp la lámpara (**3**)
land la tierra (**11**)
languages los idiomas *(pl.)* (**2**)
large grande (**1, 10**)
last night anoche (5, 7)
last year el año pasado (5, 7)
last, to durar (9, 11)
late tarde (2, 3); **later than** más tarde que (7)
law el derecho (**2**); la ley (10, **11**); **laws** las leyes (2)
lawyer abogado/a (8)
lazy perezoso/a (**1**)
learn, to aprender (**2**)
leather el cuero (**8**)
leave, to dejar (**10**); irse (**9**); salir (**3**); **to leave the hotel** irse del hotel (**10**)
left over, to be sobrar (5)
leg la pierna *(of a person)* (**9**); la pata *(of an animal)* (9)
legend la leyenda (9)
lemon el limón (**7**)
lend, to prestar (**8**)
let's hope that ... ojalá que (**11**)
lettuce la lechuga (**7**)
library la biblioteca (**2**)
lie, to mentir (ie) (**4**)
light ***(colored)*** claro/a (**8**); **light** *(meal)* ligero/a (7)
light a campfire, to hacer una hoguera (**4**)
like como (5)
like, to gustar (**A**); **to like very much** encantar (**8**)
Likewise. Igualmente. (**A**)
line ***(of people)*** la cola (**10**)
lion el león (**11**)
listen music, to escuchar música (**2**)
Listen. Escuche(n). (**A**)
literacy la alfabetización (8)
literature la literatura (**2**)
little: little boy el niño (**1**); **little girl** la niña (**1**); **little kiss** el besito (**A**)
live, to vivir (**2**)
living vivo/a (**11**)
loan, to prestar (**8**)
locals ***(pl.)*** los lugareños (**4**)
lock ***(of a canal)*** la esclusa (5)
long largo/a (**8**)
look (at), to mirar (**2**); **to look for** buscar (**4**)
lose, to perder (ie) (**4**)
loud fuerte (3)
love el amor (4)
love, to encantar (**8**); querer (2, **3**)
lovers los amantes (11)
lucky, to be tener suerte (**3**)
luggage el equipaje (10)
lunch el almuerzo (**7**)
luxury el lujo (10)
lyrics la letra (**5**)

M

made from hecho de (9)
magazine la revista (8)
mail a letter, to mandar una carta (**4**)
make arts and crafts, to hacer artesanía (**4**)
make the arrangements, to hacer los arreglos (10)
make the bed, to hacer la cama (**3**)
make, to hacer (**3,** 4, **9**)
man el hombre; el señor (Sr.) (**1**)
manager el/la empresario/a (**5**)
many times muchas veces (**8**)
map el mapa (**2**)
March marzo (**A**)
market el mercado (**4**)
marmalade la mermelada (**7**)
married casado/a (**1**)
match el acierto (11)
material el material (**8**)
mathematics las matemáticas *(pl.)* (**2**)
matter el asunto (6)
matter, to importar (**8**)
May mayo (**A**)
mayonnaise la mayonesa (**7**)
mayor el alcalde; la alcaldesa (**11**)
me me (**5, 8**); **to/for me** mí (**11**)
meal la comida (**4, 5,** B, **7**)
meaning el sentido (3)
meat la carne (**7**)
medical treatment el tratamiento médico (**9**)
medicine la medicina (**2**)
medium *(meat)* término medio (**7**)
meet, to reunirse (**9**)
meeting la reunión (8, 10)
melon el melón (**7**)
memento el recuerdo (3)
memories ***(pl.)*** el recuerdo (10)
menu el menú (**7**)
messy desordenado/a (**3**)
microwave el microondas (**3**)
middle la mitad (11)
midnight la medianoche (**A**)
mile la milla (**2,** B)
milk la leche (**7**)
milk, to ordeñar (11)
minus menos (1)
Miss la señorita (Srta.) (**1**)
miss, to faltar (**4, B**)
mistaken, to be equivocarse (9)
mixture la mezcla (7, 11)
model el/la modelo (**8**); **fashion model** el/la modelo de ropa (3)
modern moderno/a (3)
mom la mamá (**1**)
monarchy la monarquía (**11**)
Monday el lunes (**A**)
money el dinero (**2**)
month el mes (**A**)
mosquito el mosquito (**11**)
mother la madre (**1**)
motor el motor (**10**)
motorcycle la moto(cicleta) (**1, 10**)
mountain la montaña (**10**); **mountain range** la cordillera (11); **mountain top** la cumbre (12)
mountainous montañoso/a (**4**)
mouse el ratón (**11**)
mouth la boca (**9**)
movie la película (3, **4**); **movie theater** el cine (**4**)
moving conmovedor/a (**5**); emocionante (**5**)
Mr. el señor (Sr.) (**1**)
Mrs. la señora (Sra.) (**1**)
museum el museo (**4**)
musical musical (**5**)
musician el/la músico/a (**5**)
mustard la mostaza (**7**)
my mi, mis (**1**)
My name is ... Me llamo... (**A**)

N

napkin la servilleta (**7**)
narrate, to contar (9)
narrow estrecho/a (**8**)
nationality la nacionalidad (A)
native endémico/a (11)
natural resource el recurso natural (**11**)
nature la naturaleza (3, **11**)
nausea las náuseas (**9**)
near cerca (de) (2, 7, **11**)
neck el cuello (**9**)
need, to necesitar (**2**); hacer falta (**8**)
negotiate the price, to regatear (7)
neighboring vecino/a (8)
neither ... nor ni... ni (**4**)
nervous nervioso/a (**2**)
never jamás (**4**); nunca (2, 3, **4**)
new nuevo/a (3)
newspaper el periódico (**11**)
nice simpático/a (**1**)
nickname el apodo (5)

nine nueve (**A**); **nine hundred** novecientos (**2**)
ninety noventa (**1**)
ninth noveno/a (**3**)
no one nadie (**4**)
nobody nadie (**4**)
noise el ruido (**B, 10**)
none ningún (**4**); ninguno/a/os/as (**3, 4**)
noon el mediodía (**A**)
normally normalmente (**8**)
nose la nariz (**9**)
not ever (***emphatic***) jamás (**4**)
notebook el cuaderno (**2**)
notes los apuntes *(pl.)* (**2**)
nothing nada (**4**)
November noviembre (**A**)
now ahora (**B**); **right now** ahora mismo (**2**)
number el número (**A**)
nurse el/la enfermero/a (**9**)

O

object el objeto (**3**)
obligation el deber (**4**)
occur, to ocurrir (**9**)
ocean el océano (**11**)
October octubre (**A**)
offer ofrecer (2); la oferta (3)
office la oficina (**3**); **post office** la oficina de correos (**4**)
often a menudo (**2, 8**)
oil el aceite (**7**); **oil spill** el derrame de petróleo (**11**)
Okay. Regular. (**A**)
old antiguo/a (3); mayor (**1**); viejo/a (**3, 10**)
older mayor (**10**)
on strike, to be estar en huelga (**11**)
on top (of) encima (de), sobre (**3, 7, 11**)
once una vez (**4**)
one uno (**A**) ; **one million** millón (**3**); **one thousand** mil (**2 3**)
onion la cebolla (**7**)
only solamente (8, 12)
Open your book to page … Abra(n) el libro en la página… (**A**)
open, to abrir (**2**)
opening el estreno (**5**)
opera la ópera (**5**)
opposite opuesto/a (**4**)
orange anaranjado (**3**); la naranja (**7**)
orchestra la orquesta (**5**)
order, to pedir (i) (**7**)
organize, to organizar (**4**)
others los demás (**4**)
ought to deber (**4**)
our/s nuestro/a/os/as (**1**)
outfit el conjunto (**8**)
outside fuera (7); **outside of** afuera de (**11**)
outskirts las afueras (3)
over there *(and potentially not visible)* allá (**6**)
overcoat el abrigo (**8**)
overhaul, to revisar (**10**)
own propio/a (12)

P

pack a suitcase, to arreglar la maleta (**10**); hacer la maleta (**10**)
package el paquete (10)
pain el dolor (**9**)
painted wooden animals los alebrijes (2)
painting el cuadro (**3**)
pajamas el pijama (**8**)
pants los pantalones *(pl.)* (**8**)
paper el papel (**2, 11**)
parents los padres (**1**)
park el parque (**4**); **theme park** el parque de atracciones (**10**)
park, to estacionar (**10**)
parking el estacionamiento (**10**)
parrot el loro (11)
participate in a political campaign, to participar en una campaña política (**4**)
passenger el pasajero (**10**)
passionate apasionado/a (**5**)
passport el pasaporte (**10**)
pastimes los pasatiempos (**2**)
pastry el pastel (**7**)
patient paciente (**1**); el/la paciente (**9**)
pay, to pagar (**7**); remunerar (**4**)
peace la paz (5)
pear la pera (**7**)
pedestrian el/la peatón/peatona (**10**)
peel la cáscara (7)
peel, to pelar (7)
pencil el lápiz (**2**)
people la gente (**1**)
pepper la pimienta (**7**)
percent por ciento (1)
perform a concert, to dar un concierto (**5**)
personal assistant el/la ayudante personal (6)
personality la personalidad (**1**)
pertain, to pertenecer (10)
pet la mascota (10, **11**)
pharmacist el/la farmacéutico/a (9)
pharmacy la farmacia (**9**)
photo la foto (**1**)
pianist el/la pianista (**5**)
piano el piano (**5**)
picture el cuadro (**3,** 5)
pie el pastel (**7**)
pig el cerdo (**11**)
pile el montón (7)
pill la pastilla (**9**)
pillow la almohada (**3**)
pink rosado (**3**)
place el lugar (**2**)
place, to poner (**3**)
plantain chips los tostones (11)
planet el planeta (**11**)
plant, to plantar (**11**)
plastic el plástico (**11**)
plate el plato (**7**)
platform el programa (11)
play la obra de teatro (5)
play, to: jugar (ue) (**4**); **to play (a musical instrument)** tocar un instrumento (**2**); **to play baseball** jugar al béisbol (**2**); **to play basketball** jugar al básquetbol (**2**); **to play charades** hacer mímica (**9**); **to play football** jugar al fútbol americano (**2**); **to play golf** jugar al golf (**2**); **to play soccer** jugar al fútbol (**2**); **to play tennis** jugar al tenis (**2**)
Pleased to meet you. Encantado/a. (**A**)
pleasure el placer (7)
plus más (1)
police la policía (**10**); **policeman** el policía (**10**); **policewoman** la policía (**10**)
polite expression la expresión de cortesía (**A**)
political issues las cuestiones políticas (**11**)
political party el partido político (**11**)
politics la política (**11**)
poll la encuesta (**11**)
pollute, to contaminar (**11**)
pollution la contaminación (**11**)
polyester el poliéster (**8**)
pool la piscina (**2**)
poor pobre (**1**)
popcorn las palomitas *(pl.)* (5)
post office correos; la oficina de correos (**4**)
postage stamp el sello (**10**)
poster el cartel (10)
posts los cargos (**11**)
pot la cazuela (7)
potato la papa; la patata (**7**)
potato chips las papas fritas *(pl.)* (**7**)

poultry las aves (**7**)
practice, to ensayar (**5**)
prefer, to preferir (ie) (**4**)
pregnant embarazada (9)
preparation el preparativo (5)
prepare, to preparar (**2**); **to prepare a meal** cocinar; preparar la comida (**3**); **to prepare oneself** prepararse (B)
prescribe, to recetar (9)
prescription la receta (**9**)
presidency la presidencia (**11**)
president el/la presidente/a (**11**)
pretty guapo/a (**1**)
pretty bonito/a (**1**)
previous anterior (5)
print ***(with a design or pattern)*** estampado/a (**8**)
professor el/la profesor/a (**2**)
propose, to proponer (5,10)
protect, to proteger (8, **11**)
proud orgulloso/a (B)
psychology la psicología (**2**)
pure puro/a (**11**)
purple morado (**3**)
purpose el propósito (7)
put, to: poner (**3**); **to put away** guardar (**3**); **to put on (one's clothes)** ponerse (la ropa) (**9**); **to put on make up** maquillarse (**9**); **to put up a tent** montar una tienda de campaña (4)

Q

quality la calidad (**11**)
queen la reina (**11**)

R

rabbit el conejo (10, **11**)
rain la lluvia (**A**); **acid rain** la lluvia ácida (**11**); **rain forest (tropical)** la selva (tropical) (**11**)
raincoat el impermeable (**8**)
raise, to criar *(children, animals, etc.)* (10)
rare crudo/a (7)
rat la rata (**11**)
raw crudo/a (7)
read, to leer (**2**)
Read. Lea(n). (**A**)
realize, to darse cuenta (9)
Really well. Muy bien. (**A**)
receive, to recibir (**2**)
recipe la receta (7)
recognize, to reconocer (8)
recommend, to recomendar (ie) (**4**)
record, to grabar (**5**)
recycle, to reciclar (**11**)
recycling el reciclaje (**11**)
red rojo (**3**)
reforest, to reforestar (**11**)
refrigerator el refrigerador (**3**)
regimes los regímenes (**11**)
rehearse, to ensayar (**5**)
relatives los parientes (2, B)
release a film/movie, to estrenar una película (**5**)
release a song, to sacar una canción (5)
remain, to quedarse (**9**)
remember, to acordarse (ue) de (**9**); recordar (ue) (**4**)
reopening la reapertura (11)
repeat, to repetir (i) (**4**)
Repeat. Repita(n). (**A**)
report el reportaje (12)
representative el/la diputado/a (**11**)
request el pedido (9)
reservation la reserva (**10**)
reserve a table, to reservar una mesa (**7**)
resolutions las determinaciones (11)
resolve, to resolver (ue) (**11**)
responsible responsable (**1**)
rest, to descansar (7)
restaurant el restaurante (**4, 7**)
return, to regresar (**2**); **to return (an object)** devolver (ue) (**4**); volver (ue) (**4**)
reuse, to reutilizar (**11**)
review la reseña (5)
rhythm el ritmo (**5**)
rice el arroz (**7**)
rich rico/a (**1**)
ride a bike, to montar en bicicleta (**2**)
right, to be tener razón (**3**)
ring el anillo (5)
river el río (**11**)
roasted asado/a (**7**)
robe la bata (**8**)
rock el rock (**5**)
roof el techo (**3**)
rooster el gallo (7)
roots las raíces (10)
roving ambulante (**4**)
row la hilera (8)
rug la alfombra (**3**)
rule la regla (10)
run, to correr (**2**)

S

sad triste (**2**)
safe salvo/a (11)
salad la ensalada (**7**); **salad dressing** el aderezo; el aliño (7)
salsa la salsa (**5**)
salt la sal (**7**)
salve el ungüento (10)
same mismo/a (**2**)
sandals la sandalias *(pl.)* (**8**)
sapodilla tree el chicozapote (2)
Saturday el sábado (**A**)
say, to decir (**3**)
scare, to asustar (9)
scarf la bufanda (9); el pañuelo (8)
schedule (of classes) el horario (de clases) (**2**)
science las ciencias *(pl.)* (**2**)
screen la pantalla (**5**)
scuba diving el buceo (4)
seafood los mariscos (**7**)
seamstress el/la costurero/a (8)
seasoning el condimento (**7**)
seat ***(of government)*** la sede (9)
second segundo/a (**3**); **second floor** el segundo piso (**3**)
see, to ver (**2**)
sell, to vender (7)
seller el/la vendedor/a (7)
semester el semestre (**2**)
senator el/la senador/a (**11**)
send, to enviar (**4**); **to send/mail a letter** mandar una carta (**4**)
sentences las oraciones (**3**)
September septiembre (**A**)
serve, to servir (i) (**4**)
set the table, to poner la mesa (**3**)
seven siete (**A**); **seven hundred** setecientos (**2**)
seventh séptimo/a (**3**)
seventy setenta (**1**)
shake, to temblar (11)
share compartir (3, 5)
shark el tiburón (5)
shave, to afeitarse (**9**)
she ella (**A**)
sheet la sábana (**3**)
shell la concha (10)
shellfish los mariscos (**4**)
shirt la camisa (**8**)
shoes los zapatos *(pl.)* (**8**)
short bajo/a (**1**); corto/a (**8**)
shorts los pantalones cortos *(pl.)* (**8**)
shot la inyección (**9**)
should deber (**4**)
shout, to gritar (11)
show, to enseñar (**2**); mostrar (ue) (**4**); **to show a film/movie** presentar una película (**5**)
shower la ducha (**3**)
shower, to ducharse (**9**)

shrimp los camarones *(pl.)* (**7**)
shrub el arbusto (7)
siblings los hermanos (**1**)
sick enfermo/a (**2**)
sick, to be estar enfermo/a (**9**)
signature la firma (4)
silk la seda (**8**)
silly tonto/a (**1**)
similarity la semejanza (**4**, 6)
since desde que (9)
sincerely atentamente (**4**)
sing, to cantar (**5**)
singer el/la cantante (**5**)
sink el lavabo (**3**)
sister la hermana (**1**); **sisters** las hermanas (**1**)
sit down, to sentarse (e, ie) (**9**)
six seis (**A**); **six hundred** seiscientos (**2**)
sixth sexto/a (**3**)
sixty sesenta (**1**)
size tamaño (3)
skate, to patinar (**2**)
skill la habilidad (**5**)
skirt la falda (**8**)
sky el cielo (**11**)
sleep, to dormir (o, ue, u) (**4**); **to fall asleep** dormirse (**9**)
sleepy, to be tener sueño (**3**)
slippers las zapatillas *(pl.)* (**8**)
slow lento/a (3, **5**)
small pequeño/a (**1, 10**)
smell, to oler (7)
smooth suave (**5**)
snack la merienda (**7**)
snake la serpiente (**11**)
sneeze el estornudo (**9**)
sneeze, to estornudar (**9**)
snow la nieve (**A**)
socks los calcetines (*pl.*) (**8**)
sofa el sofá (**3**)
soft drink el refresco (**7**)
soil la tierra (**11**)
soldiers los soldados (11)
solid-colored liso/a (**8**)
some algún (**4**); alguno/a/os/as (3, **4**); un/a/os/as (**1**)
someone alguien (**4**)
sometimes a veces (2, **4**)
something algo (**4**)
son el hijo (**1**); **sons** los hijos (**1**)
soup la sopa (**7**); **soup spoon** la cuchara (**7**)
source la fuente (5, 9)
sow, to sembrar (e, ie) (**11**)
Spanish speaker el/la hispanohablante (1)
speak, to hablar (**2**)
specialty of the house la especialidad de la casa (7)
speech el discurso (**11**)
speed la velocidad (10)
spend ***(time)*, to** pasar (6)
spices las especias (**7**)
spicy picante (**7**)
spoonful la cucharada (7)
sport el deporte (**2**)
spring la primavera (**A**)
stadium el estadio (**2**)
staircase la escalera (**3**, 11)
stand, to pararse (10); **to stand in line** hacer (la) cola (**10**); **to stand out** destacar (5); **to stand up** levantarse (**9**)
star la estrella (**5**)
start el principio (8)
state el estado (**11**)**; state** ***(of being)*** (2)
statehood la estadidad (11)
stay, to permanecer (11); quedar (11); quedarse (**9**); **to stay in bed** guardar cama (**9**)
steak el bistec (**7**)
steering wheel el volante (**10**)
stepfather el padrastro (**1**)
stepmother la madrastra (**1**)
still todavía (11)
stockings las medias *(pl.)* (**8**)
stomach el estómago (**9**)
store la tienda (**2**)
storm la tormenta (**11**)
story el piso (**3**)
stove la estufa (**3**)
straight derecho/a (10)
straighten up, to arreglar (**3**)
street la calle (3, **10**)
strike la huelga (**11**)
strong fuerte (**1**)
student el/la estudiante (**2**)
study, to estudiar (**2**, 6)
stupendous estupendo/a (**5**)
style el estilo (8); la moda (**8**)
subject la materia (**2**)
subway el metro (**10**)
successful, to be tener éxito (**3**)
sugar el azúcar (**7**)
suitable adecuado/a (10)
suitcase la maleta (**10**)
summarize, to resumir (9)
summer el verano (**A**)
sun el sol (**A**)
sunbathe, to tomar el sol (**2**)
Sunday el domingo (**A**)
supermarket el supermercado (**4**)
support, to apoyar (B, **11**)
sure seguro/a (**5**)
surprise la sorpresa (8)
surprising sorprendente (**5**)
survey la encuesta (**11**)
sweat, to sudar (9)
sweater el suéter (**8**)
sweatshirt la sudadera (**8**)
sweets el dulce (**7**)
swim, to nadar (**2**)

T

table la mesa (**2**)
tablecloth el mantel (**7**)
tablespoon la cuchara (**7**)
tablet la tableta (**2**)
tailor el costurero (8)
take, to llevar (**8**); tomar (**2**); **to take a short trip** ir de excursión (**4**); **to take care of** cuidar (3, 9, **11**); **to take off (one's clothes)** quitarse (la ropa) (**9**); **to take out the garbage** sacar la basura (**3**); **to take someone to the doctor** llevar a alguien al médico (**4**); **to take turns** turnarse (3)
talk la charla (11)
tall alto/a (**1**)
taste good/bad, to saber bien/mal (**7**)
tasty sabroso/a (**7**)
tax el impuesto (**11**)
taxi el taxi (**10**)
tea (iced / hot) el té (helado / caliente) (**7**)
teach, to enseñar (**2**)
team el equipo (**2**)
teaspoon la cucharita (**7**)
television la televisión (**2**)
tell, to decir (**3**)
temperature la temperatura (**A**)
temple el templo (**4**)
tennis shoes los tenis *(pl.)* (**8**)
tenth décimo (**3**)
test la prueba (9)
Thank you. Gracias. (**A**)
that, that one ese/a (**5**); **that one** *(way over there/not visible)* aquel/la (**5**); **those** (*way over there/not visible*) aquellos/as (**5**)
That's great! ¡Qué bueno! (**2**)
the el/la/los/las (**1**); **The check please.** La cuenta por favor. (**7**) **the day before yesterday** anteayer (5, 7); **the best** el/la mejor (4); **the eldest** el/la mayor (**10**); **the worst** el/la peor (**10**); **the youngest** el/la menor (**10**)

the left (of), to a la izquierda (de) (3, 7, **11**)
the right (of), to a la derecha (de) (**3, 7, 11**)
theater el teatro (**4**)
their su/s (**1**)
them los, las (**5**); **to them** les (**8**)
then entonces (**6**); luego (**6**)
there is hay (2); **there are** hay (**1, 2**); **over there** allí (**6**)
these estos/as (**5**)
they ellos/as (**A**)
thin delgado/a (**1**)
thing la cosa (**3**)
think, to pensar (ie) (**4**)
thinks piensa (1)
third tercer, tercero/a (**3**)
thirsty, to be tener sed (**3**)
thirteen trece (**A**)
this, this one este/a (**5**)
those over there; those ones esos/as (**5**)
throat la garganta (**9**)
throne el trono (11)
throw away, to botar (**11**)
Thursday el jueves (**A**)
tie la corbata (**8**)
tight estrecho/a (**8**)
time la hora (**A**); **sometimes, from time to time** a veces (2, 3, **4**)
tin work la hojalatería (2)
tip la propina (**7**)
tire la llanta (**10**)
tired cansado/a (**2**)
toast la tostada (**7**)
together juntos (2, **3**)
toilet el inodoro (**3**)
tomato el tomate (**7**)
too también (2)
tooth el diente (**9**)
topic el tema (5)
tornado el tornado (**11**)
tour la gira (**5**)
tour, to hacer una gira (**5**)
tournament el torneo (**4**)
tower la torre (3)
town el pueblo (**4**)
town square la plaza (**4**)
track and field el atletismo (2)
traditional tradicional (3)
traffic el tráfico (**10**); **traffic light** el semáforo (**10**); **traffic ticket** la multa (**10**)
tragedy la tragedia (**11**)
tragic trágico/a (**5**)
train el tren (**10**)
transportation el transporte (**10**)
travel agency la agencia de viajes (6, **10**); **travel agent** el/la agente de viajes (**10**)
travel, to viajar (**10**)
traveler el/la viajero/a (**10**)
treasure el tesoro (11)
tree el árbol (**11**)
tribute el homenaje (5)
trip el viaje (**10**)
truck el camión (**10**)
true cierto (**1**)
trumpet la trompeta (**5**)
trunk el baúl (**10**)
truth la verdad (**3**)
try (to), to tratar de (3, **9**)
try on clothing, to probarse (ue) la ropa (**9**)
T-shirt la camiseta (**8**)
tsunami el tsunami (**11**)
Tuesday el martes (**A**)
tuna el atún (**7**)
turn, to doblar (**10**); **to turn in** entregar (7); **to turn on** prender (11)
turnover (meat) la empanada (7)
twelve doce (**A**)
twenty veinte (**A**)

U

ugly feo/a (**1**)
umbrella el paraguas (**8**)
uncle el tío (**1**)
uncomfortable incómodo/a (**8**)
under debajo (de) (7, **11**)
undercover encubierto/a (5)
underline, to subrayar (7)
underneath debajo (de) (7, **11**)
understand, to comprender (**2**); entender (ie) (**4**)
underwear la ropa interior (**8**)
unemployment el desempleo (**11**)
unpleasant antipático/a (**1**)
upset nervioso/a (**2**)
us nosotros/as (**A**); nos (**5**); **to us** nos(**8**)
use, to usar (**2**, 4)
useful útil (**A**)

V

vacation las vacaciones *(pl.)* (**10**)
vacuum, to pasar la aspiradora (**3**)
vegetable la verdura (**7**)
vehicle el vehículo (**10**)
very muy (**1**)
village el pueblo (4)
vinegar el vinagre (**7**)
visit, to visitar (**10**)
voice la voz (**5**)
volunteer at a nursing home, to trabajar como voluntario/a en la residencia de ancianos (**4**)
volunteerism el voluntariado (**4**)
vote el voto (**11**)
vote, to votar (**11**)

W

waist la cintura (**9**); **from the waist up/down** de la cintura para arriba/abajo (9)
wait for, to esperar (**2**)
wait on, to atender (9)
waiter el camarero (**7**)
waitress la camarera (**7**)
wake up, to despertarse (e, ie) (**9**)
walk, to andar (**10**); caminar (**2**)
wall la pared (**2**)
want, to querer (2, **3**)
war la guerra (**11**)
warriors los guerreros (11)
wash dishes, to lavar los platos (**3**)
wash oneself, to lavarse (**9**)
waste, to perder (ie) (4)
watch el reloj (**2**)
watch, to mirar (**2**); **to watch television** ver la televisión (**3**)
waterfall la cascada (10)
we nosotros/as (**11**)
weak débil (**1**)
wear, to llevar (**8**)
wedding la boda (4, 6, 11)
Wednesday el miércoles (**A**)
week la semana (**A**); **last week** la semana pasada (5, 7)
weekend el fin de semana (**3**, 7); **last weekend** el fin de semana pasado (5)
welcome la bienvenida (**2**)
welfare el bienestar (**11**)
well-being el bienestar (**11**)
what lo que (3); **What?** ¿Qué? (**2**)
whatever cualquier (8)
When? ¿Cuándo? (**2**)
Where to? ¿Adónde? (**2**)
Where? ¿Dónde? (**2**)
which cual (11)
while mientras (3, **8**)
whipped cream la crema batida (7)
white blanco (**3**)
whiteboard (interactive) la pizarra (interactiva) (**2**)
Who? ¿Quién/es? (**A, 2**)
whose cuyo (11)
wide ancho (7, **8**)

wife la esposa (**1**)
win, to ganar (3, 6, 7)
wind el viento (**A**)
window la ventana (**2**); **to window shop** mirar las vitrinas (8)
windshield el parabrisas (**10**); **windshield wiper** el limpiaparabrisas (**10**)
wine el vino (**7**)
winter el invierno (**A**)
with con (**11**)
woman la mujer; la señora (Sra.) (**1**)
wool la lana (**8**)
word la palabra (**A**)
work, to: funcionar (**10**); trabajar (**2**); **to work as a counselor** trabajar como consejero/a (**4**); **to work in a summer camp** trabajar en el campamento de niños (**4**); **to work in politics** trabajar en política (**4**)
world el mundo (11)
worried preocupado/a (**2**)
worry about, to preocuparse (por) (**11**)
worse peor (**4, 10**)
wound la herida (**9**)
Wow! ¡Vaya! (**4**)
wrap, to envolver (7)
wrestling la lucha libre (2)
write, to escribir (**2**)
Write. Escriba(n). (**A**)

Y

yam la batata (7)
yellow amarillo (**3**)
… years old, to be tener … años (**3**)
Yes. Sí. (**A**)
yesterday ayer (5, 7)
yogurt el yogur (**7**)
you lo, la (**5**); ti (11); tú *(familiar)* (**A, 1**); usted/es *(formal)* (**A, 11**); vosotros/as *(fam. pl. Spain)* (**A, 11**)
you, to te (**5, 8**); **to you all** os (**5, 8**)
young joven (**1, 10**); **young man** el joven (**1, 10**); **young woman** la joven (**1, 10**); la señorita (Srta.) (**1**)
your su/s; tu/s; **your/s** vuestro/a/os/as *(fam. pl. Spain)* (**1**)
yucca la mandioca (7)

CREDITS

Text Credits

Chapter 7

p **273**: ChooseMyPlate.gov, U. S. Department of Agriculture

Chapter 10

p. 417 "Cartas de relación", Hernán Cortés. Dastin (2000).

Chapter 11

p. 446 "La Leyenda de los volcanos (adaptacion)". Dr. Aitor Bikandi-Mejias

Photo Credits

Chapter A

p. 3: David Schaffer/Getty Images; **p. 4**: (l) Nyul/Fotolia; (c) Jupiterimages/Stockbyte/Getty Images; (r) Digital Vision/Photodisc/Getty Images; **p. 7**: (t) Stockbyte/Getty Images; (b) Comstock Images/Stockbyte/Getty Images; **p. 12**: Andres Rodriguez/Fotolia; **p. 15**: Jupiterimages/Stockbyte/Getty Images; **p. 16**: George Doyle/Stockbyte/Getty Images; **p. 20**: (t) Stockbyte/Getty Images; (lc) Jupiterimages/PHOTOS.com/Getty Images/Thinkstock; (cl) Jupiterimages/Stockbyte/Getty Images; (cr) Pete Saloutos; (rc) BananaStock/Getty Images/Thinkstock; (bl) James Woodson/Photodisc/Getty Images; (bl) BananaStock/Getty Images/Thinkstock; (br) Jupiterimages/Stockbyte/Getty Images; (br) BananaStock/Getty Images/Thinkstock; **p. 22**: (tl) Medioimages/Photodisc/Getty Images; (tr) Eva Madrazo/Shutterstock; (b) Eddie Gerald/Dorling Kindersley, Ltd.; **p. 26**: (t) Andi Berger/Shutterstock; (tl) iofoto/Shutterstock; (tc) resnak/Shutterstock; (tr) Brad Remy/Shutterstock; (cl) Jupiterimages/Stockbyte/Getty Images; (c) Brandon Seidel/Shutterstock; (cr) Stuart Miles/Fotolia/Fotolia; (bl) Paul Yates/Shutterstock; (bc) Ollyy/Shutterstock.

Chapter 1

p. 30: Kevin Kozicki/Getty Images; **p. 31**: (t) Mint Images - Tim Robbins/Getty Images; (b) Huntstock.com/Shutterstock; **p. 35**: monbibi/Shutterstock; **p. 36**: Monkey Business/Fotolia; **p. 46**: (t) anekoho/Fotolia; (tc) Barabas Attila/Fotolia; (c) Eugenio Marongiu/Fotolia; (bc) Patricia Marks/Shutterstock; (b) Caroline Schiff/Getty Images; **p. 47**: Rido/Shutterstock; **p. 48**: Sergey Ash/Shutterstock; **p. 49**: Grigory Kubatyan/Shutterstock; **p. 53**: (t) Pearson Education; (bl) nyul/Fotolia; (br) Karramba Production/Fotolia; **p. 56**: (t) ImageryMajestic/Shutterstock; (cl) David Heining-Boynton; (cr) David Heining-Boynton; (bl) Pearson Education; (br) Samot/Shutterstock; (t) nandyphotos/Fotolia; **p. 58**: oneinchpunch/Fotolia; **p. 59**: (b) Iakov Filimonov/Shutterstock; **p. 60**: Monkey Business/Fotolia.

Chapter 2

p. 64: Jeremy Woodhouse/Getty Images; **p. 65**: (t) Andrew Bowen; (b) PhotoAlto/Sigrid Olsson/Getty Images; **p. 68**: csp/Shutterstock; **p. 77**: (c) Kaesler Media/Shutterstock; (b) CREATISTA/Shutterstock; **p. 78**: (l) Poprugin Aleksey/Shutterstock; (lc) Romolo Tavani/Fotolia; (rc) zsuriel/Fotolia; (r) Comugnero Silvana/Fotolia; **p. 89**: (tl) Skylinephoto/Shutterstock; (t) David Heining-Boynton; (tr) expressiovisual/Fotolia; (tcr) WavebreakmediaMicro/Fotolia; (tc) pololia/Fotolia; (tcl) 103tnn/Fotolia; (bcl) David Heining-Boynton; (bc) Brocreative/Fotolia; (bcr) Stephen Mcsweeny/Shutterstock; (br) David Heining-Boynton; (bl) Andres Rodriguez/Fotolia; (b) frinz/Fotolia; **p. 90**: (r) Brian Jackson/Fotolia; (l) Maridav/Shutterstock; (c) David Heining-Boynton; (br) Zsolnai Gergely/Fotolia; (b) Syda Productions/Fotolia; **p. 91**: Zou Zheng Xinhua News Agency/Newscom; **p. 93**: RStollner/Shutterstock; **p. 94**: Monkey Business/Fotolia; **p. 96**: (t) Rob/Fotolia; (c) Pearson Education; (b) csp/Shutterstock; **p. 97**: (t) José Méndez/EPA/Newscom; (c) ElHielo/Shutterstock; (b) Francesca Yorke/Dorling Kindersley, Ltd.; **p. 99**: Pearson Education; **p. 100**: racorn/Shutterstock.

Chapter 3

p. 104: VanderWolf Images/Fotolia; **p. 105**: (t) Tatyana Vyc/Shutterstock; (b) David Heining-Boynton; **p. 108**: (tl) David Heining-Boynton; (tc) Evok20/Shutterstock; (tr) gary yim/Shutterstock; (bl) javarman/Shutterstock; (bc) Jarno Gonzalez Zarraonandia/Shutterstock; (br) David Heining-Boynton; **p. 112**: Mark Hayes/Shutterstock; **p. 113**: (t) David Heining-Boynton; (b) David Heining-Boynton; **p. 115**: David Heining-Boynton; **p. 119**: (tl) David Heining-Boynton; (tc) David Heining-Boynton; (tr) David Heining-Boynton; (cl) David Heining-Boynton; (c) David Heining-Boynton; (cr) David Heining-Boynton; (bl) David Heining-Boynton; (bc) Alberto Loyo/Shutterstock; (b) David Heining-Boynton; (br) David Heining-Boynton; **p. 120**: David Heining-Boynton; **p. 121**: David Heining-Boynton; **p. 125**: (tr) David Heining-Boynton; (bl) Natalia Belotelova/

Shutterstock; (bc) Pres Panayotov/Shutterstock; (br) David Heining-Boynton; **p. 126**: (tl) David Heining-Boynton; (br) David Heining-Boynton; (tr) David Heining-Boynton; (br) David Heining-Boynton; **p. 127**: (t) David Heining-Boynton; (b) David Heining-Boynton; **p. 129**: David Heining-Boynton; **p. 130**: imging/Shutterstock; **p. 132**: (t) Brand X Pictures/Stockbyte/Getty Images; (tc) Chris Nash/Getty Images; (bc) imageZebra/Shutterstock; (b) Vinicius Tupinamba/Shutterstock; **p. 133**: (tl) Sillycoke/Shutterstock; (tr) Joan Ramon Mendo Escoda/Shutterstock; (c) Pearson Education; (b) David Heining-Boynton; **p. 134**: Syda Productions/Fotolia; **p. 135**: Johner Images/Getty Images; **p. 136**: Naphat_Jorjee/Shutterstock.

Chapter 4

p. 140: Gallo Images/Getty Images; **p. 141**: (t) Professional Geographer/Getty Images; (b) Enzo Figueres/Getty Images; **p. 144**: (br) Ollyy/Shutterstock; (bl) David Heining-Boynton; (tl) Dorling Kindersley, Ltd.; **p. 145**: (t) Suzanne Long/Shutterstock; (b) Jennifer Stone/Shutterstock; **p. 147**: Jupiterimages/PHOTOS.com/Thinkstock/Getty Images; **p. 149**: Medioimages/Photodisc/Stockbyte/Getty Images; **p. 153**: ImageState Royalty Free/Alamy; **p. 155**: Medioimages/Photodisc/Getty Images; **p. 157**: Jack Hollingsworth/Stockbyte/Getty Images; **p. 160**: vadim kozlovsky/Shutterstock; **p. 162**: Getty Images; **p. 165**: Andresr/Shutterstock; **p. 167**: Pearson Education; **p. 168**: BananaStock/Thinkstock/Getty Images; **p. 171**: (t) Andresr/Shutterstock; (c) Christopher Poe/Shutterstock; (bl) Pearson Education; (bc) Shawn Talbot; (br) Pearson Education; **p. 172**: (t) Jupiterimages/liquidlibrary/Thinkstock/Getty Images; (cl) Pearson Education; (c) sunsinger/Shutterstock; (lc) Mike Cohen/Shutterstock; (bl) Bumbim/Shutterstock; **p. 173**: (t) iofoto/Shutterstock; (tl) rj lerich/Shutterstock; (bl) Yai/Shutterstock; (br) Pearson Education; (b) Bumbim/Shutterstock; **p. 175**: Alan Jeffery/Shutterstock; **p. 174**: soft_light/Shutterstock; **p. 176**: Olesia Bilkei/Fotolia.

Chapter 5

p. 180: Mathew Imaging/Getty Images; **p. 181**: (t) Amble Design/Shutterstock; (b) Jakez/Shutterstock; **p. 184**: Ollyy/Shutterstock; **p. 185**: (t) Andros68/Fotolia; (b) dwphotos/Shutterstock; **p. 189**: (t) David Heining-Boynton; (l) Kevin Mazur/Getty Images; (r) ISOPRESS/REX/Newscom; (b) Nick Pickles/Getty Images; **p. 195**: fcarniani/Fotolia; **p. 196**: (t) Denis Makarenko/Shutterstock; (bl) Denis Makarenko/Shutterstock; (bc) Denis Makarenko/Shutterstock; (br) Everett Collection/Newscom; **p. 198**: mrcats/Fotolia; **p. 201**: zinkevych/Fotolia; **p. 204**: Karwai Tang/WireImage/Getty Images; **p. 205**: Dana Nalbandian/Shutterstock; **p. 206**: Rock and Wasp/Fotolia; **p. 207**: DeshaCAM/Shutterstock; **p. 209**: (t) blvdone/Fotolia; (cl) rj lerich/Shutterstock; (c) rj lerich/Shutterstock; (bl) Pearson Education; **p. 210**: (t) nandyphotos/Fotolia; (cl) Sandra A. Dunlap/Shutterstock; (b) Franck Monnot/Fotolia; (c) Pearson Education; **p. 211**: (t) Jack Hollingsworth/Photodisc/Getty Images; (cl) searagen/Fotolia; (bl) rj lerich/Shutterstock; (c) Chris Howey/Shutterstock; **p. 212**: Top Photo Corporation/Shutterstock; **p. 213**: (tl) Jane Hobson/REX Shutterstock/Newscom; (bl) LEHTIKUVA OY/REX/Newscom; (tr) Melinda Nagy/Fotolia; (br) romakoma/Shutterstock; **p. 214**: Lsantilli/Fotolia.

Chapter 6

p. 218: Vinicius Tupinamba/Shutterstock; **p. 219**: (t) Pearson Education; (b) Pearson Education; **p. 221**: (tl) Creatas/Thinkstock/Getty Images; (tr) Ryan McVay/Photodisc/Getty Images; (b) Jack Hollingsworth/Photodisc/Getty Images; **p. 222**: (tl) ImageryMajestic/Shutterstock; (tcl) Rob/Fotolia; (tcr) Brand X Pictures/Stockbyte/Getty Images; (tr) Andresr/Shutterstock; (bl) Jupiterimages/liquidlibrary/Thinkstock/Getty Images; (bcl) iofoto/Shutterstock; (bc) blvdone/Fotolia; (bcr) nandyphotos/Fotolia; (bc) Jack Hollingsworth/Photodisc/Getty Images; **p. 225**: Ian Tragen/Shutterstock; **p. 228**: Steve Mason/Stockbyte/Getty Images; **p. 230**: dwphotos/Shutterstock; **p. 233**: Frontpage/Shutterstock; **p. 235**: (l) Pearson Education; (r) Pearson Education; **p. 236**: Santiago Cornejo; **p. 237**: (l) Joe Mercier/Shutterstock; (r) John Cordes/Icon Sportswire 506/John Cordes/Icon Sportswire/Newscom; **p. 238**: (Top Row 1) csp/Shutterstock; (Top Row 2) David Heining-Boynton; (Top Row 3) Pearson Education; (Top Row 4) Pearson Education; (Top Row 5) Pearson Education; (Top Row 6) David Heining-Boynton; (Top Row 7) Shawn Talbot; (Top Row 8) Mike Cohen/Shutterstock; (Top Row 1) rj lerich/Shutterstock; (Top Row 2) Pearson Education; (Top Row 3) Pearson Education; (Top Row 4) David Heining-Boynton; (Top Row 5) Pearson Education; (Top Row 6) rj lerich/Shutterstock; (Top Row 7) Brand X Pictures/Getty Images; (Top Row 8) rj lerich/Shutterstock.

Chapter B

p. 240-241: Rawpixel.com/Fotolia; **p. 242**: (tl) JackF/Fotolia; (tr) Monkey Business Images/Shutterstock; (bl) Julie Keen/Shutterstock; (br) Monkey Business/Fotolia; **p. 243**: Robert Kneschke/Fotolia; **p. 250**: (tl) IM_photo/Shutterstock; (tr) Pearson Education; (bl) imging/Shutterstock; (br) David Heining-Boynton; **p. 253**: (tl) David Heining-Boynton; (tr) russ witherington/Shutterstock; (bl) David Heining-Boynton; (bc) Pearson Education; (br) David Heining-Boynton; **p. 254**: (l) Cheryl Casey/Shutterstock; (c) Giordano Aita/Shutterstock; (r) Michael Shake/Shutterstock; **p. 257**: Dean Mitchell/Getty Images; **p. 258**: Scott Griessel/Fotolia; **p. 261**: Dario Sabljak/Shutterstock; **p. 263**: Syda Productions/Fotolia; **p. 264**: Scott Leman/Shutterstock.

Chapter 7

p. 266: Image Source/Getty Images; **p. 267**: (t) Andrew Bowen; (b) Image Source/Getty Images; **p. 272**: BillionPhotos.com/Fotolia; **p. 273**: BasheeraDesigns/Fotolia; **p. 274**: Digital Vision/Photodisc/Getty Images; **p. 276**: (tr) George Doyle/Stockbyte/Getty Images; (cr) catmanc/shutterstock; (tl) C.J. White/Shutterstock; (tc) David Heining-Boynton; (tr) Yellowj/Shutterstock; (cl) joingate/Shutterstock; (c) Valentyn Volkov/Shutterstock; (cr) Michal Zajac/Shutterstock; (bl) David Heining-Boynton; (bc) David Heining-Boynton; (br) David Heining-Boynton; **p. 282**: (t) Kiselev Andrey Valerevich; (bl) Valentyn Volkov/Shutterstock; (tcl) Andrey Jitkov/Shutterstock; (tcr) hfng/Shutterstock; (tr) Robyn Mackenzie/Shutterstock; (tl) Shebeko/Shutterstock; (bcl) Denis Vrublevski/Shutterstock; (bcr) epsylon_lyrae/Shutterstock; (br) David Heining-Boynton; **p. 283**: sunsinger/Shutterstock; **p. 289**: KPG_Payless/Shutterstock ; **p. 292**: David Heining-Boynton; **p. 293**: David Heining-Boynton; **p. 294**: David Heining-Boynton; **p. 295**: Jupiterimages/Getty Images; **p. 296**: (t) LuckyImages/Shutterstock; (b) kondratyuk/Shutterstock; (t) Jupiterimages/Thinkstock/Getty Images; **p. 298**: Pearson Education; (tr) David Heining-Boynton; (tc) Pearson Education; (c) Rhonda Klevansky/

The Image Bank/Getty Images; **p. 299**: (t) Daniel M Ernst/Shutterstock; (c) Mykola Gomeniuk/Shutterstock; (b) Pearson Education; (br) Claudia Otte/Shutterstock; Pearson Education.

Chapter 8

p. 306: Jeremy Woodhouse/Getty Images; **p. 307**: (b) Jim Arbogast/Getty Images; (t) Raphye Alexius/Getty Images; **p. 310**: (c) Suzanne Long/Shutterstock; (b) Joel Shawn/Shutterstock; **p. 311**: David Heining-Boynton; **p. 312**: Colin Sinclair/Dorling Kindersley, Ltd.; **p. 315**: Africa Studio/Fotolia; **p. 316**: Johner Images; **p. 319**: (t) Nata Sha/Shutterstock; (tc) Creatas/Thnikstock/Getty Images; (c) littleny/Shutterstock; (bc) Paul Sutherland/Photodisc/Getty Images; (b) Pavel L Photo and Video/Shutterstock; **p. 320**: WavebreakMediaMicro/Fotolia; **p. 326**: Rudy Lawidjaja/Sipa USA/Newscom; **p. 327**: jorisvo/Shutterstock; **p. 330**: Pictorial Press/Alamy; **p. 331**: Andresr/Shutterstock; **p. 333**: Digital Vision/Photodisc/Getty Images; **p. 334**: (t) lev radin/Shutterstock; (b) iofoto/Shutterstock; **p. 336**: (t) Daniel M Ernst/Shutterstock; (l) Larry Lee Photography/Corbis; (bc) veroxdale/Shutterstock; (tc) Pearson Education; Pearson Education; **p. 337**: (t) Daniel M Ernst/Shutterstock; (l) Brand X Pictures/Stockbyte/Thinkstock/Getty Images; (c) Pearson Education; (b) SF photo/Shutterstock; Pearson Education; **p. 339**: Schum/Fotolia; **p. 340**: Mimi Haddon/Getty Images.

Chapter 9

p. 344: uzhursky/Fotolia; (t) Dirima/Fotolia; (b) mr.markin/Fotolia; **p. 348**: Stephen Schildbach/Photodisc/Getty Images; **p. 352**: Dario Lo Presti/Fotolia; **p. 357**: AVAVA/Shutterstock; **p. 358**: Inna Vlasova/Fotolia; **p. 362**: Guido Amrein, Switzerland/Shutterstock; **p. 366**: (t) Galyna Andrushko/Shutterstock; (b) Regissercom/Shutterstock; **p. 370**: (t) WavebreakmediaMicro/Fotolia; (b) nyul/Fotolia; **p. 371**: TheThirdMan/Shutterstock; **p. 372**: Pearson Education; **p. 373**: (t) iceteastock/Fotolia; (b) Andresr/Shutterstock; **p. 375**: (t) Monkey Business Images/Shutterstock; (cl) Pearson Education; (c) terekhov igor/Shutterstock; (b) Maria Veras/Shutterstock; Pearson Education; **p. 376**: (t) Andresr/Shutterstock; (cl) Shanti Hesse/Shutterstock; (c) Paul Clarke/Shutterstock; (b) Pearson Education; Pearson Education; **p. 377**: (t) Andresr/Shutterstock; (c) nousefornamel/Shutterstock; (b) Pearson Education; (cl) Pearson Education; **p. 379**: Aleksandr Markin/Shutterstock; **p. 380**: wavebreakmedia/Shutterstock.

Chapter 10

p. 384: alexmillos/Shutterstock; **p. 385**: (b) Carlos Bohorquez Nassar - www.stillformat.com/Getty Images; (t) ruidoblanco/Shutterstock; **p. 389**: Andresr/Shutterstock; **p. 390**: Ramona Heim/Shutterstock; **p. 393**: Monkey Business/Fotolia; **p. 394**: Creatista/Shutterstock; **p. 395**: clownbusiness/Fotolia; **p. 398**: (t) michaeljung/Fotolia; (b) gary yim/Shutterstock; **p. 399**: (t) Robert Kneschke/Shutterstock; (b) David Heining-Boynton; **p. 400**: Ysbrand Cosijn/Shutterstock; **p. 403**: Fabian_Agudelo/Fotolia; **p. 404**: Rawpixel.com/Fotolia; **p. 405**: (t) LysFoto/Shutterstock; (b) Attila JANDI/Shutterstock; (c) Robert Wroblewski/Shutterstock; **p. 410**: Andrey Yurlov/Shutterstock; **p. 411**: Monkey Business Images/Shutterstock; **p. 412**: (t) Pressmaster/Shutterstock; (b) nito/Shutterstock; **p. 414**: (t) A and N photography/Shutterstock; (l) Pearson Education; (b) Pearson Education; (c) javarman/Shutterstock; **p. 415**: (t) Rido/Shutterstock; (l) irabassi/Fotolia; (c) Pearson Education; (b) Pearson Education; Pearson Education; **p. 417**: Juulijs/Fotolia; **p. 416**: Everett Historical/Shutterstock; **p. 418**: Sean Pavone/Shutterstock.

Chapter 11

p. 422: vilainecrevette/Fotolia; **p. 423**: (t) Uryadnikov Sergey/Fotolia; (b) Lisa Johnson - Olive Productions/Getty Images; **p. 426**: (t) Ng Yin Jian/Shutterstock; (tc) john michael evan potter/Shutterstock; (ct) marilyn barbone/Shutterstock; (bt) Denis Pepin/Shutterstock; (bt) Narcis Parfenti/Shutterstock; (b) Hintau Aliaksei/Shutterstock; **p. 427**: Kaesler Media/Shutterstock; **p. 432**: Colin D. Young/Shutterstock; **p. 440**: U.S. State Department; **p. 441**: FotolEdhar/Fotolia; **p. 446**: Uryadnikov Sergey/Fotolia; **p. 447**: Lisa F. Young/Fotolia; **p. 452**: bernardbodo/Fotolia; **p. 453**: eurobanks/Fotolia; **p. 456**: absolut/Shutterstock; **p. 458**: Jupiterimages/Stockbyte/Getty Images; **p. 459**: (t) Stephen Coburn/Shutterstock; (b) michaeljung/Shutterstock; **p. 461**: (t) Kamira/Shutterstock; (l) Jeff Whyte/Shutterstock; (b) Pearson Education; (c) Pearson Education; Pearson Education; **p. 462**: (t) fStop Images GmbH/Shutterstock; (l) Israel Pabon/Shutterstock; (c) Pearson Education; (b) Pearson Education; **p. 463**: (t) Blend Images/Shutterstock; (l) Pearson Education; (bl) Pearson Education; (c) mayakova/Fotolia; **p. 465**: Jeremy Woodhouse/Getty Images.

Chapter 12

p. 470: Galyna Andrushko/Shutterstock; **p. 471**: (t) veroxdale/Shutterstock; (b) mayakova/Fotolia; **p. 473**: (l) Westend61 Premium/Shutterstock; (c) Blaj Gabriel/Shutterstock; (r) Tetra Images/Shutterstock; (b) Catalin Petolea/Shutterstock; **p. 474**: David Heining-Boynton; **p. 476**: (t) Tetra Images/Shutterstock; (b) Monkey Business Images/Shutterstock; **p. 477**: (l) David Heining-Boynton; (c) photobank.ch/Shutterstock; (r) Horst Petzold/Shutterstock; **p. 479**: Tony Magdaraog/Shutterstock; **p. 481**: (l) Cedric Weber/Shutterstock; (c) Galyna Andrushko/Shutterstock; (r) David Heining-Boynton; **p. 482**: (t) Monkey Business/Fotolia; (b) Tatagatta/Shutterstock; **p. 486**: (l) Pattie Steib/Shutterstock; (c) Vadym Andrushchenko/Shutterstock; (r) Galina Barskaya/Shutterstock; **p. 488**: withGod/Shutterstock; **p. 489**: (tl) Barbara Penoyar/Photodisc/Getty Images; (tcl) Daniel M Ernst/Shutterstock; (tcr) Daniel M Ernst/Shutterstock; (tr) Daniel M Ernst/Shutterstock; (cl) Monkey Business Images/Shutterstock; (cl) Andresr/Shutterstock; (cl) Andresr/Shutterstock; (cr) A and N photography/Shutterstock; (bl) Rido/Shutterstock; (bcl) Kamira/Shutterstock; (bcr) fStop Images GmbH/Shutterstock; (br) Blend Images/Shutterstock; **p. 490**: (tl) kwest/Shutterstock; (tcl) Alexander Chaikin/Shutterstock; (tcr) javarman/Shutterstock; (tr) jorisvo/Shutterstock; (cl) Yory Frenklakh/Shutterstock; (lc) gary yim/Shutterstock; (rc) JOSE ALBERTO TEJO/Shutterstock; (cr) Alexander Chaikin/Shutterstock; (bl) Marinko Tarlac/Shutterstock; (bcl) David Berry/Shutterstock; (bcr) Eugene Moerman/Shutterstock; (br) jovannig/123RF; **p. 491**: (tl) sunsinger/Shutterstock; David Heining-Boynton; (bl) fotum/Shutterstock; (br) worker/Shutterstock.

INDEX